중국사상문화술어사전

하

ㅇ~ㅎ

중국사상문화술어사전

편저 | 중국사상문화술어 편집위원회

번역 | 김택규 · 박희선 · 이새봄 · 조성윤 · 허수현

Ⓣ

ㅇ ~ ㅎ

국학자료원

목차

ㅈ

ㅇ

| **아속**雅俗

문예 작품의 고상하거나 통속적인 품격을 가리킨다. 문예 작품의 품격을 평가하는 한 쌍의 대립 범주이기도 하다. '아'는 작품의 품격이 고상하고 정통적이어서 주류 이데올로기에 부합하는 것을 뜻한다. 반대로 '속'은 대체로 민간에서 유행하는 세속적 심미 기준을 뜻한다. 문예 창작의 차원에서 보면 고상한 문예는 아름답고 정교하지만 인위적인 조탁이 비교적 심하고 통속적인 문예는 자연스럽고 신선하지만 서툴고 조잡하다. 당나라 이후, 많은 문인들이 통속 문예에서 영양분을 섭취했고 통속 문예는 점차 발전하며 영향력이 커졌다.

예)
공자는 말하길, "나는 자색으로 붉은색을 대체하는 것을 미워하며, 정鄭나라 음악이 고상한 음악을 어지럽히는 것을 미워하며, 말주변으로 나라를 전복시키는 자를 미워한다."라고 했다.
子曰: "惡紫之奪朱也, 惡鄭聲之亂雅樂也, 惡利口之覆邦家者." (『논어 · 양화』)

따라서 회화는 색채를 중시하고 글쓰기는 감정 표현을 중시한다. 여러 색채를 고루 써서 개와 말의 모양이 구별되고 여러 감정이 교차하여 글의 고상하고 통속적인 특성이 드러난다.
是以繪事圖色, 文辭盡情, 色糅而犬馬殊形, 情交而雅俗異勢. (유협, 『문심조룡 · 정세定勢』)

아악雅樂

전아하고 순정한 음악. 고대 제왕이 천지, 조상에 제사를 지내거나 조정의 경사, 궁정 연회 그리고 기타 중대한 축하할 일이 있을 때 사용한 음악이다. '아악'은 주로 왕조의 공덕을 칭송하며 음악이 정직하고 차분하고 가사가 전아하고 순정하다. 그와 함께 하는 반주와 안무에도 확실한 예의 규범이 있다. 역대 왕조는 모두 아악을 풍속을 교화하고 백성을 감화하는 중요한 수단으로 삼았다. 아악은 궁정 음악으로서 보수적인 면이 있으나 역사의 발전 속에서 민간의 가무와 다른 지역의 가무에서 여러 요소를 흡수하여 끊임없이 변화해 옴으로써 각 시대 음악의 최고 수준을 대표한다. 당 이후에 아악은 일본, 한국, 베트남 등으로 전파되어 이 나라들의 음악, 가무 문화에 중요한 부분으로 자리 잡았다.

예)
공자가 말했다. "자주색으로 붉은색의 자리를 빼앗는 것을 미워하며 정나라의 음악으로 아악을 어지럽히는 것을 미워하며 말재주로 나라를 위험에 빠뜨리는 것을 미워한다."
子曰, "惡紫之奪朱也, 惡鄭聲之亂雅樂也, 惡利口之覆邦家者也." (『논어論語 · 양화陽貨』)

당시에 하간헌왕은 뛰어난 재능이 있어 그 역시 치국의 도는 예약이 없으면 완전하지 못하다고 여겼으므로 그가 수집한 아악을 조정에 올렸다.
是時, 河間獻王有雅材, 亦以爲治道非禮樂不成, 因獻所集雅樂. (『한서漢書 · 예약지禮樂志』)

순욱은 음을 잘 변별해서 당시 사람들은 그에게 음악에 천부적 재능이 있다 하였다. 그리하여 그에게 음율을 조정하고 아악을 교정하는 직책을 맡게 하였다.
荀勗善解音聲, 時論謂之暗解. 遂調律呂, 正雅樂. (유의경劉義慶, 『세설신어世說新語 · 술해術解』)

악교樂敎

고대 중국에서 음악을 빌려 정치교화를 실행하던 방법으로 '시교詩敎'와 함께 거론된다. 선진 유가는 주대 음악교육의 성과를 정리하면서 음악이 풍속을 변화시키고 사람의 마음을 감화하며 인격을 배양하는 방법이라고 정의했고, 이로부터 음악과 음악교육에 대해 완전한 하나의 이론체계를 구축했다. 이후로 '악교'와 '시교'는 모두 공식 교육의 중요한 과목이었고, 중국 고대 예악 문명의 주요 구성요소가 되었다.

예)
음악은 성인이 좋아하는 것이다. 그것은 사람의 마음을 선하게 만들고, 깊이 감동시킬 수 있으며, 풍속을 교화할 수 있다. 그래서 옛 왕들은 그 교화의 기능을 매우 중요하게 여겼다.
樂也者, 聖人之所樂也. 而可以善民心, 其感人深, 其移風易俗, 故先王著其敎焉. (『예기ㆍ악기』)

음악은 사람의 마음을 깊이 감동하게 하며, 사람을 빠르게 감화시킨다.
夫聲樂之入人也深, 其化人也速. (『순자ㆍ악론樂論』)

악樂

고대 육예 중의 하나, 종종 '예'와 같이 불린다. 각종 외부의 예법과 규범에 비교하면 음악은 가장 사람의 마음을 감동시키고 사람의 언행에 영향을 미치는 것이다. 그러나 모든 음악이 유가에서 말하는 '악'의 범주에 들지는 않는다. '악'은 사람의 성정을 평화롭고 치우침이 없이 바른 상태로 만들고 사람의 언행을 자발적으로 예의 요구에 부합하게 하는 데 도움을 주어, 이로써 사람들 사이의 화목한 공존을 실현시켜야 한다. '악'은 종종 다른 예의 형식과 같이 운용되며 인륜 질서를 유지하고 풍속을 고치는 중요한 수단이다.

예)

사회의 조화로움을 촉진하는 데는 '악'을 대체할 수 있는 것이 없고, 사회적 윤리의
차등을 구별하는 데는 '예'를 대체할 수 있는 것이 없다. 악은 사람들을 서로 화목하게
하고, 예는 사람들에게 분별과 차등이 있게 한다. 예와 악은 사람 마음의 여러 측면을
함께 관리하고 통제한다.

樂也者, 和之不可變者也.; 禮也者, 理之不可易者也. 樂合同, 禮別異. 禮樂之統, 管乎人心矣. (『
순자荀子 · 악론樂論』)

공자가 말했다. "나는 자주색으로 붉은 색을 대신하는 것을 싫어하고, 정나라의 음악
으로 아정한 음악을 어지럽히는 것을 싫어하고, 아첨하는 말로 국가를 기울어지게 하는
사람을 미워한다."

子曰: "惡紫之奪朱也, 惡鄭聲之亂雅樂也, 惡利口之覆邦家者." (『논어論語 · 양화陽貨』)

안거낙업安居樂業

편안하게 살면서 즐겁게 일하다. '안거安居'는 주거가 안정된 것으로
평안하게 생활함을 가리킨다. '낙업樂業'은 자기의 직업에 만족하는 것
으로 자신의 직분을 즐거워하며 본업에 기쁘게 종사함을 가리킨다. 국
가와 사회를 잘 다스려서 천하가 태평무사하고 사람들은 각자 적절한
거처를 얻어 생업에 만족하며 행복하고 기쁘게 사는 것을 말한다. 이것
은 일반 백성이 품고 있는 기본적인 사회적인 이상이며 적극적인 역할
을 맡은 정치가와 관리자가 사회를 통치할 때 추구해야 할 목표이다.
이것은 정치적 이상으로서 백성을 근본으로 하고 민생을 중시하는 기
본적인 정신을 구현했다.

예)

국가를 다스리는 최고 경지란 …… 백성들이 각기 자기 나라의 밥이 맛있고 입는 옷
이 보기 좋으며 사는 곳이 편하다고 느끼게 하여 기꺼이 그들의 풍습에 따르게 하는 것
이다.

至治之極 …… 民各甘其食, 美其服, 安其俗, 樂其俗. (『사기史記 · 화식열전貨殖列傳』의 『노자』 인용부분)

세상 사람들은 만약 나에게 의지해 생존과 발전을 보장받고 나로 인해 부귀를 누리며 편안하게 살고 본업에 만족하며 자손을 기르고 천하가 태평하다면, 진심으로 정성을 다하여 나에게 충성할 것이다.

普天之下, 賴我而得生育, 由我而得富貴, 安居樂業, 長養子孫, 天下晏然, 皆歸心於我矣. (중장통仲長統, 『이란편리란篇』, 『후한서後漢書 · 중장통전仲長統傳』 참고)

안빈낙도安貧樂道

가난에 만족하며 도를 지키는 것을 기뻐한다. 공자와 유가 사상가의 눈에 도의道義를 배우고 지키는 것에는 그 어떤 공리의 목적도 없었다. 그것은 마음에서 우러나는 행동이자, 평생을 바쳐 추구하는 최고의 목표였다. 그렇기에 도의를 최고의 준칙으로 삼은 사람은 물질적인 어려움에 빠지더라도 도의에 어긋나는 방법으로 부귀를 구하지 않았고, 그것을 지킴으로 인해 즐거워할 수 있었다.

예)
공자께서 말씀하셨다. "훌륭하구나, 안회야! 한 소쿠리의 밥을 먹고 한 표주박의 물을 마시며 남루한 골목에 사는데, 사람들은 그 어려움을 견디지 못하되 안회는 그 즐거움이 변하지 않는구나. 훌륭하구나, 안회야!"

子曰: "賢哉, 回也! 一簞食, 一瓢飮, 在陋巷, 人不堪其憂, 回也不改其樂. 賢哉, 回也!" (『논어論語 · 옹야雍也』)

자공이 말했다. "가난하되 비굴하지 않고, 부유하되 교만하지 않으면 어떻습니까?" 공자께서 말씀하셨다. "괜찮다. 그러나 가난하되 즐거워하고, 부유하되 예를 좋아함만 못하다."

子貢曰: "貧而無諂, 富而無驕, 何如?" 子曰: "可也. 未若貧而樂, 富而好禮者也." (『논어 · 학이學而』)

안시처순安時處順

편안히 현실을 마주하고 시운에 만족하며 순리에 맡기다. 고대 철학자 장자莊子(B.C. 369?~B.C. 286)가 제시한 처세 태도 및 인생의 지혜이다. 장자는 모든 사물은 사람의 의지로 변화되지 않으니 생사 등의 변화가 초래하는 상황을 마주했을 때 태연히 대처해야 한다고 여겼다. 하지만 이것은 결코 소극적으로 참고 견디라는 뜻은 아니며 인간 정신의 고유한 적응력과 초월성을 강조하는 말로, 담담하고 초연한 마음으로 자신의 생명과 처지를 마주하여 스스로 평온함을 얻고 자유의 경지에 다다를 것을 제시했다. 이는 노자의 '도법자연道法自然' 명제가 확장된 것이다.

예)
생명을 얻는 것은 시운을 따르는 것이며 생명을 잃는 것은 자연에 순응하는 것이다. 편안히 시운을 맞이하고 자연의 흐름을 따르면 슬픔이나 즐거움이 마음을 침범하지 못한다.
夫得者, 時也. 失者, 順也. 安時而處順, 哀樂不能入也. (『장자莊子 · 대종사大宗師』)

부유함과 높은 신분, 행복과 운은 하늘이 나의 생활을 풍요롭게 만들기 위함이며 가난과 낮은 신분, 근심과 슬픔은 하늘이 내가 절차탁마하여 사업을 완수하게끔 돕기 위함이다. 살아서는 사물의 변화에 순응하며 죽을 때는 평온히 죽음을 마주하리라.
富貴福澤, 將厚吾之生也. 貧賤憂戚, 庸玉汝於成也. 存, 吾順事. 沒, 吾寧也. (장재張載, 『정몽正蒙 · 건칭편乾稱篇』)

안토중천安土重遷

고향에서의 생활에 만족하고 거처를 쉽게 옮기려 하지 않는다는 뜻. 이것은 전통 농업사회에서 일반 민중들이 보편적으로 가지고 있던 생각과 감정이다. 이 생각의 본질은 첫째로는 농경사회에서 사람들은 땅에 의지해 생산 활동을 하고 살아가기 때문에 땅에서 떨어질 수 없다는 것이며, 둘째로는 중국의 전통적 종법제도 사회에서 조상 숭배란 기본적인 신앙과 같으며 혈족이 모여 사는 것이 사회의 통상적인 모습이므로 조상의 묘와 혈족을 떠날 수 없다는 것이다. 이뿐만 아니라 자기가 나고 자란 환경과 사회를 떠나면 사람은 불편과 불안을 느끼게 된다. 이러한 생각과 감정은 소극적이고 보수적인 편이기는 하나 사람들이 고향과 땅을 사랑하고 가족을 아끼며 평화를 사랑하는 순결하고 선량한 성품을 드러내고 있다.

예)
고향에서의 삶에 만족하고 쉽게 거처를 옮기려 하지 않는 것은 평범한 백성들의 보편적인 성향이며, 혈육끼리 서로 의지하며 헤어지지 않으려는 것은 사람들이 공통적으로 가진 바람이다.
安土重遷, 黎民之性; 骨肉相附, 人情所願也. (『한서漢書 · 원제기元帝紀』)

애경사락哀景寫樂

애처롭고 슬픈 경치 묘사를 통해 즐거운 심정을 드러내다. 경물과 정서의 조화 및 주객전도의 묘사 방법에 속한다. 즐거운 풍경을 통해 애통함을 표현하는 수법은 비교적 자주 쓰이나, 슬픈 광경을 통해 기쁨을 표현하는 방법은 흔히 볼 수 없다. 그래서 '애경사락'은 '낙경사애樂景寫哀'와 종합하여 이해할 수 있다. 이들은 모두 정서를 표현하되 직접 토로하지는 않고 경물에 대한 묘사를 빌려 정취를 드러낸다. 감정과 풍경이 서로를 돋보이게 하고 조화를 이루면, 작품에서 함축적이고 은근한 심미적 효과를 내며 독특한 운치를 갖게 된다.

예)

"이전에 내가 떠날 적엔 버들가지 가벼이 나부끼더니, 지금 내가 돌아오니 눈비가 분분히 온 하늘에 날리네." 즐거운 풍경을 통해 애통함을 묘사하고 슬픈 장면을 통해 즐거움을 표현함으로써, 슬픔과 기쁨을 더욱 강조하였다.

"昔我往矣,楊柳依依,今我來思,雨雪霏霏." 以樂景寫哀,以哀景寫樂, 一倍增其哀樂. (왕부지 王夫之『강재시화薑齋詩話』1권)

정서와 경물은 비록 이름이 둘로 나뉘어 있지만 사실 떨어질 수 없는 것이다. 시를 잘 쓰는 사람은 그 경계선이 보이지 않을 만큼 두 가지를 교묘하게 융합한다. 정교하게 구상된 작품은 경물 안에 정서가 있고, 정서 안에 경물이 있다.

情景名爲二, 而實不可離. 神于詩者, 妙合無垠. 巧者則有情中景, 景中情. (왕부지『강재시화』2권)

애국여가愛國如家

집을 사랑하듯 나라를 사랑하다. 본래 제왕, 제후 등 권력을 가진 자들이 자기 집을 사랑하듯 나라와 백성을 사랑하는 것을 뜻한다. 고대 중국에서 가정과 국가는 동일한 구조로 인식되었기 때문에, 이 개념은 이후 뜻있는 인사부터 한 국가의 모든 구성원까지 모두가 숭상하는 기본 가치가 되었다. 그 중심에는 이러한 관념이 내재하고 있다. 조국을 사랑하는 자는 너와 나를 가리지 않고 한 가족과 같으며, 각 사람은 모두 자기 집을 사랑하듯 나라와 백성을 사랑한다는 것이다. 애국은 중국의 뿌리 깊고 오랜 민족적 전통이자 민족정신의 핵심이며, 모든 중국인의 굳은 신념이자 정신적 기둥이다.

예)

제후들에게 분봉하고 작위를 세습하도록 한 것은, 그들이 자기 자식을 사랑하듯 백성을 사랑하며 집을 사랑하듯 나라를 사랑하도록 하고자 함이다.

封建諸侯, 各世其位, 欲使親民如子, 愛國如家. (순열荀悦『한기漢紀·효혜제기孝惠帝紀』)

포부와 기개를 지닌 사람은 자기 집을 사랑하듯 나라를 사랑한다.

烈士之愛國也如家. (갈홍葛洪 『포박자抱朴子 · 외편外篇 · 광비廣譬』)

│ **애류**愛類

자신의 동류를 사랑하고 사람을 사랑함. 옛 중국인들은 동류를 사랑함은 지각 혹은 영성이 있는 동물의 기본 속성이라고 보았고 만물 영장의 인류라면 무릇 그러한 것이라 여겼다. 사람의 사랑하는 마음은 먼저 자신의 동류를 사랑하는 데에서 발현되어야 하고 타인을 위해 살아가야 하는데, 다른 사물을 아끼면서도 사람을 사랑하지 않는다면 진정한 사랑이라 할 수 없다. 즉 사람은 인류애의 제일가는 대상이며 제일가는 본질이자 사람이 다른 사물을 사랑하는 정신적 발로이다. 사람이 타인을 위하는 기본 규칙은 바로 여기에 있다.

예)

무릇 천지 간에 살고 있으며 혈기가 있는 자라면 지각이 있을 것이고, 지각이 있는 자라면 동류를 아낀다. 혈기가 있는 자 중에 사람보다 뛰어난 존재가 없으므로 사람이 부모를 사랑하는 마음은 죽을 때까지 다함이 없다.

凡生於天地之間者, 有血氣之屬必有知, 有知之屬莫不愛其類.……故有血氣之屬莫知於人, 故人之於其親也至死無窮. (『순자荀子 · 예론禮論』)

다른 류의 존재를 사랑하면서도 사람을 사랑하지 않는다면 인애가 있다고 할 수 없다. 다른 류의 존재를 사랑하지 않으면서 사람만 사랑한다면 그래도 인애가 있다고 할 수 있다. 소위 인애라 함은 자신의 동류를 향한 인애이다. 따라서 인덕이 있는 국가의 통치자는 백성에게 유익한 일이라 하면 그것이 무엇이든 실행한다.

仁於他物, 不仁於人, 不得爲仁; 不仁於他物, 獨仁於人, 猶若爲仁.

仁也者, 仁乎其類者也.故仁人之於民也, 可以便之, 無不行也.(『여씨춘추呂氏春秋 · 애류愛類』)

천하 만물에 대한 지각이 있으면서 사람의 도를 모른다면 지각이 있다 할 수 없다. 모든 생명을 사랑하면서 사람을 사랑하지 않는다면 인애라 할 수 없다. 소위 인애라 함은 자신의 동류를 사랑한다는 것이며 지혜가 있다 함은 어떤 일을 맞닥뜨리더라도 의심하거나 미혹되지 않는 것이다.

遍知萬物而不知人道, 不可謂智; 遍愛群生而不愛人類, 不可謂仁.

仁者愛其類也, 智者不可惑也.(『회남자淮南子 · 주술훈主術訓』)

애민愛民

백성을 사랑하고 아낀다. 이것은 통치자가 백성에 대해 마땅히 품어야 할 감정일 뿐만 아니라 국가를 통치할 때도 반드시 지켜야 할 중요한 원칙이다. 옛사람들은 통치자가 구체적인 정책과 조치를 통해서 백성이 이익을 얻게 하고 평안히 살며 즐겁게 일하게 하여 고통이나 이유 없는 침해를 당하지 않게 해야 한다고 생각했다. 이것은 통치자가 백성의 존경을 받는 전제 또는 기초이다. '애민'은 중요한 정치이념이자 군사 영역으로 확장되어 군대를 일으켜 전쟁을 할 때의 중요한 원칙이 되었다. 이 원칙에 따르면 아군과 적군의 백성은 모두 보호를 받아야 한다. 이것은 중국의 '민본民本'과 '인의仁義' 사상을 드러낸다.

예)

주 나라 문왕이 강태공에게 물었다. "나라를 다스리는데 가장 중요한 일이 무엇인지 묻고 싶습니다. 군주가 존중을 받고 백성이 평안하게 살게 하려면 어떻게 해야 합니까?" 강태공이 대답했다." 백성을 사랑하기만 하면 됩니다." 주 문왕이 물었다. "어떻게 백성을 사랑합니까?" 강태공이 대답했다." 백성이 이익을 얻게 하고 그들을 방해하지 않습니다. 백성이 일을 이루도록 돕고 훼방하지 않습니다. 안전하게 살게 하고 다치게 하지 않습니다. 혜택을 주고 그들의 손에서 빼앗지 않습니다. 백성을 기쁘게 하고 괴롭히지 않습니다. 백성을 즐겁게 하고 분노하게 만들지 않습니다."

文王問太公曰: "願聞爲國之大務. 欲使主尊人安, 爲之奈何?" 太公曰: "愛民而已." 文王曰: "愛民奈何?" 太公曰: "利而勿害, 成而勿敗, 生而勿殺, 與而勿奪, 樂而勿苦, 喜而勿怒." (『육도六韜 · 문도文韜 · 국무國務』)

옛날 사람들은 인애仁愛를 근본으로 여기고, 군사를 도의에 맞게 부리는 것을 정도라고 여겼다. ...... 전쟁의 원칙은 농번기와 전염병이 유행할 때 군사를 일으키지 않는 것이다. 이것은 자기의 백성을 보호하기 위함이다. 적국에 국상國喪과 재난이 있을 때 전쟁을 일으키지 않는다. 이것은 적국의 백성을 돌보기 위함이다. 겨울과 여름에 징병하지 않는 것은 양쪽의 백성을 아끼기 위함이다.

古者以仁爲本, 以義治之之謂正. ...... 戰道: 不違時, 不歷民病, 所以愛, 吾民也; 不加喪, 不因兇, 所以愛夫其民也; 冬夏不興師, 所以兼愛其民也. (『사마법司馬法 · 인본仁本』)

애민자강愛民者强

백성을 사랑하는 나라가 진정한 강국이다. 통치자가 제정하고 추진하는 정책과 조치가 민심에 따르고 백성의 근본적인 이익을 대표해야만 백성의 신임과 지지를 얻을 수 있으며 위아래가 한마음으로 협력하게 되어 큰일을 이룰 수 있다. 이것은 '애민愛民' 이념에서 파생된 '백성을 사랑함이 국력 강성의 근원적인 동기'라는 새로운 명제이자, '백성이 나라의 근본(民惟邦本)', '어진 사람은 남을 사랑한다(仁者愛人)'라는 사상의 확대이자 발휘이다.

예)
백성을 사랑하는 나라는 강해지고, 백성을 사랑하지 않는 나라는 쇠락한다.
愛民者强, 不愛民者弱. (『순자荀子 · 의병議兵』)

애인심자구현급愛人深者求賢急

민중을 사랑하는 사람은 지혜로운 마음을 추구하게 되어 있다. 현賢은 덕이 출중한 사람을 가리키며 우수한 인재를 의미한다. 인人은 민중을 가리키며 애인愛人은 애민愛民을 뜻한다. 여기에서 말하는 애愛는 일반적인 의미에서의 사사로운 덕이나 감정이 아니라 집정자가 국가를 잘 치리하고 백성의 기본적인 복리와 근본적인 이익을 보장함으로써 백성들이 고통을 당하거나 무단으로 침해를 받는 것을 면하게 해 주며 편안하게 살고 즐겁게 일하도록 해준다. 이 목표를 달성하려면 덕이 출중한 사람이 국가를 다스려야 한다. 따라서 진심으로 깊이 백성을 사랑하는 집정자는 필연적으로 애인愛人을 근본으로 여기며 현자를 구함求賢은 이의 구체적인 행위이다.

예)
백성을 깊이 사랑하는 사람은 현자를 구하며 현자를 얻고 기뻐하는 자는 사람을 후대한다.
愛人深者求賢急, 樂得賢者養人厚. (『소서素書 · 안례安禮』)

애인위대愛人爲大

타인을 아끼고 보살피는 것을 가장 중요하게 여기다. 옛사람들은 하늘과 땅 사이에 인간이 가장 귀하다고 여겼기에 '어진 자는 사람을 사랑한다仁者愛人'고 했다. '사람을 사랑하는 것愛人'을 도덕과 감정의 차원에서 국가의 차원으로 확대하면 '백성을 사랑하는 것愛民'으로 나타난다. 백성은 국가의 근본이자 국가의 안위와 성패를 결정하는 존재이므로, 통치자는 백성을 아끼고, 가까이하고, 이롭게 하고, 민심에 순응하는 것을 치국의 첫 번째 원칙으로 삼아야 한다. 정책과 법률의 제정, 제도의 확립은 모두 백성의 이익 보호를 출발지점이자 최종목적지로 하고 있다. 이것은 유가에서 말하는 '인정仁政'사상의 구현일 뿐 아니라 법가의 법률 제정과 의법치국依法治國의 중요한 이념으로, 중화민족의 숭고한 인문 정서를 드러내고 있다.

예)

　　타인이 나를 사랑하길 바라면 반드시 먼저 타인을 사랑해야 하고, 타인이 나를 따르기 바라면 반드시 먼저 타인을 따라야 한다.

　　欲人之愛己也, 必先愛人. 欲人之從己也, 必先從人. (『국어國語 · 진어晉語 4』)

　　군자가 보통 사람들과 다른 까닭은 그 마음의 생각이 다르기 때문이다. 군자는 마음속에 인과 예를 담고 있다. 어진 사람은 타인을 사랑하고, 예를 아는 사람은 타인을 존중한다. 타인을 사랑하는 사람은 타인도 늘 그를 사랑하고, 타인을 존중하는 사람은 타인도 늘 그를 존중한다.

　　君子所以異於人者, 以其存心也. 君子以仁存心, 以禮存心. 仁者愛人, 有禮者敬人. 愛人者人恒愛之, 敬人者人恒敬之. (『맹자孟子 · 이루離婁 하』)

　　옛날에는 정치를 함에 있어 사람을 사랑하는 것을 가장 중요하게 여겼다.

　　古之爲政, 愛人爲大. (『예기禮記 · 애공문哀公問』)

애인이덕愛人以德

　　다른 사람을 사랑하는 것은 도덕 규범에 맞게 해야 한다. 원칙 없이 편애하거나 제멋대로 내버려두면 안 된다. '덕德'은 도덕규범으로 사람의 도덕적 품행을 가리키며, 이것은 건강한 사회질서를 유지하는 내재적인 근거이다. '애인愛人'은 개인 차원의 감정이나 '덕'은 사회 전체가 공통으로 준수해야 할 규범이다. 타인 사랑을 도덕적으로 하지 않으면 사회의 공통 규범에 위배되고 사랑을 주는 사람과 받는 사람의 개인적 인품을 손상시킨다. '애인이덕'은 도의道義를 숭상하고 사회질서와 공익을 중시하는 정신을 구체적으로 드러낸 것이다.

　　예)

　　증자가 말했다. "……군자가 사람을 사랑할 때는 도덕 규범을 준수하지만, 소인이 사람을 사랑할 때는 덮어놓고 타협하여 마음이 편하기만 바란다. 내가 무엇을 더 바라겠는가? 죽을 때 모든 것이 규범에 맞을 수 있다면 이것으로 만족한다."

曾子曰: "……君子之愛人也以德, 細人之愛人也以姑. 吾何求哉? 吾得正而斃焉斯已矣." (『예
기禮記 · 단궁상檀弓上』)

군자가 사람을 사랑할 때는 도덕규범에 따라야지 사사로운 정에 끌려 규칙을 어기면
안 된다.

君子愛人以德, 不可徇情廢禮. (저인획褚人获, 『수당연의隋唐演義』 제23회)

애적哀吊

고대 문체의 명칭. 죽은 사람 혹은 불행을 맞닥뜨린 사람에게 위로의
마음을 표시할 때 쓰인다. 애哀는 애도哀悼, 애민哀憫이다. 처음에는 단
명한 사람을 애도할 때 쓰였고 이후에는 불행을 만난 사람 혹은 불행한
일을 안타깝게 여길 때 쓰였다. 적吊은 고인이나 옛일을 추모함이다. 죽
은 이를 향해 추모하거나 불행한 일을 만난 사람, 나라에게 위로를 한
다는 의미를 지닌다. 애哀는 일반적으로 현존하는 사람이나 현재 일어
나는 일에 쓰이며 적吊은 고인에게 쓰인다. 문체로 보면 이 둘은 차이가
크지 않고 오늘날의 추도사와 유사하고 실용문에 속한다. 어떤 경우에
는 추모하는, 그리워하는 내용을 담은 서정 산문으로 볼 수도 있다. 유
협은 『문심조룡』에서 다음과 같이 언급했다. "애哀는 망자의 다 이루지
못한 공과 덕에 대한 슬픔을 표하는 것이므로 형식에 있어 지나치게 수
사학적일 필요가 없다." 적吊은 고인을 추억하는 데에 많이 쓰이는 표
현으로 좋고 나쁨을 평할 때와 주로 어울리고, 돌아보고 마음속으로 느
끼고 생각한다는 특징을 지닌다. 이러한 견해는 오늘날의 산문 작문에
여전히 영향을 끼치고 있다.

예)
과장된 문체로 애사를 쓰는 것은 화려할 수는 있으나 사람의 마음에 슬픔을 일으키
지는 못한다. 마음 깊숙한 감정을 표현하여 사람을 눈물짓게 하는 글이야말로 훌륭한

수필이라 할 수 있다.

奢體為辭, 則雖麗不哀; 必使情往會悲, 文來引泣, 乃其貴耳. (유협劉勰『문심조룡文心雕龍·
애적哀吊』)

적吊의 뜻은 아주 옛 시대까지 거슬러 올라가 찾을 수 있으나 화려하게 쓰이기 시작
한 것은 나중의 일이다. 글이 지나치게 꾸밈이 많고 느릿느릿 질질 끈다면 부賦와 더욱
흡사할 것이다. 그러한 글을 쓰는 데 있어서 필자는 핵심 요지에 초점을 맞추고 관련성
을 설명해야 하며, 덕을 높이고 오류를 경계해야 하며 옳고 그름을 분별하고 그에 다른
평가를 해야 하며, 핵심 요지에서 벗어남 없이 슬픔을 표현해야 한다. 그제서야 적문吊
文의 작문 원칙에 위배되지 않는다.

夫吊雖古義, 而華辭未造; 華過韻緩, 則化而為賦. (유협劉勰『문심조룡文心雕龍·애적哀吊』)

┃야무유현野無遺賢

민간에 빠뜨리고 사용되지 않는 현명한 사람이 없이 덕과 재능을 겸
비한 사람은 모두 국가에 쓰임 받음. 이것은 옛사람들의 '상현尙賢(어진
사람을 존경함)'의 구체적인 실현이다. 중국은 예로부터 인격과 능력을
갖춘 사람을 등용하며 사람마다 자기의 재능을 충분히 발휘하는 것을
중시했고, 이것이 국가의 건강한 통치 상태를 실현하는 데 있어 중요한
전제 조건이라고 여겼다. 찰거제察擧制(추천 제도), 과거 제도 등은 중국
고대의 각종 인재 선발 제도로 모두 이러한 이념의 바탕에서 세워진 것
이다. '야무유현'은 국가의 건강한 치리 상태를 가늠하는 지표 중 하나
로 여겨졌다.

예)
현명한 사람이 모두 중히 쓰임 받아 민간에 인물이 없으면 여러 나라가 모두 태평하
고 무사하다.

野無遺賢, 萬邦咸寧. (『상서·대우모』)

약정속성約定俗成

　명칭은 약속에 따라 정해지고 관습이 된다. 순자가 제시한 '약정속성'의 관념은 사물의 명명방식을 묘사하는데 쓰인다. 순자는 사람이 사용하는 명칭은 서로 다른 종류가 있다고 여겼다. 모든 명칭은 특정한 대상을 가리킬 때 쓰인다. 그러나 구체적으로 어떤 명칭으로 어떤 한 사물 혹은 어떤 종류의 사물을 가리킬 때는 사람들이 공통으로 약속한 것이다. 약속된 명칭의 용법이 점차 사람들에게 익숙하게 되었다면, 이 명칭 또한 확정된다. '약정속성'은 나중에는 널리 일반적인 사회 규칙의 형성을 가리킬 때도 사용되었다.

　　예)
　명칭은 원래부터 적절한 것이 있던 것이 아니라 사람들이 약속하여 이름을 붙인 것이다. 약속에 따라 확립되고 사람들에게 익숙해진 명칭이 곧 적절한 것으로, 약속된 명칭과 다른 것은 적합하지 않다고 하는 것이다. 명칭은 원래부터 어떤 한 대상을 가리키는 것이 아니라 약속에 따라 특별히 정한 대상을 가리키는 것으로, 명칭은 약속에 따라 정해지고 관습이 되어 그것으로 어떤 대상의 이름으로 삼아 부르는 것이다.
　　名無固宜, 約之以命. 約定俗成謂之宜, 異於約則謂之不宜. 名無固實, 約之以命實, 約定俗成謂之實名. (『순자荀子 · 정명正名』)

양기養氣

　도덕적인 정신을 함양하고 심신의 건강을 조절한다는 뜻이다. 이를 통해 양호한 창작 심리에 도달함으로써 우수한 문예 작품을 창작할 수 있다. 이 용어는 다층적인 함의를 갖고 있다. 첫째, 맹자는 군자가 도덕적 정신의 '호연지기浩然之氣'를 잘 길러야 한다고 강조했다. 둘째, 동한의 왕충은 『논형』에 따로 「양기편」을 마련해 전문적으로 양생養生의 관점에서 '양기'를 제창했다. 셋째, 남조의 유협은 『문심조룡 · 양기』에서 위의 사상을 바탕으로 문예 창작의 초기 단계에는 양호한 신체 상태와 여유 있고 자유로운 심리 상태를 유지해야지, 지나치게 정신을 소모해서는 안 된다고 주장했다. 훗날 '양기'는 문예심리학의 중요한 용어가 되었다.

예)

나는 갖가지 말 속의 생각과 감정의 경향을 식별할 수 있는데 이것은 내가 어떻게 호연지기를 기르는지 잘 알기 때문이다.

我知言, 我善養吾浩然之氣. (『맹자·공손추상』)

그래서 글을 쓰려면 반드시 절제와 완화의 방법을 익혀 마음을 맑고 평안하게 하고 기를 순조롭게 조절해야 한다. 마음이 번잡하고 어지러울 때는 멈춰야 하며 생각이 막혀 활기를 잃게 만들어서는 안 된다.

是以吐納文藝, 務在節宣, 淸和其心, 調暢其氣; 煩而卽捨, 勿使壅滯. (유협, 『문심조룡·양기養氣』)

│ 양민養民

백성을 양육하다. 백성의 생활상의 요구를 만족시켜 주는 것과 백성을 교육시키는 것을 포함한다. 『상서·대우모大禹謨』에서는 '양민'을 '선정善政'(좋은 정치)의 목적으로 삼았다. 이 목적을 실현하기 위해 나라의 통치자는 반드시 '육부삼사六府三事'를 다스리고 조화시켜야 한다. '육부'는 금金, 목木, 수水, 화火, 토土, 곡谷, 즉 백성의 생활에 필요한 각종 물질적 자원을 말한다. '삼사'는 '정덕正德'(백성의 품성을 바로잡다), '이용利用'(백성들이 물질적 자원을 사용하게 하다), '후생厚生'(백성들의 생활을 풍족하게 하다)이다. 이것은 백성을 근본으로 삼으며 물질문명과 정신문명을 함께 고려하고 중시하는 치국 이념이다.

예)

제왕의 덕행은 좋은 정치를 베푸는 것으로 표현되어야 하며 정치를 베푸는 목적은 백성을 양육하는 것이다. 수, 화, 금, 목, 토, 곡의 여섯 가지 생활 자원은 반드시 충족하게 구비되어 있어야 하며, 덕행을 바로잡고 물자가 저마다 가치를 충분히 발휘하여 백성을 부유하게 하는 이 세 가지 일은 모두 조화롭게 이루어져야 한다. 이 아홉 가지 일은 모두 질서에 맞게 안배되어야 하며 이 아홉 가지 일을 모두 이룬다면 칭송을 받게 된다.

德惟善政, 政在養民. 水, 火, 金, 木, 土, 穀, 惟修; 正德, 利用, 厚生, 惟和. 九功惟敍; 九敍惟歌. (『상서 · 대우모』)

가난함은 부유함 속에서 생겨나고, 쇠약함은 강성함 속에서 생겨나며, 동란은 태평함 속에서 생겨나고, 위험은 평안함 속에서 생겨난다. 그러므로 현명한 군왕은 백성을 양육하고 그들의 질고를 자주 걱정하여 그들의 고생을 위로하고 교육을 강화하며, 신중하고 조심스럽게 재난을 미연에 방지하고 일체의 사악함이 생겨날 근원을 단절하였다.

夫貧生於富, 弱生於强, 亂生於治, 危生於安. 是故明王之養民也, 憂之勞之, 敎之誨之, 愼微防萌, 以斷其邪. (왕부王符『잠부론潛夫論 · 부치浮侈』)

| 양사良史

역사적 사실에 근거해 감추거나 피하지 않고 객관적으로 기록하는 좋은 역사가나 역사서를 뜻한다. 역사가나 역사서를 평가하는 기준은 기록된 역사가 객관적인 진실이냐 아니냐에 달렸다. 이것이 과학적 역사학의 으뜸가는 조건이다.

예)

유향劉向과 양웅揚雄은 수많은 책을 읽은 뒤, 모두 사마천이 훌륭한 사관의 재능을 가졌다고 칭찬했다. ...... 사마천은 글이 정직하고 서사가 정확하며 거짓과 찬양이 없고 악행을 숨기지 않았다.

然自劉向, 揚雄博極群書, 皆稱遷有良史之材...... 其文直, 其事核, 不虛美, 不隱惡. (『한서漢書 · 사마천전찬司馬遷傳贊』)

선한 것이든 악한 것이든 다 곧이곧대로 기록해야 훌륭한 역사서다.

凡善惡必書, 謂之良史. (소악蘇鶚, 『소씨연의蘇氏演義』 상권)

| 양의兩儀

사물이 생성하고 존재하는 두 가지 규칙으로 '팔괘八卦' 형성 과정을 표현하는 데 쓰이는 역학 개념이다. 『주역周易 · 계사상繫辭上』에 "역에는 태극이 있어 양의를 낳는다. 양의는 사상을 낳고 사상은 팔괘를 낳는다"고 전한다. '태극太極'이 나뉘어서 형성되며 서로 결합하고 대립하는 두 방면이 곧 '양의'이다. '양의'의 구체적인 내용에 대해 옛사람들은 여러 견해를 가졌다. 첫째, 우주의 생성이라는 관점에서 보면 '양의'는 하늘과 땅을 가리키거나 또는 음과 양을 가리킨다. 둘째, 점을 치는 관점에서 이해하면 '양의'는 49개의 시초蓍草를 임의로 두 덩어리로 나눈 것을 가리키거나 또는 점괘를 그릴 때 나눈 홀수와 짝수의 두 그림을 가리킨다.

예)
하나였던 원기가 이미 나뉘어서 하늘과 땅을 형성했다. 그래서 『주역』은 "태극이 양의를 낳았다"고 한다.
混元既分, 即有天地, 故曰 "太極生兩儀". (『주역周易 · 계사繫辭上』 공영달孔穎達 정의)

음과 양으로 나뉘어지니 양의가 확립되었다.
分陰分陽, 兩儀立焉. (주돈이周敦頤, 『태극도설太極圖說』)

| 양의불능구무명良醫不能救無命

아무리 뛰어난 의사라도 죽은 사람은 살릴 수 없다. 어떤 것도 효력이 한계가 있으며 의사의 의술이 아무리 뛰어나고 의료 조건이 좋아도 모든 병을 고칠 것이라 보장할 수 없으며 필경 어떤 병은 고칠 수 없고 필시 어떤 사람의 생명은 만회할 수 없다. 이는 불행한 일이기도 하고 피할 수 없는 일이기도 하다. 사람들은 이것을 반드시 인지해야 하며 담담하게 대면해야 한다. 이 표현은 사람들이 늘 불가항력적이며 사람의 능력에는 한계가 있다는 것을 상기시키기 위해 쓰인다.

예)

훌륭한 의사는 아직 죽지 않은 사람은 구할 수 있으나 사람의 수명이 끝에 이르면 어떤 처방도 소용이 없다.

良醫能治未當死之人命, 如命窮壽盡, 方用無驗矣. (왕충王充『논형論衡 · 정현定賢』)

아무리 훌륭한 의사도 죽은 사람은 살려낼 수 없으며 아무리 건장한 사람도 하늘의 높고 낮음을 겨룰 수 없다. 따라서 하늘에서 어떤 것을 괴멸하고자 한다면 인력으로 그것을 막을 수 없다.

良醫不能救無命, 強梁不能與天爭.故天之所壞, 人不得支. (『후한서後漢書 · 소경전蘇竟傳』)

죽을 병에는 아무리 뛰어난 의사도 속수무책이다.

死病无良医.(『자치통감資治通鑑 · 주기오周紀五 · 난왕오십육년板王五十六年』)

양주팔괴揚州八怪

청대 강희康熙(1662~1722)에서 건륭乾隆(1736~1795) 연간에 양주 일대에서 활약한 여덟 명의 화가로 개성이 독특하고 화풍이 기괴하여 '팔괴八怪'라고 불렸다. 일반적으로 왕사신汪士慎(1686~1762?), 이선李鱓(1686~1762), 금농金農(1687~1763), 황신黃愼(1687~1768後), 고상高翔(1688~1753), 정섭鄭燮(1693~1765), 이방응李方膺(1695~1754), 나빙羅聘(1733~1799)등 여덟 명을 가리키나 다른 의견도 있다. 그들은 대부분 실의한 관리 또는 공명이 없는 문인으로 글과 그림으로 마음속의 불평을 표현했고, 그림을 그릴 때 기존의 방법에 얽매이지 않았으며 정통 화풍에 반대하여 제화시題畫詩, 서예, 전각의 창작 영역에서 꿋꿋이 혁신에 힘썼고 성취가 탁월하여 당시 사람들에게 '편사偏師', '괴물'로 여겨졌고 이 때문에 '양주팔괴'라는 이름을 얻었다. 그들은 근대 화가 진사증陳師曾(1876~1923), 제백석齊白石(1864~1957) 등에게 큰 영향을 미쳤다.

　예)

　천지의 오묘함을 드러내는 문장, 사람을 놀라게 하는 심한 천둥과 폭우 같은 문자, 귀신을 큰 소리로 노하여 꾸짖는 말, 옛날에도 없고 지금까지도 없던 그림, 이런 것들은 보통 사람들 눈으로는 절대 보이지도 않는 것이다.

　掀天揭地之文, 震驚雷雨之字, 呵神罵鬼之談, 無古無今之畫, 原不在尋常眼孔中也. (『정판교집鄭板橋集 · 난난난죽난석여왕희림亂蘭亂竹亂石與汪希林』)

　안타까운 것은 그들은 같은 시기에 흥성했으나 화풍이 주류 화풍과 달라서 비록 '팔괴'로 이름을 날렸음에도 그들의 그림은 통일된 풍격을 형성하지는 못했다.

　所惜同時並擧, 另出偏師, 怪以八名, 畫非一體. (왕윤汪鋆, 『양주화원록揚州畫苑錄』)

양지良知

　사람이 선천적으로 갖고 있는 도덕적 본성과 도덕적 인식 그리고 실천 능력이다. '양지'라는 단어를 가장 먼저 언급한 사람은 맹자다. 그는 사람이 생각하지 않고도 알 수 있는 것이 바로 '양지'라고 말했다. '양지'의 구체적인 내용은 부모에 대한 사랑과 연장자에 대한 존경을 포함한다. 부모를 사랑하는 것은 인仁이고 연장자를 존경하는 것은 의義이다. '양지설'은 맹자가 주장한 성악론의 중요한 내용이다. 그리고 명대의 왕수인王守仁이 '치량지致良知'를 제기하여 맹자의 '양지설'을 한 단계 더 발전시켰다. 그는 '양지'가 바로 천리天理여서 모든 사물과 그 법칙이 다 '양지' 안에 포함된다고 주장했다. '양지'를 끝까지 확대하면 모든 도덕적 진리에 대한 인식과 실천에 이를 수 있다.

예)
사람이 생각하지 않고도 아는 것이 양지다.
所不慮而智者, 良知也. (『맹자·진심상盡心上』)

천리가 곧 양지다.
天理卽是良知. (『전습록傳習錄』 하권)

양출제입量出制入

지출을 계산해 수입을 배정하다. 사전에 국가가 매년 필요로 하는 재정 지출액을 추산해 추산한 만큼 재정 수입액을 정해 백성에게 세금을 부과한다는 뜻이다. '양출위입量出爲入'이라고도 한다. 이는 한나라 때 시작된 새정 원칙으로 재정 예산 개념의 맹아를 함축하고 있고 재정의 요령이 담겨 있어 후세에 중시 받게 되었다.

예)
관리의 녹봉과 각급 관청의 경비를 계산해 백성에게 부과할 세금을 정한다.
量吏祿, 度官用, 以賦於民. (『한서漢書·식화지 상食貨志上』)

대체로 백 인 이상의 노역을 징발하려면 일 전錢 이상의 세금을 거둬야 한다. 사전에 징수할 세금의 총액을 산출하고 그 금액에 맞춰 세금을 징수한다. 이것이 양출제입이다.
凡百役之費, 一錢之斂, 先度其數而賦於人, 量出以制入. (『구당서舊唐書·양염전楊炎傳』)

언부진의言不盡意

말이 세계에 대한 근본적 인식을 다 표현하지는 못한다. 『주역周易·계사系辭 상』에서 나온 말로 말이 뜻을 표현할 때 부족함이 있음을 가리키며, 따라서 괘상을 만들어 성인의 뜻을 표현하고자 했다. 순찬荀粲과 왕필王弼 등 위진 시기 현학가는 이러한 생각을 더 발전시킨다. 그들의 언어와 생각의 관계에 대한 인식은 그들의 세계의 본체 혹은 근원에 대한 이해로부터 결정된다. 그들은 세계의 본체 혹은 근원은 유형의 사물을 초월하는 '무'라고 여겼다. '무'에는 구체적 형태나 속성이 없어서 명명하거나 말로 설명할 수 없다. 그래서 말이 생각을 표현할 때 한계가 있다고 본 것이다.

예)
글은 말을 다 담아내지 못하며 말은 뜻을 다 담아내지 못한다.
書不盡言, 言不盡意. (『주역 · 계사 상』)

괘상 밖의 생각, 계사 밖의 말은 본디 함축되어 말이나 글로 표현할 수 없다.
斯則象外之意, 系表之言, 固蘊而不出矣. (『삼국지三國志 · 위서魏書 · 순욱전荀彧傳』에 딸린 '자운子惲' 전기에 대한 비송지裴松之 주)

언유물言有物, 행유항行有恒

말은 내용이 충실해야 하고, 일은 꾸준히 해야 한다. '언유물言有物'은 말과 글에 근거와 실제 내용이 있어야 하고 실제 상황에 부합해야 하며 지레짐작하거나 거짓말을 해서는 안 된다는 뜻이다. '행유항行有恒'은 무슨 일을 하든 변함없는 마음과 원칙이 있어야 하고 말한 것은 반드시 실행하고 전념하여 끝까지 지속해야 하고 변덕을 부리거나 중도에 그만두어서는 안 된다는 뜻이다. 이 용어는 실제적인 것을 추구하는 과학적 태도와 한결같은 성실성을 내포한다.

예)
군자는 말을 할 때 근거와 내용이 있어야 하고, 일을 할 때 끈기를 가지고 지속해야 한다.

君子以言有物而行有恒. (『주역周易 · 상하象下』)

│ 언자무죄言者無罪, 문자족계聞者足戒

　의견이 정확한 것과 상관없이 말하는 사람은 죄책이 없고 듣는 사람은 충분히 경고를 얻을 수 있다. 위로는 국가를 치리하는 것까지 아래로는 조직과 기업 관리까지 집정자와 관리자는 국가 혹은 조직, 기업의 양호한 운영을 보장하려면 반드시 하부조직의 실제 상황과 군중의 소원을 충분히 이해해야 하며 각 방면의 역량을 동원해야 하고 각 방면의 효용을 발휘시켜야 한다. 이를 위해 반드시 건강하고 조화로운 인간관계 환경을 조성하고 사람들이 하고 싶은 말을 시원하게 하도록 해야 하며 각종 언론 속에서 가치가 있는 의견을 취하도록 해야 한다. 군중 혹은 부하가 제기하는 의견이 정확하지 않더라도 리더는 꾸짖으면 안되며 거울 삼아야 한다. 여기에 언론의 자유가 있는 사상과 관용 정신이 들어있다.

　예)
　집정자는 풍시風詩로 백성을 교화하며 백성 또한 풍시로 집정자를 풍자하며 문학적 재능이 풍부한 시가로 집정자를 완곡하게 비꼬며 노래 부르는 자는 이로 인해 단죄받을 수 없고 시가를 듣는 자들은 경고를 듣고 경계를 할 수 있을 것이므로 이러한 시를 풍風이라고 부른다.
　上以風化下, 下以風刺上, 主文而譎諫, 言之者無罪, 聞之者足以戒, 故曰"風". (『모시서毛詩序』)

　말하는 사람은 죄책이 없으며 듣는 사람은 경고를 얻는다. 말하는 자와 듣는 사람 쌍방이 모두 한 마음으로 일을 잘 처리할 것을 생각한다.
　言者無罪, 聞者作戒.言者聞者, 莫不兩盡其心焉. (백거이白居易『여원구서與元九書』)

언지무문言之無文, 행이불원行而不遠

언어에 문학적 재능과 기교가 부족하면 널리 오래 전해질 수 없다. 공자孔子(기원전 551~기원전 479)가 이 말을 한 본래 뜻은 외교적 상황에서 신하는 수사修辭에 능해야 하고 언어적 기교를 강구해야 목표를 달성하고 업적을 세울 수 있다는 것이었다. 이 표현은 인신되어 사상이 오래도록 전해지려면 반드시 구성이 갖춰져 있고 문학적 재능이 있는 서면書面 문장의 도움을 받아야 한다는 뜻을 지니게 되었다. 남조南朝 유협劉勰은 문심조룡文心雕龍에서 공자의 말을 인용하였는데, 한 편으로는 문장의 효력을 긍정하면서도 다른 한 편으로는 문장의 형식과 기교의 중요성을 강조하였다. 이 표현은 언어의 도를 설명하고 세상을 다스리는 기능적인 작용을 나타냈고 문예 비평의 사상문화 역사상 지위를 높여 주었다.

예)
공자가 말했다. 고서에 다음과 같이 기록되었다. 언어는 소원을 표현하는데 쓰이며, 문학적 재능과 기교는 소원을 표현하는 것을 실현한다. 말을 하지 않으면 누가 그의 소원을 알겠는가? 언어에 문학적 재능과 기교가 없다면 널리 오래 전해질 수 없다.

仲尼曰: "志有之: '言以足志, 文以足言.'不言, 誰知其志? 言之無文, 行而不遠. (『좌전左傳 · 상공이십오년襄公二十五年』)

언어는 문학적 재능과 기교를 강구해야 널리 오래 전해질 수 있는데, 이는 실로 이미 증명되었다. 만약 느낌과 생각을 어떻게 표현할지 이해한다면, 자유자재로 풍부한 문학적 재능을 드러낼 수 있다.

言以文遠, 誠哉斯驗.心術既形, 英華乃贍. (『문심조룡文心雕龍 · 정채情采』)

언진의言盡意

말은 세계에 대한 근본적 인식을 표현할 수 있다. 말과 생각의 관계는 위진 시기 학자들의 중요한 논제 중 하나였다. 구양건歐陽建은 순찬荀粲과 왕필王弼 등의 '언부진의言不盡意'라는 관점에 동의하지 못하고 '언진의'를 주장했다. 그가 보기에 '의意'(생각)은 사물과 그 이치에 대한 인식이며, 이름과 언어는 '물物'(사물)과 '이理'(사리)의 반영이고 '물'과 '이'에 의해 정해진다. '의'의 획득과 전달은 이름과 언어의 판별을 통해 실현된다. '의'와 '언'은 일치하며 분리될 수 없다. 따라서 '의'는 완전하고 확실하게 생각과 인식을 표현할 수 있다.

예)

이름은 사물에 따라 변하며 언어는 사리에 따라 변한다. 이는 소리를 내면 메아리가 돌아오고 형체가 있으면 그림자가 따라붙는 것과 같아 둘로 나눌 수 없다. 만약 둘로 나눌 수 없다면 이름과 언어가 표현할 수 없는 사물이나 사리가 없을 것이므로 나는 언어가 뜻을 다 표현할 수 있다고 생각한다.

名逐物而遷, 言因理而變, 此猶聲發響應, 形存影附, 不得相與爲二, 苟其不二, 則無不盡, 吾故以爲盡矣. (『예문유취藝文類聚』 권19 '언어言語'에서 인용된 구양건의 『진의론盡意論』)

| 언필신言必信, 행필과行必果

말에는 반드시 신용이 있어야 하고, 행동에는 반드시 결단력이 있어야 한다. 『묵자』와 『논어』에서 나온 말이다. 묵가와 유가는 모두 사람은 말에 신용이 있어야 하고 행동은 과감해야 하며 언행이 반드시 일치해야 한다는 데 동의했다. 그러나 공자와 맹자는 '언필신, 행필과'에 대해 더욱 높은 기준을 요구했는데, 통치자는 말에 신용이 있어야 하고 백성에게서 믿음을 얻어야 한다는 것이었다. 그래야만 그들의 존경을 얻고 백성들이 진실을 말할 용기를 얻기 때문이다. 그러나 현실에서는 무턱대고 '언필신 행필과'를 고집하는 대신 도의의 필요에 따라야 했으며, 도의에 부합한다는 전제하에 이해득실을 따진 후 구체적인 상황에 따라 적절하게 대응해야 했다. 후세에는 이 용어를 신용이 있고 과감성 있게 일을 처리하며, 약속을 지키고 언행이 일치함을 표현하는 말로 많이 사용하게 되었다.

예)

말에는 반드시 신용을 지켜야 하며 일을 행함에는 반드시 과감성이 있어야 한다. 말과 행동을 부절符節과 같이 들어맞게 한다면 말한 것이 하나도 실현되지 못할 것이 없다.

言必信, 行必果, 使言行之合, 犹合符節也, 無言而不行也.(『묵자 · 겸애兼愛 하』)

말에는 반드시 신용이 있고 행동이 반드시 과감해야 한다는 것은 고지식하고 융통을 모르는 소인이지만, 그러나 역시 다음가는 선비라 할 만하다.

言必信, 行必果, 硜硜然小人哉! 抑亦可以爲次矣.(『논어 · 자로』)

덕행이 출중한 사람은 말하는 것을 다 지키지 못할 수도 있고, 행동이 과감하지 않을 수도 있다. 오직 의에 부합하는지를 볼 뿐이다.

大人者, 言不必信, 行不必果, 惟義所在.(『맹자 · 이루 하』)

| 업業

어떤 결과를 일으킬 수 있는 중생의 모든 행위를 가리킨다. '업'은 신身, 구口, 의意 세 가지로 나뉜다. 이들은 각각 몸, 말, 생각에 대응하는 행위로 좋고 나쁨이 고르지 않은 결과들을 만들어낸다. 이에 따라 가치의 측면에서 선업善業, 악업惡業, 선이나 악을 초래하지 않는 무기업無記業으로 나뉜다. 불교의 윤회사상에 따르면 전생의 행위가 후세의 생존 형태를 결정한다. 따라서 해탈을 목표로 하든 안 하든 바라는 결과를 얻기 위해서는 신, 구, 의 삼업을 통제하는 일이 지극히 중요하다.

예)

들은 것이 많은 존귀한 불제자는 더이상 몸, 말, 생각의 업을 지어 세 가지 악으로 나아가도록 내버려 두지 않는다. 비록 방일하더라도 그는 반드시 깨달음을 얻에[삼보리三菩提로 향하여], 일곱 번 천상과 인간세계를 오간 뒤 괴로움에서 완전히 벗어난다.

多聞聖弟子不複堪任作身, 口, 意業, 趣三惡道, 正使放逸, 聖弟子決定向三菩提, 七有天人往來, 作苦邊. (『잡아함경雜阿含經』권6)

여래장如来藏

모든 사람은 깨달음에 이를 수 있는 잠재력을 가지고 있다. 여래장如来藏은 깨달음의 가능성을 위해 제공된 본체이자 기초이며 관련 경전에서는 일반적으로 모든 사람이 이러한 깨달음의 잠재력을 가지고 있다고 하며 이는 사실 잠재돼 있는 의식적 본질이라고 여긴다. 여래장과 아라야식阿羅耶識은 동일하게 순수하고 완벽한 것으로, 서로 비슷한 해탈의 근거를 제공하며 이 때문에 때로는 같은 것으로 간주된다. 위진魏晉에서 수당隋唐 시기 사이에 여래장연기如来藏緣起라는 관념이 인기를 끌었는데, 이는 즉 여래장이 진여문眞如門과 생멸문生滅門으로 나뉜다는 것이었다. 전자는 고요한 본체를 후자는 아라야식이 작용하는 표상을 가리키는데 성질상 고요한 본체가 생과 멸의 문제를 어떻게 일으키는지 해석하는 데에 사용되었다. (『대방등여래장경大方等如来藏經』)

예)

중생의 여래장은 바위 틈에서 자라는 나무에 달린 벌꿀처럼 각종 번뇌가 교차하고 있는 것 같아서 벌떼가 지키고 있는 것을 방불케 한다. 나는 모든 중생을 위해 각종 묘책으로 바른 법도를 보여주고 꿀벌과도 같은 번뇌를 멸할 것이며 깨달음의 보물을 드러낼 것이다.

眾生如來藏, 猶如岩樹蜜, 結使塵勞纏, 如群蜂守護.我為諸眾生, 方便說正法, 滅除煩惱蜂, 開發如來藏. (『대방등여래장경大方等如来藏經』)

깨달음의 본성은 때로는 숨겨져 있고 때로는 드러난다. 오염된 상태에서는 숨겨져 있고 조건이 충분히 형성되면 드러난다. 앎 자체가 결코 본래 오염되어 있는 것이 아니

며 번뇌를 끊어냄으로써 비로소 순수한 본체가 된다. 따라서 승만勝鬘에서 다음과 같이
말한다. 숨겨져 있는 상태를 여래장如來藏이라 부르고 드러나 있는 상태를 법신法身이
라 부른다. 이것이 지향하는 것은 본체가 더럽고 깨끗함의 구별이 없으며 숨겨져 있고
드러나 있는 것 간의 구별만 있는 상태로 효용이 아니다.

　本覺隱顯為異: 藏識在染, 名之隱; 藏識在果, 名之顯. 非是先染, 後隨對治, 為淨法也. 故≪勝
鬘(mán)≫言: 隱為如來藏, 顯為法身. 此之體義, 非用義也.

　(석혜원釋慧遠『대승기신논의소大乘起信論義疏』상지하上之下)

여민경시與民更始

　백성과 함께 정치를 새롭게 시작한다. '경시'는 새롭게 시작한다는
뜻이다. 원래는 제왕이 즉위하고 연호를 바꾸거나 중대한 정책을 채택
하는 것을 일렀다. 나중에 집정자가 백성과 함께 현상태를 개혁하고 새
로운 정치를 펼치는 것을 가리키게 되었다. 유구한 민본사상과 군민일
체, 상하일심, 함께 옛것을 개혁하고 새로운 것을 만든다는 정신을 내
포하고 있다.

　예)
　나는 요임금과 순임금을 찬미하고 상나라와 주나라를 좋아하니 옛것을 근거하고 새
로운 것을 참고하여 모든 죄인을 면형하거나 감형하고 백성과 함께 새로운 정치를 펼치
고자 한다.

　朕嘉唐虞而樂殷周, 據舊以鑒新, 其赦天下, 與民更始. (『한서漢書 · 무제기武帝紀』)

여사麗辭

　변문騈文에서 두 구절을 서로 대응시켜 문장을 짓다. '여麗'는 변려騈
儷, 대우對偶의 뜻이다. 단음절인 한자는 전후 두 구절 간 대구를 형성하
기가 비교적 쉽고, 대구는 음절의 조화와 의미 간 호응에 따른 정제미
와 조화미를 지닌다. 옛사람들은 이 용어를 빌려 언어의 형식미를 높이

평가하는 한편 형식과 내용의 조화를 중시했고, 이를 통해 최종적으로는 형식과 내용이 서로 보완해주며 완벽에 가까운 작품을 창작하고자했다.

예)

여사의 형식은 대체로 4가지가 있다. 말을 대응시키기는 쉽고, 있었던 일을 대응시키기는 어렵다. 이치는 다르지만 취지가 일치하는 것의 대응이 가장 훌륭하고, 종류가 다르지만 의미는 같은 것의 대응이 가장 수준이 낮다.

故麗辭之體, 凡有四對. 言對爲易, 事對爲難, 反對爲優, 正對爲劣. (유협 『문심조룡 · 여사麗辭』)

만약 글의 분위기에 특이한 부분이 없고 언어적으로도 특별히 훌륭하지 않은 평범한 대구뿐이라면, 보는 사람은 지루함에 잠들고 싶어질 것이다.

若氣無奇類, 文乏異采, 碌碌麗辭, 則昏睡耳目.(유협 『문심조룡 · 여사麗辭』)

여시소식與時消息

사물이 시간이 지남에 따라 흥망하고 쇠퇴하는 것을 가리키며, 시대의 추세에 따라 전진하고 후퇴하는 것을 가리키기도 한다. '시時'는 시간이다. 사물이 시간의 흐름에 따라 나타내는 기본적인 경향과 태세를 뜻하기도 한다. '소消'는 소멸, 쇠락이다. '식息'은 성장, 번영이다. 고대 중국인은 세계가 시간성을 가지는 과정이고 모든 사물이 변화하며 일정하지가 않으며 사람은 시대의 추세에 순응하여 행동해야 하는 것을 깨달았다. '천도天道'를 따른다고 말하거나 '여시해행與時偕行'이라고 말하기도 한다.

예)

해는 정오가 지나면 지기 시작하고 달은 차면 기울고 천지는 채워지고 나면 비워지니, 모두 시간의 흐름에 따라 흥했다가 쇠한다[소식消息]. 하물며 사람은 어떠하겠는가?

하물며 귀신은 어떠하겠는가?

日中則昃, 月盈則食, 天地盈虛, 與時消息, 而況於人乎, 況於鬼神乎?(『주역周易‧단하象下』)

여시해행與時偕行

행동하는 방법이 '시'에 따라 변화하다. 『주역‧단 하』에서 나왔다. '시'는 인간사의 발전과정에서 출현하는 시기나 시운이다. '시'가 규정한 상황 속에는 그에 발맞춰 대응하는 방법이 있게 마련이다. '시'의 출현 및 소실, 인간사에 미치는 영향은 천도와 인간사의 운행 법칙을 보여준다. 사람은 시의 변화를 인식하고 파악하여, '시'에 적절한 행동을 취해야 한다.

예)
덜고 더하기와 채우고 비움은 모두 시기에 따라 행해야 한다.
損益盈虛, 與時偕行.(『주역‧단 하』)

완고하지 않아야 하고, 그러므로 한 가지 생각으로만 사물을 대하지 말아야 한다. 시기에 따라 변화하는 사람만이 변화 가운데에도 항상 통할 수 있다.
不可必, 故待之不可以一方也. 唯與時俱化者, 爲能涉變而常通耳. (곽상『장자주』)

연기緣起

산스크리트어 pratītyasamutpāda의 의역이다. '연기'는 인연(일정한 조건)에 따라 생기는 것이다. 그 정확한 의미를 보면 모든 사물, 현상, 나아가 사회의 모든 활동은 다 인연의 결과이고, 또 서로 부단히 이어지는 인연의 관계 속에서 일정한 조건에 따라 생기고, 소멸하고, 변화한다는 것이다. '연기'는 불교 사상의 기점이면서 불교 각 종파가 공유하는 이론적 기초이다. 불교는 이것으로 우주 만물, 사회, 각종 정신 현상의 생멸과 끝없는 변화에 내재된 법칙을 설명한다.

예)

만물은 인연이 모여 이뤄지므로 '유'라고 말할 수 없고 또 인연에 따라 생멸하고 바뀌므로 '무'라고 말할 수도 없다.

物從因緣故不有, 緣起故不無. (승조,『조론』의『중론中論』인용 부분)

연독이위경緣督以爲經

자연의 맥락을 따르고 이를 상법常法으로 여기다.『장자莊子 · 양생주養生主』에서 나온 말이다. '독督'은 사람의 등에서 중심선이 되는 맥락으로 정 가운데에 있으며 눈에 보이지 않는다. 장자(B.C. 369?~B.C. 286)에 따르면 사물의 존재가 발전하는 자연적인 법칙에도 이러한 특징이 있으며 이를 통해 세속의 편협한 도덕 규범과 구별된다. '연독이위경'은 무형이며 치우치지 않은 자연 법칙을 따르며 이를 상법으로 여기는 것이다. 그래야만 만물 사이를 순행할 수 있고 만물을 거스르는 일이 없다.

예)

자연의 맥락을 따르고 이를 상법으로 삼으면 신체를 보호하고 생명을 보전하고 가족을 부양하고 천수를 누릴 수 있다.

緣督以爲經, 可以保身, 可以全生, 可以養親, 可以盡年. (『장자莊子 · 양생주養生主』)

연호年號

고대 중국에서 연대를 기록하는 데 썼던 일종의 명호로써 연도를 표시하는 용도로도 쓰였다. 일반적으로 군주가 발의한다. 새로운 왕이 즉위하면 선왕과의 구별을 위해 개원(연호를 바꿈)하여 연대를 새로 썼다. 연호는 한무제 유철劉徹(B.C. 1256~B.C. 87) 때 본격적으로 확립되었는데, 그는 '건원建元'(B.C. 140~B.C.135)이라는 연호를 처음으로 만들었고 이후 제도화되었다. 제왕은 재위 기간 동안 상서롭거나 중대한 사건이 발생하면 종종 연호를 바꾸었다. 한 명의 황제가 사용한 연호는 적게는 하나에서 많게는 십여 개에 이른다. 연대를 기록하는 첫해를 '기원紀元'이라 부르며, 연호를 바꾸는 것을 '개원改元'이라 한다. 1912년 중화민국이 세워진 후 연호를 폐지하고 민국民國으로 바꾸어 사용했다. 1949년 중화인민공화국이 성립한 후에는 서기를 차용하고 있다. 고대 중국의 영향을 받은 조선과 일본, 베트남 역시 앞뒤로 연호제도를 받아들였으며 일본은 지금까지도 사용하고 있다.

예)

한경제漢景帝 전에 황제가 즉위하면 모두 원년, 이년을 사용하여 황제가 세상을 뜰 때까지 연대를 기록했다. 한무제가 즉위한 후 처음으로 연호가 생겼으니, 개원은 건원建元을 시작으로 한다.

孝景以前即位, 以一二数年, 至其终. 武帝即位, 初有年号, 改元以建元为始.(장수절張守節 『사기정의史記正義』)

열반涅槃

윤회를 떠난 상태. 열반의 표면적 의미는 불이 꺼진다는 뜻으로, 번뇌가 왕성히 일어나는 것과 반대로 깨달음을 얻고 일체의 번뇌 및 생사와 단절된 청정한 상태를 의미한다. 불교 수행의 기본 목표이다. 열반은 또한 유여有余와 무여無余의 두 가지로 나뉜다. 유여열반은 깨달음 후 육신이 여전히 전세의 인연에 의해 없어지지 않고 유지되는 것이다. 무여열반은 모든 업력이 다 소진되어 산 몸으로 돌아오지 않고 철저히 윤회의 상태에서 해탈하는 것이다. 대승불교의 경전은 열반의 관념을 확장시켜 사물의 본질인 실상實相을 현실에서 보는 것을 열반으로 여기고, 열반과 세상과의 상즉相卽 관계를 주장했다.

예)

그래서 뭇 부처가 속세에 나타나지 않고, 열반에 들어가지도 못한다. 본래 가지고 있던 진심을 깨달아 도를 얻는데 진심은 형태가 없으니 어찌 나타나겠는가? 다만 마음이 있는 중생을 따라 조건이 성숙했을 때 그로 하여금 부처의 화신을 보게 한다. 보고 듣는 것은 모두 중생의 마음 가운데 나타나는 현상일 뿐이다.

是以諸佛不出世, 亦不入涅槃. 本悟眞心成道, 眞心無形, 豈有出沒耶? 但隨有心機熟, 衆生感見報化之身. 所有見聞, 皆是衆生心中之影像.(석연수釋延壽『종경록宗鏡錄』89권)

염불念佛

불신佛身을 억념하다. 수념隨念이라고도 불린다. 순수한 대상에 집중할 수 있는 정신훈련 활동을 가리키며 육념六念과 십수념十隨念을 포함할 수 있으며 염법念法, 염승念僧, 염계念戒, 염안반念安般(수식數息) 등을 포함한다. 염불念佛은 그 중 가장 광범위한 것이다. 염불의 원리는 부처의 뛰어난 특징을 억념함으로써 잡념을 없애고 더 높은 참선 삼매경 활동을 위해 준비하는 데에 있다. 염불의 형식은 각기 다른데 예를 들면 나무아미타불南無阿彌陀佛을 읊는 것을 염불이라 하며 정토류淨土類의 실천에서 특히 자주 보인다.

예)

소위 실천하기 간단하고 쉬운 방법은 부처의 가르침을 받고 아미타불을 생각함으로써 삼매경에 다다르는 것이며 사후死后 정토淨土에서 다시 태어나기를 기원하고 아미타불을 믿음으로써 중생의 비범한 맹세의 힘을 지켜나가면 다가올 생에는 정토에서 필시 다시 태어날 수 있을 것이다.

易行道者, 謂信佛語敎念佛三昧, 願生淨土, 乘彌陀佛願力, 攝持決定, 往生不疑也. (석지의釋智顗『정토십의론淨土十疑論』)

염황炎黃

염제炎帝와 황제黃帝. 역사 전설에 나오는 상고 시기의 두 제왕, 즉 두 부락의 우두머리이다. 염제의 성은 강姜이고 호는 '신농씨神農氏'이다. 황제의 성은 공손公孫이고 호는 '헌원씨軒轅氏'이다. 이들은 중원에 거주하면서 동쪽과 남쪽의 부족과 점차 융합되어 번성해 화하족華夏族의 근간을 형성하였기에(한대漢代 이후에는 한족이라고 부르고, 당대唐代 이후에는 당인이라고 불렀다) 화하 민족의 선조로 여겨진다. 이들 부족 특히 황제의 부족은 문명화의 정도가 매우 높았다. 상고 시기의 많은 중요 문화, 기술의 발명이 모두 이 두 부족에 의해 이루어졌기에 이들은 화하 문명의 시조로 불리기도 한다. 근대 이후에 이들은 또 중화민족과 중화문명 전체에 대한 상징이 되기도 하였다. 지금도 세계 각지에 흩어져 있는 화교 대부분이 '염황의 자손' 혹은 '황제의 자손'이라는 인식을 공유하고 있다. '염황'은 사실상 중화민족이 공유하는 문화 기호가 되었다.

예)

주나라 왕실이 이미 쇠락하여 춘추 말기에 이르기까지 많은 제후국이 몰락하였다. 하지만 염황과 요순의 후손은 상당히 많이 남아있다.

周室既壞, 至春秋末, 諸侯秏盡, 而炎黃唐虞之苗裔尙猶頗有存者. (『한서漢書 · 위표전담한왕신전찬魏豹田儋韓王信傳贊』)

우리는 모두 몸을 바쳐 혁명을 일으킨 황제의 자손이다.

我們大家都是許身革命的黃帝子孫. (국민정부國民政府, 『고항전전체장사서告抗戰全體將士書』)

| 엽락귀근葉落歸根

나뭇잎이 시들어 떨어져 나무뿌리 주위로 떨어진다. 사물은 일정한 귀착점이 있음을 비유하며 주로 타향에 오래 거주한 사람이 나중에는 고향으로 되돌아감을 가리킨다. '안토중천(安土重遷, 오랫동안 살아온 곳을 쉽사리 떠나려 하지 않는다)'과 같이 이것은 중국인이 예로부터 보편적으로 가진 고향을 그리는 관념과 정서를 포함하고 있다. 비록 소극적이거나 보수적인 면을 피할 수 없지만, 사람들의 고향 땅을 뜨겁게 사랑하고 가족을 그리워하는 순결하고 선량한 품성과 애국심을 드러내며 문화적 동질감의 근원 중의 하나이다.

> 예)
> 멀리 보니 흰 구름이 한가하게 산 위로 떠오르고, 나뭇잎이 흩날려 떨어지며 기쁘게 나무뿌리로 돌아간다.
> 雲閒望出岫, 葉落喜歸根. (육유陸游,『우탄우탄寓嘆』)
> (遠望白雲悠閒地從羣山浮現, 樹葉飄落都喜歡迴歸樹根.)

| 영명체永明體

남조南朝 제무제齊武帝 영명 연간(서기 483~493년)에 나타나고 음율의 대구를 주요 특징으로 하는 시가 풍격이다. '신체시新體詩(한위漢魏 이후의 '고체시古體詩'와 대응될 때 부른다)'라고도 한다. 대표적인 인물은 사조謝朓, 심약沈約과 왕융王融이다. '영명체'는 시인이 이미 음운 대구의 규율을 숙련되게 다루고 자유롭게 시가 창작에 운용하는 것을 상징하며, 시가의 형식미감과 예술 표현력을 더해서 근체시의 탄생에 기초를 다졌다. 그러나 '영명체'는 지나치게 음율에 구속을 받고 내용이 다소 부실하여 당시의 시론가들의 비판을 받았으니 새로운 변화 중에 위기도 잠복해 있던 것이다.

예)

영명 말년에 문학 창작이 성행해서 오흥吳興사람 심약沈約, 진군陳郡 사람 사조謝朓, 랑야琅邪 사람 왕융王融 등이 공통의 지향을 가지고 서로 권면했으며 여남汝南사람 주옹周顒은 음운에 정통했다. 심약 등의 창작은 모두 음율에 신경을 써서 평성, 상성, 거성, 입성으로 사성을 삼았고, 이로써 음율을 만들어서 임의로 추가하거나 뺄 수 없었는데, 세상 사람들은 그것을 '영명체'라고 불렀다.

永明末, 盛爲文章, 吳興沈約, 陳郡謝朓, 琅邪王融以氣類相推轂, 汝南周顒善識聲韻. 約等文皆用宮商, 以平上去入爲四聲, 以此制韻, 不可增減, 世呼爲'永明體'. (『남제서南齊書 · 육궐전陸厥傳』)

영사시詠史詩

역사 사건 혹은 인물 등을 창작 소재로 삼고 이것을 빌려 시인의 의지와 감정을 읊은 시. 역사적 사실, 역사 의식과 역사에 대한 느낌을 긴밀하게 결합시킨 것이 주요한 특징이다. 영사시는 주로 '술고述古', '회고懷古', '람고覽古', '감고感古', '고흥古興', '독사讀史', '영사詠史' 등으로 제목을 지었고, 묘사한 역사적 인물, 역사적 사건을 직접 제목으로 삼은 것도 있다.

예)

회고의 작품은 시인이 유적을 보고 나서 옛사람의 지난 일을 추억하는 것이다. 다른 내용은 없고, 역사 속의 번영과 멸망 또는 옛사람의 현명함과 우매함에 대한 생각과 느낌을 읊었을 뿐이다.

懷古者, 見古蹟, 思古人其事. 無他, 興亡賢愚而已. (방회方回, 『영귀율수瀛奎律髓』 3권)

예禮

사회질서의 총칭으로 개인과 타인 및 천지만물 내지 귀신과의 사이의 관계에 대한 본보기로 쓰인다. '예'는 그와 관련된 각종 기물과 의식,

제도에 대한 규정을 통해 개인의 특정한 신분 및 그에 상응하는 책임과 권력을 확실히 하여 이로써 사회 집단 속에서 개인의 나이의 많고 적음, 가깝고 멂, 지위의 높고 낮음 등의 차이를 구별한다. '예'는 이러한 구별을 통해 개체가 안정되게 하며 이로써 사람과 사람 및 사람과 천지 만물 사이의 조화를 이룬다.

> 예)
> 예란 천지 운행의 법칙이며 민중의 행동 규범이다.
> 夫禮, 天地経也, 地之義也, 民之行也. (『좌전 · 소공 이십오년』)
>
> 예란 친하고 먼 관계를 확실히 정하고, 의심스러운 일을 결단하고, 같고 다름을 구별하고, 시비의 증거를 분명히 가리는 것이다.
> 夫禮者, 所以定親疏, 決嫌疑, 別同異, 明是非也. (『예기 · 곡례曲禮 상』)
>
> 예를 행하는 데는 조화를 실현하는 것이 중요하다. 선왕의 통치의 도는 바로 이 점에서 칭송받았으며 크고 작은 일을 모두 이 도리에 따라 행하였다. 그럼에도 부족함이 있었는데, 만약 조화의 중요함을 안다 해도 단순히 조화를 추구하기만 하고 예로써 이를 조절하지 않으면 이 역시 안 되는 것이다.
> 禮之用, 和爲貴. 先王之道斯爲美, 小大由之. 有所不行, 知和而和, 不以禮節之, 亦不可行也. (『논어 · 학이』)

예상왕래禮尙往來

예는 서로 왕래하고 서로 혜택을 주는 것을 중시한다. "'예'는 예법이고 '상'은 숭상한다, 중시한다는 뜻이다. 사람과 사람, 조직과 조직, 국가와 국가 사이의 교류에는 대등한 호혜 관계가 내포되어 있다는 인간관계 및 국제 관계에 대한 사상이다. 때때로 상대방이 자신을 대하는 태도와 방식으로 상대방을 대한다는 의미를 나타내기도 한다. '즉이기인도即以其人之道, 환치기인지신還治其人之身(그 사람이 썼던 방법으로 그 사람을 다스리다)'이라는 성어와 유사하다.

예)

예는 왕래를 중시한다. 상대방에게 보냈으나 그로부터 오지 않으면 예가 아니다. 사람은 예가 있어야 평안하며 예가 없으면 위태롭다.

禮尚往來. 往而不來, 非禮也, 來而不往, 亦非禮也. 人有禮則安, 無禮則危. (『예기禮記 · 곡례曲禮 상』)

| 예서隸書

한자의 변천 과정에서 나타난 서체의 일종. '예자隸字', '고서古書'라고도 부른다. 예서는 전서篆書가 간소화되면서 만들어졌다. 필획의 측면에서 전서의 둥근 부분이 직각으로 바뀌었다. 결체結體(역자주: 한자의 필획 구조)의 측면에서는 자형이 넓게 퍼진 형태를 보이며 가로획이 길어지고 세로획이 짧아져 '잠두안미蠶頭雁尾'(누에의 머리와 기러기의 꼬리)와 '일파삼절一波三折'(하나의 파波를 쓸 때 세 번 붓을 꺾음)을 추구했다. 전해지기로 예서는 진秦나라 때 하급관리인 정막程邈이 처음 만들었는데 실제 기원은 전국 시대이고 정막이 이 서체를 정리하고 정형화하는데 지극히 중요한 역할을 했다고 한다. 전서와 비교했을 때 예서의 자형과 구조는 간소화되는 경향을 보이며 쓰는 방법도 더 간편해졌다. 동한 시기에 예서가 보편적으로 사용되면서 서체가 발전하고 전성기를 맞게 되었다. 위진 시기에는 예서를 '해서楷書', '정서正書'로 부르기도 했는데 예서와 매우 닮았으나 자체에 파책波磔이 있는 '팔분八分'체였다.

예)

이때 진시황이 경서를 불태우고 옛 전적을 버리고 대규모로 관리와 사졸을 징발해 노역을 시키거나 변방을 지키게 하여, 관청과 감옥의 업무가 크게 늘었다. 이에 따라 예서가 등장했으며 쓰기 간편하고 편리한 것이 목적이었다.

是時秦燒滅經書, 滌除舊典, 大發吏卒, 興役戍, 官獄職務繁, 初有隷書, 以趣約易. (허신許慎,
『설문해자說文解字 · 서序』)

진대秦代에 전서를 사용했는데 상주上奏 사무가 번다해지자고 전서는 글자를 쓰기가
어려워 하급 관리[예인隷人]에게 문서를 베껴 쓰도록 명령했다. 이러한 연유로 예서라
는 이름이 붙게 되었다. 한대에는 예서를 계속하여 사용했으며 병부兵符, 새인璽印, 부
절符節로 사용한 깃발과 편액匾額, 영주楹柱(대청 앞의 기둥) 등에 제題하는 글자만 여전
히 전서로 썼다. 예서는 전서를 간편하게 쓴 것이다.

秦既用篆, 奏事繁多, 篆字難成, 即令隷人佐書, 曰隷字. 漢因行之, 獨符, 印璽, 幡信, 題署用
篆. 隷書者, 篆之捷也. (『진서晉書 · 위항전衛恒傳』)

예술藝術

　　본래 유가의 육예六藝 및 각종 방술을 가리켰는데 나중에 뜻이 파생
되어 예술 창작과 심미적 활동을 가리키게 되었다. 유가의 '육예'는 군
자의 인격을 배양하는 데 쓰이는 시詩, 서書, 예藝, 악樂, 사射, 어御 등 여
섯 가지 교육 내용을 뜻하는데 후세에 말하는 예술의 의미도 포함하고
있다. '육예'는 때로 『시경』『상서』『예기』『주역』『악기』『춘추』의
여섯 경서를 가리키기도 한다. 장자는 기技와 예藝가 서로 통할 것을 강
조하였는데 이는 몸과 마음이 융화되어 도를 체득하는 창작 활동이다.
유가와 도가 및 불교의 예술에 대한 사상은 중국 예술의 내재적 정신이
자 방법이다. 중국 예술은 예술과 인생의 통일, 감각과 체험의 결합, 기
예와 인격의 융합 등을 추구하며 의경意境을 그 취지로 삼는다. 근대에
서양 예술학이 중국에 유입된 후로 '예술'은 인류의 주관적인 정신과
물상화된 작품이 결합된 기예 및 창작을 의미하게 되어 전문 학과로서
각 분야의 예술을 포함하게 되었다. 현재의 '예술'의 개념은 전통 예술
의 함의와 현대 서양 예술학이 유기적으로 융합된 것이다.

예)

군자는 마음으로 도를 추구하고, 확고하게 덕에 근거하고, 행실은 인을 위배하지 않고, '육예'를 널리 학습해 실천[하고 인격을 함양]한다.

志於道, 據於德, 依於仁, 游於藝. (『논어 · 술이述而』)

'예'란 육서, 산술, 사격, 수레를 모는 기술 등의 기본적인 기능을 말하며, '술'은 의술, 방술, 점술 등의 전문적인 학문을 말한다.

'藝'謂書, 數, 射, 御, '術'謂醫, 方, 卜, 筮. (『후한서後漢書 · 복담전伏湛傳』 이현李賢 주)

방술이 흥기한 데는 오랜 역사가 있다. 고대의 제왕은 방술을 통해 망설이던 일에 결단을 내리고, 길흉을 판정하고, 존망을 고려하고, 화복을 성찰하였다.

藝術之興, 由來尙矣. 先王以是決猶豫, 定吉凶, 審存亡, 省禍福. (『진서 · 예술전서藝術傳序』)

| 오경五經

『시경』『상서』『예기』『주역』『춘추』 등 유가의 다섯 경서의 병칭이다. 선진 시기에는 『시경』『상서』『예기』『악기樂記』『주역』『춘추』를 합해 '육경'이라 했으나 『악기』는 이미 유실되어(일설에는 문자가 없었다고 한다)한나라 때는 주로 '오경'이라 칭했다. 한무제漢武帝가 '오경박사五經博士'를 수립한 것을 시작으로 '오경'을 연구하는 학문은 중국 학술과 문화 및 사상의 근본이 되었다. 내용을 보면 '오경'은 각각 편중된 분야가 있는데 가령 『시경』은 주로 열망과 포부를 표현하며 『상서』는 주로 역사적 사건에 대해 말하는데 이러한 차이점으로 인해 서로 보완하므로 합하여 전체를 구성한다. 역대 유학자들은 '오경'에 대한 부단한 해석을 통해 이 경전들에 풍부한 의의를 부여하였다. '오경'을 연구하는 학문은 중국 전통문화의 세계 질서에 대한 근본적인 이해를 포함하고 있으며 도를 집중적으로 표현한 것이다.

예)
'오경'이란 무엇인가? 『주역』 『상서』 『시경』 『예기』 『춘추』의 다섯 경전이다.
'五經'何謂? 謂『易』『尙書』『詩』『禮』『春秋』也. (『백호통의白虎通義·오경』)

오대당풍吳帶當風

당대 오도자吳道子(680?~759?)의 회화 필세는 부드러우면서도 날아
다니는 듯하여 그림 중 인물의 옷의 띠는 바람에 따라 나부끼는 듯했
다. 고개지顧愷之(345?~409)의 그림 필법이 세밀하고 마치 진짜 사람과
실제 경치와 같았던 것과 비교해, 오도자의 그림은 필법이 자유자재하
며, 필선이 유려하고 생동감이 넘치고 진짜 같아, 참신한 풍격과 특수
한 심미적 효과를 드러냈고 회화 예술의 발전을 실현했다.

예)
오도자가 그린 인물의 옷의 띠는 바람결에 나부끼는 듯하고 조중달曹仲達이 그린 인
물의 저고리는 몸에 바싹 달라붙어 방금 물에서 나온 듯하다.
吳帶當風, 曹衣出水. (곽약허郭若虛, 『도서견문지圖畫見聞志·논조오체법論曹吳體法』)

오도자가 짙은 먹의 흔적에 색채를 더하여 약간 물들이니 인물이 핍진하고 자연스러
워 화폭에서 튀어나올 것 같았다. 후세 사람들은 그것을 '오도자의 옷 띠가 바람에 나부
낀다(오대당풍)'이라고 불렀다.
其傅彩於焦墨痕中, 略施微染, 自然超出縑素, 世謂之"吳帶當風". (탕후湯垕, 『고금화감古今
畫鑑·당서唐畫』)

오덕종시五德終始

오행五行의 상생 및 상극, 순환하며 교체되는 원리를 이용해 역사상
왕조의 흥망성쇠와 제도의 변천을 해석하는 학설. 전국시대 사상가 추
연鄒衍이 제시하였다. '오덕五德'은 금金, 목木, 수水, 화火, 토土 '오행'(B.C.

324?~B.C. 250) 혹은 다섯 가지 '덕성德性'이다. '시종始終'은 순환하며 운행하다, 한 바퀴 돌고 다시 시작한다는 뜻이다. 추연에 따르면 인류 역사의 변화는 천지만물과 마찬가지로 금, 목, 수, 화, 토 다섯 원소의 지배를 받으며, 각 왕조의 등장은 오행 중 어느 한 행의 덕성을 보여주는 것이고 역사적으로 왕조가 교체되고 제도가 변하는 내재적 메커니즘은 사실상 오행의 상생과 상극, 순환하고 변화하는 작용의 결과이다. 이렇게 음양오행 사상에서 비롯한 '덕성' 정치론과 순환 역사관은 등장했을 때부터 줄곧 중국 전통 담화에서 큰 영향을 미쳐왔다.

예)

진시황은 세간에 유행하는 오덕종시 학설에 근거해, 주나라가 화덕火德을 얻었고 진나라가 주나라의 화덕을 대체하기에 오행에서 화덕이 이기지 못하는 바를 따라야 하므로 지금 진나라가 수덕水德의 시작이라고 생각했다.

始皇推終始五德之傳, 以爲周得火德, 秦代周德, 從所不勝, 方今水德之始. (『사기史記 · 진시황본기秦始皇本紀』)

| **오륜**五倫

사람들 간의 다섯 가지 관계와 그 규범을 말하며 '인륜'이라고도 한다. 고대 중국인들은 부자, 군신, 부부, 장유(형제자매), 친구의 다섯 가지 관계는 가장 기본적인 인간관계이며, 각 관계마다 상응하는 규범을 따라야 한다고 생각했다. '부자유친父子有親, 군신유의君臣有義, 부부유별夫婦有別, 장유유서長幼有序, 붕우유신朋友有信'과 같이, 다섯 가지 관계를 잘 다루는 것은 국가와 사회를 잘 다스리는 기초였다. 오륜의 개념은 중국인의 인본주의와 질서를 중시하는 정신을 보여주고 있다.

예)

사람에게는 도가 있어, 배불리 먹고 따뜻이 입고 편안히 거하되 교양이 없다면 금수

에 가깝다. 성인은 이를 근심하여 설契을 사도로 삼아 백성에게 인륜을 가르쳤으니, 부
자간에는 친밀함이 있고, 군신간에는 의가 있고, 부부간에는 구별이 있고, 나이든 자와
어린 자 사이에 순서가 있으며, 친구 간에는 신뢰가 있다.

人之有道也, 飽食, 暖衣, 逸居而無敎, 則近於禽獸. 聖人有憂之, 使契爲司徒, 敎以人倫, 父子有
親, 君臣有義, 夫婦有別, 長幼有序, 朋友有信. (『맹자 · 등문공滕文公 상』)

우순虞舜이 오륜을 세워 교화한 이후 천하에 따를 만한 큰 법칙이 생겼다.

自虞廷立五倫爲敎, 然後天下有大經. (왕영빈王永彬『위로야화圍爐夜話』)

오월동주吳越同舟

오나라 사람과 월나라 사람이 같은 배에 탄다는 뜻. 오랜 원한이 있
는 두 사람이라 할지라도 함께 위험과 곤경에 처하면 일치단결하여 서
로 도울 수 있다는 뜻이다. 춘추 시대에 오나라와 월나라는 서로를 원
수로 여기던 이웃 나라였다. 그러나 두 나라 사람이 같은 배를 타고 강
을 건너다가 풍랑을 만나자 그들은 마치 한 사람의 왼손과 오른손처럼
서로를 구했다. 이 술어는 적과 우방은 절대적인 것도 영원한 것도 아
니기 때문에 어떤 경우에는 적이 우방으로 변할 수도 있다는 생각을 담
고 있다.

예)
오나라 사람과 월나라 사람이 같은 배를 타고 강을 건너다가 도중에 풍랑을 만나자
마치 한 사람의 왼손과 오른손처럼 서로를 구하였으니 이는 그들이 공통의 위기를 맞았
기 때문이다.

吳越之人, 同舟濟江, 中流遇風波, 其相救如左右手者, 所患同也. (『공총자孔叢子 · 논세論勢』)

오음五音

오성 음계 즉, 궁宮, 상商, 각角, 치徵, 우羽 등의 다섯 가지 음높이가 차

레대로 증가하는 음의 부호로, 오늘날의 간단한 악보 중의 1, 2, 3, 5, 6
에 대체로 대응된다. 각 뒤, 치 앞에 변치變徵를 더하고 우 뒤에 변궁變宮
을 더하면 7성 음계이다. 음계를 자세히 나누면 선율의 변화가 잦음을
의미한다. 그러나 오성 음계를 기반으로 하는 고전 음악은 비록 변화가
상대적으로 적으나 그 나름의 단순하고 소박하며 조용하고 엄숙하며
소리가 은은한 아름다움을 갖고 있다. 고대에 아악雅樂과 민가는 주로
오성 음계를 사용했고 그 때문에 '오음'은 일반적으로 음악을 가리켰다.

예)
고점리가 축을 치고 형가가 그에 맞춰 노래를 부르며 변치의 음조를 내었고, 배웅하
는 사람들이 모두 눈물을 흘리며 작은 소리로 흐느꼈다.

高漸離擊築, 荊軻和而歌, 爲變徵之聲, 士皆垂淚涕泣. (『전국책戰國策 · 연책3燕策三』)

화려한 다섯 가지 색채가 눈을 어지럽힌다. 떠들썩한 음조가 귀를 먹먹하게 한다. 풍
성한 음식이 혀가 맛을 구분하지 못하게 한다. 흥을 따라 사냥을 하여 마음을 미친 듯이
날뛰게 한다. 희귀한 물건들이 행위를 법도에서 벗어나게 한다. 그래서 성인들은 배가
부를 정도로만 먹고 소리와 색의 즐거움을 쫓지 않았고, 이로써 물욕의 유혹을 버리고
안정과 분수를 지키는 생활 방식을 유지한다.

五色令人目盲; 五音令人耳聾; 五味令人口爽; 馳騁畋獵, 令人心發狂; 難得之貨, 令人行妨. 是
以聖人爲腹不爲目, 故去彼取此. (『노자 · 제12장第十二章』)

다섯 가지 색깔이 교차하여 찬란한 비단을 만든다. 다섯 음이 배열하여 듣기 좋은 음
악을 이룬다. 다섯 가지 감정을 표현하여 감동을 자아내는 문장을 만든다. 이것이 자연
의 도리이다.

五色雜而成黼黻, 五音比而成韶夏, 五情發而爲辭章, 神理之數也. (유협, 『문심조롱 · 정채
情采』)

오행상생五行相生

오행의 순환과 생성. '오행'은 본래 다섯 가지 기본 사물을 즉, 나무,

불, 흙, 쇠, 물을 가리켰다.

세상 만물은 모두 이 다섯 가지 사물로 구성되었거나 이 다섯 가지 사물의 속성을 갖고 있다. '오행상생'은 이 다섯 가지 사물 사이에 있는 순환과 생성의 관계를 묘사한다. 나무에서 불을 생기고, 불에서 흙이 생기고, 흙에서 쇠가 생기며, 쇠에서 물이 생기고, 물에서 나무가 생긴다. 동시에, 이 다섯 가지 속성을 가진 사물 사이에서도 이러한 생성 관계를 따른다.

예)

오행은 다섯 개의 관직과 같아서 이웃한 사물은 순서대로 생성되고 서로 간격이 있는 사물은 순서대로 극승克勝(압도)한다. 그래서 국가와 세상사를 다스릴 때 오행의 순서를 위배하면 혼란이 생기고 오행의 순서에 순응하면 안정된다.

五行者, 五官也, 比相生而間相勝也, 故爲治, 逆之則亂, 順之則治. (동중서, 『춘추번로 · 오행상생五行相生』)

| 오행상승五行相勝

오행의 순환과 극승克勝(압도)으로, '오행상극五行相剋'이라고도 불린다. '오행'은 본래 다섯 가지의 기본 사물을 가리켰다. 즉 나무, 불, 흙, 쇠, 물이다. 세상의 만물은 모두 이 다섯 가지 사물로 이루어졌거나 이 다섯 가지 사물의 속성을 지니고 있다. '오행상승'은 이 다섯 가지 사물 사이의 순환과 압도 관계를 묘사한다. 물은 불을 압도하고 불은 쇠를 압도하며 나무는 흙을 압도하고 흙은 물을 압도한다. 동시에, 이 다섯 가지 속성을 가진 사물들 사이에서도 이러한 극승 관계를 따른다. 예를 들면, '오행상승'으로 왕조의 교체를 해석하는 것이다.

예)

오행이라는 것은 다섯 가지 관직으로 이웃하는 사물은 순서대로 생성하고 서로 간격

을 가진 사물은 순서대로 극승한다. 그래서 국가나 인간사를 다스릴 때 오행의 순서에
어기면 혼란스럽게 되고 오행의 순서에 따르면 안정되게 된다.

五行者, 五官也, 比相生而間相勝也, 故爲治, 逆之則亂, 順之則治. (동중서, 『춘추번로 · 오
행상생』)

오행五行

'오행'은 3가지 서로 다른 함의가 있다. 첫째, 5가지 가장 기본적인
사물 혹은 만물을 구성하는 5가지 원소를 뜻한다. 『상서 · 홍범洪範』에
서 가장 일찍 '오행'이 금, 목, 수, 화, 토라고 규정했다. 5가지 사물 혹은
원소는 각각의 속성을 갖고 있고 서로 간에 상생相生과 상극相克의 관계
가 존재한다. 둘째, 오행은 더 나아가 만물과 세계의 기본 틀로 이해된
다. 만물은 모두 오행의 범주 안에 편입되어 각기 다른 성질을 부여받
는다. 셋째, 5가지 도덕적 행위를 가리킨다. 순자는 자사子思와 맹자가
"옛날 일을 참고해 학설을 날조하여 오행이라 일컬었다"고 비판했는
데, 곽점 초나라 묘의 죽간과 마왕퇴馬王堆 한나라 묘의 백서帛書에서 발
견된 내용을 보면 그 '오행'은 인仁, 의義, 예禮, 지智, 성聖이 틀림없다.

예)
하늘에는 해, 달, 별, 삼진三辰이 있고 땅에는 오행이 있다.
天有三辰, 地有五行. (『좌전 · 소공 32년』)

천지의 기는 하나로 합쳐져 있다가 음양으로 구분되고 춘하추동 사시四時로 나뉘어
금, 목, 수, 화, 토, 오행으로 배열되었다.

天地之氣, 合而爲一, 分爲陰陽, 判爲四時, 列爲五行. (동중서, 『춘추번로春秋繁露 · 오행상
생五行相生』)

온고지신溫故知新

오래된 지식을 다시 익혀서 새로운 이해와 깨달음을 얻는다. 역사를 돌아보고 당대에도 유용한 새로운 의미를 찾는 것을 이르기도 한다. '온'은 복습한다는 뜻이다. '고'는 오래된, 이미 알고 있는 지식이다. '신'은 새로운, 아직 알려지지 않은 지식이다. '온고지신'에 대한 이해는 주로 두 가지가 있었다. 첫 번째는 '온고'와 '지신'을 병렬된 두 방면으로 보는 것이다. '온고'와 동시에 조금씩 새로운 지식을 획득하며 '지신'이 '온고'의 과정 중에 실현된다. 두 번째는 '온고'를 '지신'의 전제와 기초로 이해하는 것이다. '온고'가 없다면 '지신'을 할 수 없다. '신'은 '고'가 발전한 것이며 낡고 진부한 부분은 버린다. 오늘날 '온고지신'은 일반적인 공부 방법을 벗어나 개인, 기업, 조직 나아가서 국가가 스스로 성장하는 기본적인 원리를 의미하게 되었다. 새로운 것과 오래된 것, 과거와 현재, 이미 아는 것과 아직 모르는 것, 계승과 창조의 변증법적 사고를 내포하고 있다.

예)
옛것을 익혀서 새로운 것을 알게 되면 스승이 될 수 있다.
溫故而知新, 可以爲師矣. (『논어論語 · 위정爲政』)

온유돈후溫柔敦厚

유가의 경전인 『시경』이 지닌 온화하고 너그러운 정신 및 그 교화 작용을 말한다. 진한 시대의 유학자들은 『시경』이 풍자하고 간언하는 내용을 담고 있으나 중점은 질책이 아닌 소통에 있어 대다수 작품들의 정서가 온건하므로, 독자가 작품을 읽는 사이에 은연중에 감화되어 충직하고 온후한 덕성을 기르게 되므로 이로써 시를 통해 교화한다는 목적을 이룰 수 있다고 보았다. 온유돈후라는 시 교육관은 유가의 중용의 도를 표현한 것으로 치우침 없이 평화로운 것을 그 심미적 기준으로 삼는다. 이는 또한 문예창작의 풍격에 대한 요구가 되어 함축적인 것을 아름답다고 여기며 교화를 중시하는 사상으로 표현되었다.

예)
그 나라에 들어가 보면 국민의 교양을 알 수 있다. 국민들의 사람됨이 온유돈후하면 이는 바로 『시경』이 교화시킨 것이다.
入其國, 其教可知也. 其爲人也, 溫柔敦厚, 『詩』教也. (『예기 · 경해經解』)

온유돈후는 『시경』의 교화의 근본이다. 온유돈후한 성정을 지녀야만 온유돈후한 시를 쓸 수 있다.
溫柔敦厚, 『詩』教之本也. 有溫柔敦厚之性情, 乃有溫厚敦厚之詩. (주정진朱庭珍 『소원시화篠園詩話』)

│ **와유**臥遊

산수화를 감상하는 것으로 직접 산수를 유람하는 것을 대신하여, 이로써 산수의 즐거움을 음미한다. 남조南朝의 화가 종병宗炳(375~443)은 노년에 병을 얻어 명산과 큰 강을 유람할 수 없게 되었다. 그래서 유람했던 산수를 그림으로 그려 벽에 걸고 누워서 즐기는 임시방편으로 산수 유람을 대신했다. 이 용어는 고대 문인들의 요산요수(樂山樂水, 산을 좋아하고 물을 좋아함)의 전통을 드러내며 인간의 삶에 대해 예술이 가지는 특수한 의미를 긍정하며 회화 예술의 발전을 촉진시켰다.

예)
종병은 병을 얻은 후 강릉으로 돌아왔다. 탄식하며 말했다. "나는 늙고 병들어서 명산을 유람하기 어렵게 되었으니 마음을 비우고 내면을 성찰하고 진리를 탐구하며 방 안에 누워 산수화를 감상하는 것으로 직접 유람하는 것을 대신한다." 그리고는 자기가 유람했던 장소를 모두 그려 벽에다 걸었다.

(宗炳)有疾還江陵. 嘆曰:"老疾俱至, 名山恐難遍睹, 唯當澄懷觀道, 臥以遊之." 凡所游履, 皆圖之於室. (『송서宋書·종병전宗炳傳』)

한 밭뙈기 구기자와 국화로 안주 삼고 벽에 가득한 산수화를 모두 누워서 감상한다.

一畦杞菊爲供具, 滿壁江山入臥遊. (예찬倪瓚, 『고중지래문서생병차顧仲贄來聞徐生病差』)

▍**완약파**婉約派

송사의 두 큰 유파 중의 하나. 내용은 주로 남녀 간의 정, 이별의 정서 등이 많고, 특징은 '감정에 집중'하고 감정과 뜻의 표현이 함축적이며 부드럽고 은근하며 세밀하고 음율은 완곡하고 조화로우며 언어는 맑고 수려한 것이다. 완약사는 비교적 일찍 등장하였고 유명한 작가들이 계속 배출되었다. 당 오대에는 온정균溫庭筠, 이욱李煜, 송대 초기에는 구양수歐陽修, 안수晏殊, 안기도晏幾道, 유영柳永이 있고, 그 후에는 진관秦觀, 하주賀鑄, 주방언周邦彦, 이청조李清照가 있으며 남송에는 강기姜夔, 오문영吳文英, 장염張炎 등 한 무리의 사인이 있다. 천여년의 사학 발전 중에 완약사풍이 사단을 지배했고 수량이나 수준 모두 완약파가 주류와 정통의 지위를 차지한다. 언급해야 할 점은 완약파 사인들도 시국을 안타까워하는 정서를 표현했지만 감정을 기술하며 사물을 읊는 것에 나라와 신세에 대한 한탄을 담았을 뿐이다. 그러므로 일률적으로 부드럽다고만 생각해서는 안 된다.

예)

사로 말하자면, 완약한 풍격과 호방한 풍격이 있다. 완약사는 단어와 감정이 함축적인 것을 추구했고 호방사는 기백과 경지가 웅대한 것을 추구했다. 이것은 비록 작가의 기질에 따라 달라진 것이지만 사는 감정으로 사람을 감동시키는 것을 중시하므로 완약을 정통으로 해야 한다.

至論其詞, 則有婉約者, 有豪放者. 婉約者欲其辭情蘊藉, 豪放者欲其氣象恢弘, 蓋雖各因其質, 而詞貴感人, 要當以婉約爲正. (서사증徐師曾, 『문체명변서설文體明辨序說』)

이청조는 완약사의 일인자이고 신기질은 호방사의 일인자이다. 이 견해는 명대 여러 평론가들에 의해 언급된 적이 없다.

易安爲婉約主, 幼安爲豪放主, 此論非明代諸公所及. (심증식沈曾植, 『균각쇄담菌閣瑣談』)

왕도王道

유가가 제창한, 인의로 천하를 다스리고 덕으로 사람을 따르게 하자는 정치적 주장('패도霸道'와 대립된다). 상고시대의 현명한 제왕들은 대부분 인덕으로 나라를 다스렸다고 알려졌는데 전국시대에 와서 맹자는 그것을 정치 이념으로 끌어올려, 군주라면 마땅히 인의로 나라를 다스리고 나라간의 관계에서도 덕으로 상대를 따르게 해야 백성의 지지를 얻어 천하를 통일할 수 있다고 주장했다. 이것은 폭정에 반대하는 이상의 구현이었다.

예)
공정하여 어느 쪽에도 치우치지 않으니, 성왕의 도는 끝없이 넓다.
無偏無黨, 王道蕩蕩. (『상서 · 홍범洪範』)

무력에 의존하고 거짓으로 인의를 구실 삼는 사람은 패자가 될 수 있고 패자가 되려면 반드시 대국을 기초로 삼아야 한다. 도덕에 의지해 인의를 시행하는 사람은 왕이 될 수 있고 왕이 되려면 꼭 대국을 갖지 않아도 된다. ...... 무력으로 남을 복종시키면 진심으로 복종하는 것이 아니라 힘이 부족해 그러는 것일 뿐이다. 인덕으로 남을 복종시켜야 72명의 제자가 공자를 따른 것처럼 진심으로 기꺼이 복종한다.
以力假仁者霸, 霸必有大國; 以德行仁者王, 王不待大...... 以力服人者, 非心服也, 力不贍也; 以德服人者, 中心悅而誠服也, 如七十子之服孔子也. (『맹자 · 공손추상』)

왕王

본래는 하, 상, 주, 3대의 천자를 가리키는 칭호였지만, 춘추시대 이후 주나라 천자가 천하를 지배하는 국면이 와해됨으로써 전국시대부터는 모든 나라의 군주들이 다 왕이라 칭했다. 그리고 진, 한 이후, '왕'은 일반적으로 황제가 자신의 직계 남성 친족에게 하사하는 최고 작위가 되었다. 유가에서, 특히 공자, 맹자의 정치철학에서 '왕'은 한편으로 하늘의 뜻을 대표해 지고무상의 권력을 가졌고, 다른 한편으로는 강한 도덕적 특성과 정치적 이상을 부여받았다. 유가에서는 인의의 정치나 도덕적 수단을 이용해 천하 백성을 귀순시키는 것을 '왕'의 소임이라 생각했고 인의도덕에 의지해 천하 통일을 추구하는 것을 '왕도'라 불렀다.

예)
천하 백성이 귀순해오면 왕이라 칭할 수 있고, 천하 백성에게 버림을 받으면 망할 것이다.
天下歸之之謂王, 天下去之之謂亡.『순자 · 정론正論』

왕자부민王者富民

왕도를 펼치고자 하는 군주는 백성을 풍요롭게 한다. '왕자王者'는 원래 왕도를 널리 시행하고 천하를 통일하고자 하는 군주를 가리키며, 넓게는 위대한 사업을 이룬 지도자를 뜻한다. 위대한 사업은 반드시 민중의 폭넓은 지지가 있어야 성공할 수 있다. 이를 위해 지도자는 반드시 민중의 이익을 우선순위에 두어야 하며 일부 사람들의 이익에 눈을 돌려서는 안 되고 개인의 이익에 눈을 돌리면 더욱 안 된다. 이는 '민유방본民惟邦本', '장부어민藏富於民'의 사상과 밀접한 관련이 있다.

예)

그러므로 왕도를 펼치고자 하는 군주는 민중을 풍요롭게 하고, 제후를 제패하려는 군주는 군사를 풍요롭게 하고, 간신히 생존하는 나라는 대부를 풍요롭게 하고, 망국의 군주는 자신의 상자를 풍요롭게 하고 자신의 창고를 가득 채울 뿐이다. 군주 자신의 상자가 가득 차고 창고가 가득 찼으나 백성들은 가난하다. ...... 그러면 이런 정권이 쓰러져 멸망할 날도 멀지 않았다.

故王者富民, 霸者富士, 仅存之国富大夫, 亡国富筐箧, 实府库. 筐箧已富, 府库已实, 而百姓贫......则倾覆灭亡可立而待也. (『순자荀子 · 왕제王制』)

외사조화外師造化, 중득심원中得心源

예술 창작은 밖으로는 자연 만물을 본받아야 하고 안으로는 마음속의 깨달음을 얻어야 한다. '조화造化'는 대자연이다. '심원心源'은 불교 용어로 마음속의 신묘한 깨달음이 모든 법[一切法]의 근원이라는 의미이다. 당나라의 장언원張彦遠이 『역대명화기歷代名畫記』에서 기록한 당나라 화가 장조張璪의 말이다. 원래 뜻은 산수와 송석松石 류의 그림을 그릴 때 대자연을 스승 삼아 산수 경물의 진실된 결, 형태, 색 등을 관찰하고 마음을 다해 산수 경물의 아름다움을 깨닫는 것을 가리킨다. 나아가 이를 그림 속에 정련하여 나타내 그림이 핍진하면서도 초탈하게끔 만들어 전신傳神의 경계에 도달함을 의미한다. '조화'와 '심원'은 서로 대립하는 관계가 아니라 서로 통하고 융합되는 관계이다. 당나라의 시론詩論에서도 '심心'과 '심원'을 응용한 바 있다. 문론가들의 시작 과정에 대한 묘사는 장조가 말한 회화의 과정과 다르지 않다. 고전 시문 창작은 사물의 형상을 정련하고 의상意象을 만들어내며 작품의 운치가 아름다운 것을 중시하는 점에서 화론畫論과 공통점을 가진다.

예)

처음에 좌서자左庶子 필굉畢宏이 당시에 매우 유명했는데 장조를 보고 놀라움의 감탄을 금치 못했다. 필굉은 장조가 털이 빠진 붓만으로 그림을 그리고 어떤 때는 손으로 서화용의 흰 명주천을 문지르는 것을 이상하게 여겨 장조에게 어디서 배웠는지 물어보았다. 장조가 말하길 "밖으로는 자연 만물을 스승으로 삼고 안으로는 마음속의 깨달음을 얻는다"라고 하였다.

> 初, 畢庶子宏擅名於代, 一見驚歎之, 異其唯用禿毫, 或以手摸絹素, 因問璪所受. 璪曰 "外師造化, 中得心源." (장언원, 『역대명화기』 권10)

마음속 깨달음[心源심원]은 난로이고 붓끝은 숯불이다. 난로로 만물의 근본을 단련해내고 붓끝으로 다듬어 구체적인 물상을 그려낸다. 뒤엉킨 어구와 묘사가 작가의 생각에 따라 제멋대로 달린다.

> 心源爲爐, 筆端爲炭. 鍛煉元本, 雕礱群形. 糾紛舛錯, 逐意奔走. (유우석劉禹錫, 『동씨무릉집기董氏武陵集紀』)

욕강병자欲强兵者, 무부기민務富其民

군사력이 강해지려면 자국의 백성을 풍족하게 해야 한다. 생활이 풍족한 백성은 강한 군대의 바탕이다. 백성이 풍족하면 국고가 가득 차 군사 자금이 보장된다. 백성이 풍족하면 성년 남성의 수가 늘고 병사의 공급원이 보장된다. 백성이 풍족하면 인심이 넉넉해 군정에서 결정하는 정책이 백성의 지지를 받게 된다. '민유방본民惟邦本' 이념이 백성과 군사의 관계라는 문제에서 구체화된 것이라 말할 수 있다.

예)
나라를 부강하게 하려면 자신의 영토를 넓혀야 하고, 군사력이 강해지려면 자신의 백성을 풍요롭게 해야 하며, 천하의 사람을 자신에게 귀순시키려면 어진 정치를 펼쳐야 한다. 이 세 가지 일을 모두 해내면 그 후에 자연히 천하를 얻을 수 있다.

> 欲富國者, 務廣其地, 欲强兵者, 務富其民, 欲王者, 務博其德. 三資者備, 而王隨之矣. (『전국책戰國策 · 진진秦 1』)

욕欲

사람의 외부 물질에 대한 욕구. '욕'은 주로 사람이 외부 물질을 느껴서 생긴 욕망을 가리키며 음식, 미색 등 외부에 존재하는 사물에 대한 욕구를 포함한다. '욕'은 사람이 태어나면서부터 가진 본성으로 적당하게 충족도 되어야 하지만 절제도 필요하다. 만약 외부 물질에 대한 욕구가 일정한 한도를 넘어서면 자신의 생명에 손상을 초래할 수 있고, 사람 간에 분쟁과 사회 질서의 혼란을 가져올 수도 있다. '욕'은 때로는 미덕에 대한 추구를 가리키는 데 쓰이기도 하며 이로써 미덕에 대한 추구는 인간 고유의 본성임을 강조한다.

예)
음식과 이성은 사람의 근본적인 욕구이다.
飮食男女, 人之大欲存焉. (『예기・예운』)

현실에서 사람들의 본성은 굶주릴 때는 배불리 먹기를 원하고 추울 때는 따뜻하길 원하며 피로할 때는 쉬고 싶어 하니 이것이 사람의 본성이다.
今人之性, 飢而欲飽, 寒而欲暖, 勞而欲休, 此人之情性也. (『순자・성악性惡』)

용龍

전설 속의 신비롭고 상서로운 동물로 소의 머리, 사슴 뿔, 새우 눈, 낙타 입, 사람 수염, 뱀의 몸, 독수리의 발톱 등 여러 동물의 특징을 종합한 형상이다. 걷고 날고 헤엄치고 구름을 만들고 비를 내릴 수 있으며 변신에 능하고 법력이 무한하다. 이것은 중화민족의 가장 오래된 토템의 하나로 진한 이후로 제왕 혹은 황실의 상징이 되었고, 나중에는 한민족 및 모든 중국인의 공통적인 정신적 상징 또는 문화적 부호가 되었다. 중국의 '용'은 통합, 강대, 존귀, 위엄, 걸출, 길상 등을 상징하고 서양 신화 전설 속의 사악하고 탐욕스러운 dragon과는 구별된다.

예)
용은 비늘이 있는 동물의 우두머리이다. 숨거나 나타나고 작아지거나 커질 수 있으며 줄어들거나 늘어날 수 있다. 춘분에는 하늘로 올라가고 추분에는 깊은 물속으로 잠긴다.

龍, 鱗蟲之長. 能幽, 能明, 能細, 能巨, 能短, 能長; 春分而登天, 秋分而潛淵. (허신許慎, 『설문해자說文解字 · 용부龍部』)

용은 커지거나 작아질 수 있고 날거나 숨을 수 있다. 커지면 구름을 부릴 수 있고, 작아지면 형체를 숨길 수 있다. 치솟으면 우주에서 날 수 있고 숨으면 파도 밑에 잠길 수도 있다. ……용으로 인간세상의 영웅을 비유하기도 한다.

龍能大能小, 能升能隱. 大則興雲吐霧, 小則隱介藏形; 升則飛騰於宇宙之間, 隱則潛伏于波濤之內. ……龍之爲物, 可比世之英雄. (나관중羅貫中, 『삼국연의三國演義』 제21회)

용어불감勇於不敢

약해지거나 퇴보하는 것에 대한 두려움을 감수하고, 어떤 일을 감히 하지 않겠다고 용감하게 선택하다. 이는 노자의 '유약柔弱', '무위'의 지혜가 구현된 것이다. 노자는 혈기로 그저 전진하기만 하는 것은 위험하다고 보았고, 때에 따라 나아가기도 하고 물러나기도 해야 한다고 생각했다. 진정한 용기는 어떤 일을 감히 하는 것뿐 아니라 하지 않는 것에서 더욱 표현된다. 두려움을 무릅쓰고 행동해야 할 뿐 아니라, 함부로 행동하지도 말아야 한다. 용어불감은 경외하고 지켜야 하는 무언가가 있음을 사람들에게 상기시켜 준다. 규율을 어기고 원칙을 짓밟으며 규칙을 깨는 일들은 결연히 하지 않아야 한다. 작게는 개인의 처세에서부터 크게는 나라를 다스리는 것까지 모두 이와 같은 이치이다.

예)

감히 행동하는 데에 용감하면 죽고, 감히 행동하지 않는 데에 용감하면 산다.

勇於敢則殺, 勇於不敢則活.(『노자 73장』)

용勇

'용'은 기본적으로 '용감하다'는 뜻이다. '용'은 일종의 덕목으로, 행동할 때 어려움을 두려워하지 않고, 개인의 손해에 구애받지 않고, 도의의 원칙을 일관되게 지키며, 그에 어긋나는 행위를 제지할 수 있어야 한다. 용의 표현은 도덕과 예법에 대한 인식 및 준수에 기초해야 한다. 만약 그렇지 않다면, 용감한 행동은 싸움을 일으키거나 위험을 무릅쓰는 태도일 뿐이며 사회의 혼란을 야기한다.

예)

공자가 말했다. "자신의 조상이 아닌데 제사를 지내는 것은 아첨하는 것이다. 의를 보고서 아무것도 하지 않는 것은 용감하지 못한 것이다."

子曰: "非其鬼而祭之, 諂也. 見義不爲, 無勇也."(『논어 · 위정』)

자로가 말했다. "군자는 용기를 숭상합니까?" 공자가 말했다. "군자는 의를 가장 높은 가치로 여긴다. 군자가 용감하되 의가 없으면 난을 일으키고, 소인이 용감하되 의가 없으면 도적이 된다."

子路曰: "君子尙勇乎?" 子曰: "君子義以爲上. 君子有勇而無義爲亂, 小人有勇而無義爲盜."(『논어 · 양화』)

용재鎔裁

문학 작품의 기본 내용과 문구를 구성하고 가공해 더 높은 수준과 경지에 다다르게 하는 것. 문학 창작의 기본 범주에 속하며 『문심조룡』에서 가장 먼저 언급하였다. 주로 작가가 창작 과정에서 표현하려는 내용과 문체의 특징을 바탕으로 구상 중인 다양한 소재를 가공하는 동시에 거친 글을 다듬어 가장 훌륭한 표현 효과를 도모하는 것을 가리킨다. 이 용어는 문학 창작이 끊임없이 내용과 형식을 완벽하게 정련하는 과정을 강조한다. 명청 시대 희극戱劇 창작 이론에 큰 영향을 주었다.

예)

'용'은 기본 내용과 구조를 통제하는 것이고 '재'는 불필요한 문구를 다듬는 것이다. '재'를 통해 글에 어지럽고 불필요한 문구가 없게 하고 용을 통해 글이 분명하고 일목요연해지게 한다.

規範本體謂之鎔, 剪截浮詞謂之裁. 裁卽蕪穢不生, 鎔卽綱領昭暢. (유협劉勰, 『문심조룡 · 용재』)

사애謝艾의 글은 번잡해 보이지만 없앨 것이 없고 왕제王濟의 글은 간략하지만 더 보탤 것이 없다. 이 두 사람은 용재의 방법에 정통하여 번잡함과 간략함의 이치를 이해한다고 할 수 있다.

艾繁而不可刪, 濟略而不可益. 若二子者, 可謂練鎔裁而曉繁略矣. (유협, 『문심조룡 · 용재』)

우공이산愚公移山

인내심과 의지력을 가지고 어려움을 알면서도 행동하는 것을 비유한다. 『열자列子 · 탕문湯問』에서 나온 말로, 중국 고대의 저명한 우언고사이다. 나이가 구십 세에 가까웠던 우공은 집 문 앞에 큰 산이 있어 외출하려면 먼 길을 돌아가야 했다. 큰 산의 방해를 받고 싶지 않았던 그는 자손들을 데리고 산을 깎고 돌을 옮겼다. 지수智叟가 비웃었지만 그는 포기하지 않았고, 결국 그 정성에 감동한 천제가 천신을 보내 산을 옮겨 주었다. 이 우화에는 어리석음과 지혜로움, 유한함과 무궁함, 인력과 자연, 인도人道와 천도天道의 관계에 대한 사고가 내포되어 있다. 당송 이후에는 어려움에 용감하게 맞서 도전하고 포기하지 않는다는 의미가 주목을 받았고, 이때부터 '우공이산'은 어려움에 굴복하지 않고 끝까지 노력하는 것의 대명사가 되었다.

예)

하곡河曲의 지수가 웃으며 말렸다. "정말 어리석구려. 얼마 남지 않은 살 날 동안 그 작은 힘으로 산의 초목 하나도 없애지 못할 텐데, 흙과 돌을 어떻게 할 수 있겠소?" 북산 北山의 우공이 길게 탄식하고 말했다. "자네는 생각이 정말 꽉 막혔군, 답답하기가 과부 나 고아에도 미치지 못해. 내가 죽더라도 내 아들이 있다네. 아들이 또 손자를 낳고, 손 자는 또 아들을 낳을 테지. 그 아들은 또 아들을 낳고 그 아들에게 또 손자가 생길 테니 자자손손 끝없이 이어지겠지만, 저 산은 더 커지지 않으니 옮길 수 없다고 고민할 것이 무언가?"

河曲智叟笑而止之曰: "甚矣, 汝之不惠. 以殘年餘力, 曾不能毁山之一毛, 其如土石何?" 北山愚 公長息曰: "汝心之固, 固不可徹, 曾不若孀妻弱子. 雖我之死, 有子存焉; 子又生孫, 孫又生子, 子 又有子, 子又有孫; 子子孫孫無窮匱也, 而山不加增, 何苦而不平?" (『열자 · 탕문』)

정위전해精衛塡海(정위라는 작은 새가 바다를 메우려 하다)와 우공이산은 모두 의지 에 대해 말하고 있다.

精衛塡海, 愚公移山, 志之謂也. (양억楊億『처주용천현금사탑원기處州龍泉縣金沙塔院記』)

모두 우공과 같은 의지를 가진다면 산을 옮길 수 있고, 다같이 정위와 같은 마음을 품으면 바다를 메우기도 어렵지 않다.

各奮愚公之愿, 即可移山; 共懷精衛之心, 不難塡海.(채악蔡鍔『권손군자문勸損軍資文』)

│ 우인優人

고대에 설창說唱, 춤, 희학 등의 연기 재능을 가진 예능인으로 송원 이후에는 희곡 배우를 가리키기도 했다. 창우倡優, 배우俳優, 우령優伶 등 으로도 불린다. 가장 먼저는 궁정 귀족이 오락 목적으로 부양하던 작은 집단으로 송원 이후 도시의 발전에 따라 나타난 전문 예능인 집단이다. 정치와 교화를 중시하고 미적 추구를 경시하던 고대에서 우인의 사회

적 지위는 낮았다. 사마천은 『사기 · 활계열전滑稽列傳』에서 우인의 군
왕들에 대한 간언의 작용을 긍정적으로 보았고, 이것은 또한 후대 사람
들이 명배우를 평가하는 하나의 중요한 척도이자 예인들이 자발적으
로 추구하는 바가 되었다.

예)

지금 오나라 왕이 가무와 여색에 빠져 백성을 잊고 백성의 농사를 어지럽히며 하늘
의 때를 위반했다. 헐뜯는 말을 신뢰하고 우인을 좋아하며 직언하는 대담하게 재상과
대신들을 미워하고 멀리했다.

今吳王淫於樂而忘其百姓, 亂民功, 逆天時; 信讒喜優, 憎輔遠弼. (『국어 · 월어하越語下』)

또 진나라에 전旃이라는 우인이 진나라의 2대 황제에게 권하여 성벽을 칠하는 것을
그만두게 했고, 초나라에는 맹孟이라는 우인은 초나라 장왕에게 권하여 애마를 호화롭
게 장사 지내는 것을 그만두게 했다. 그들은 모두 함축적이고 완곡한 말로써 군왕에게
권하여 어리석고 포악한 행위를 그치게 했다.

及優旃之諷漆城, 優孟之諫葬馬, 並譎辭飾說, 抑止昏暴. (유협, 『문심조룡 · 해은諧隱』)

❘ 우주宇宙

본래의 뜻은 집의 처마와 대들보인데 파생되어 공간과 시간 및 무한
한 공간과 무한한 시간이 구성하는 세계의 전체를 가리킨다. '우'는 천
지사방, 즉 위, 아래, 동, 서, 남, 북의 모든 공간을 뜻한다. '주'는 옛날부
터 지금까지, 즉 과거와 미래를 포함하는 모든 시간을 뜻한다. '우주'는
공간적으로 무한히 확장될 수 있으며 시간적으로 무한히 연속될 수 있
다. 중국 철학에서는 세계의 본체와 세계가 발생하고 발전하는 과정을
탐구하는 학문을 '우주론'이라 지칭한다.

예)

과거로부터 미래까지의 시간을 '주'라 하고 동남서북과 위와 아래의 공간을 '우'라

한다.

往古來今謂之宙, 四方上下謂之宇. (『회남자淮南子 · 제속훈齊俗訓』)

‘우’의 외연은 한계가 없고 ‘주’의 처음과 끝은 무궁하다.

宇之表無極, 宙之端無窮. (장형張衡 『영헌靈憲』)

운韻

두 가지 주요 의미를 지닌다. 첫째, 문체 형식의 구성 요소로서 청아하고 조화롭고 듣기 좋은 소리의 아름다움을 가리킨다. ‘운韻’은 중국어 글자 발음을 구성하는 요소 중 하나이다. 시, 사詞, 곡曲 등 문체는 압운을 중시하여 운문이라고 불린다. 운문은 운의 배치와 알맞은 조합을 추구해 리듬이 있고 조화로워서 중국어의 운율미를 충분히 나타낸다. 둘째, 문예의 범주로서 주로 문예 작품 속에 은은하게 흐르는 정신적 기질과 맑고 우아한 정취를 가리킨다. 흔히 ‘기운氣韻’, ‘풍운風韻’, ‘신운神韻’ 등 단어로 함께 쓰여 화론畵論, 서론書論, 음악 이론에서 광범위하게 활용된다. ‘운’과 ‘기氣’는 모두 마음속으로 깨달았으나 말로 표현하지 못하는 예술적 인상을 가리킬 수 있으나 ‘운’은 부드러운 함축성과 청아함에 더 중점을 둔다.

예)

회화의 여섯 가지 법칙은 무엇인가? 첫째는 작품에 생기가 넘치고 신운神韻이 풍부해야 한다. 둘째는 운필이 다양한 선의 변화를 자유자재로 나타낼 수 있어야 한다. 셋째는 대상의 외형적 특징을 따라 조형해야 한다. 넷째는 대상의 특징에 근거해 색을 입혀야 한다. 다섯째는 구도를 합리적으로 안배해 전체가 드러나는 효과를 보여야 한다. 여섯째는 뛰어난 작품을 모사하여 이전 시대의 회화 기술을 전수해야 한다.

六法者何? 一氣韻生動是也, 二骨法用筆是也, 三應物象形是也, 四隨類賦彩是也, 五經營位置是也, 六傳移模寫是也. (사혁謝赫, 『고화품록古畵品錄』)

도연명陶淵明의 시를 처음 읽으면 무미건조한 것 같은데 오래 읽으면 흥취가 느껴진다. 소식蘇軾은 만년에 도연명의 시를 가장 좋아하여 이백李白이나 두보杜甫의 시가 모두 비할 바가 못 된다고 생각했는데 바로 운韻이 뛰어났을 뿐이다.

乍讀淵明詩, 頗似枯淡, 久久有味. 東坡晩年酷好之, 謂李杜不及也. 此無他, 韻勝而已. (진선陳善,『문슬신화捫虱新話』 상집上集 권1)

옛사람의 시를 읽을 때는 반드시 그 기운氣韻을 살펴야 한다. 기氣는 기질이다. 운韻은 태도와 풍취이다. 마치 아름다운 꽃을 감상할 때 꽃이 사랑스러운 지점은 분명히 겉모습 너머에 있는 것과 같다.

讀古人詩, 須觀其氣韻. 氣者, 氣味也, 韻者, 態度風致也. 如對名花, 其可愛處, 必在形色之外. (방동수方東樹,『소매첨언昭昧詹言』 권1)

┃ 웅혼雄渾

웅건하고 힘이 있으며 소박하고 자연스러운 예술 풍격과 심미적 기상을 가리킨다. '웅雄'은 작품의 기력에 중점을 둔 표현이다. '혼渾'은 소박하고 무게 있다, 한데 뒤섞이다, 자연스럽다는 뜻을 모두 가지며 작품의 풍격과 기상에 중점을 둔 표현이다. 도가에 따르면 '도道'는 혼연천성渾然天成(역자주: 자연스럽게 이루어져 인위적인 흔적이 없음)의 특징을 가지는데 '웅혼'이 여기에서 유래했다. 웅혼의 형성은 인위적인 구상에서 나오지 않으며 작품에 축적된 내재적인 기력을 바탕으로 안으로부터 바깥으로 자연스럽게 생기는 웅장한 예술 풍격이다. 웅혼은 억지로 얻을 수 없고 작가 자신의 수양 및 기질과 밀접한 관련이 있다. 작품의 경우 언어의 조직, 어휘의 선택, 의경의 표현 등 여러 요소들이 숭고하고 웅대해지는 경향을 보이면서 웅장하고 위엄 있는 생각과 혼연일체가 되어 전체적으로 웅혼한 심미적 풍모를 드러낸다.

예)
큰 도道가 밖으로 펼쳐져 웅장해 보이고 진실한 본체는 안에서 충만하다. 오직 허정

虛靜으로 돌아가야만 마음이 온연의 경지에 다다를 수 있다. 정신의 힘을 축적해야만 필력이 웅장하고 호방해질 수 있다.

大用外腓, 眞體內充. 返虛入渾, 積健爲雄. (사공도司空圖, 『이십사시품二十四詩品 · 웅혼雄渾』)

힘이 강건하고 필적할 수 없는 것을 '웅雄'이라고 하고, 원기가 뒤섞여 구별할 수 없는 것을 '혼渾'이라고 한다.

大力無敵爲雄, 元氣未分爲渾. (양정지楊廷芝, 『<이십사시품二十四詩品>천해淺解』)

│ 원본院本

넓고 좁은 두 가지 의미가 있다. 넓은 의미에서는 금대에 유행한 희곡 형식을 가리키고 좁은 의미에서는 이런 희곡 공연용의 각본을 가리킨다. 행원行院에서 주로 공연되어 원본이라 불린다. 원대 초기에는 여전히 유행했으나 현재는 독립된 온전한 작품이 전해지지 않으며 예술 특징은 대체로 길이가 비교적 짧으며 구조가 간단하고 우스운 말과 익살스러운 동작을 주로 공연하며 주요 배역은 부정副淨과 부말副末로 당대唐代 참군희參軍戲, 송대 잡극의 희학戲謔 수법을 계승했다. 금 원본은 직접적으로 원잡극元雜劇의 연출 형식에 영향을 주었다.

예)

금대에는 원본, 잡극, 제궁조가 있었다. 원본, 잡극은 실제로는 같은 것이다. 우리 원대에 이르러 원본, 잡극의 두 종류로 나뉘었다.

金有院本, 雜劇, 諸宮調. 院本, 雜劇, 其實一也. 國朝院本, 雜劇, 始釐而二之. (도종의陶宗儀, 『남촌철경록南村輟耕錄』25권)

│ 원元

사물이 발생하는 시초, 실마리를 말한다. '원'은 천지 만물의 맨 처음으로 사람을 포함한 천지 만물은 모두 '원'에서 시작된다. '원'은 여러 가지 구체적인 표현 방식을 가지고 있다. 한나라 때 사람들은 '원'을 '원기元氣', 즉 만물을 탄생시키고 구성하는 일종의 원시적 물질 자원으로 이해했다. 『주역 · 단상』에서는 '건원乾元'과 '곤원坤元'이 만물이 생성되는 실마리라고 설명한다. 『춘추』에서는 연호를 표기할 때 첫 해를 '원년元年'이라고 표기한다. '원년'은 새로운 역사적 시기의 시작을 알리는 것으로 만물의 끝과 시작이 교차한다는 법칙이 인간사에 표현된 예이다.

예)
원은 일종의 기운으로 발생할 때는 형태가 없었다가 나아가 형태 있는 사물로 분화되어 천지를 창조하였으니 이는 천지 변화의 시초이다.
元者氣也, 無形以起, 有形以分, 造起天地, 天地之始也. (『공양전 · 은공 원년隱公元年』하휴何休 주)

건원은 위대하여 만물이 이에 기대어 탄생을 시작하니 건원은 하늘의 운행과 효용을 통솔한다.
大哉乾元, 萬物資始, 乃統天. (『주역 · 단상』)

『춘추』에서 어째서 '원'을 귀하게 여기며 말하는가? '원'은 만물의 시초이기 때문이다.
『春秋』何貴乎元而言之? 元者, 始也. (동중서 『춘추번로 · 왕도』)

원융圓融

원만하고 융통성이 있음. 원융圓融은 각종 사물 간에 서로 융통되고 통섭하는 본래의 상태를 일컫기도 하며 치우쳐져 한 의견만을 고집하는 것을 피하는 진리관을 가리키기도 한다. 천태종天台宗은 공空, 가假, 중中 삼체三諦는 세 가지 차원의 진리로 분류될 수 있고 전통적인 이체二諦와 구별되며 불락공不落空이 양변이 있다는 것과 양변의 원융圓融 의

도를 떠나지 않는다는 것을 드러냈다. 화엄華嚴의 육상원융六相圓融은 모든 사물이 총總, 별別, 동同, 이異, 성成, 괴壞라는 세 가지 쌍을 이루는 서로 모순이 되는 듯한 측면이 있다는 것을 언급했다. 사실 이들은 개념의 대립을 초월했으며 한 덩어리로 구현될 수 있다.

예)
소위 차별이라는 것은 인식의 조잡함과 정교함이 구분됨을 언급한 것이다. 삼체三諦 간에 서로 배척하는 것은 조잡한 인식이며 삼체가 서로 융통되고 통섭되는 것은 정교한 인식이라고 할 수 있다.
分別者, 但法有粗妙: 若隔曆三諦, 粗法也; 圓融三諦, 妙法也. (석지의釋智顗『묘법연화경현의妙法蓮華經玄義』권일상卷一上)

│ 원자怨刺

문학의 형식으로 사회의 불공평함에 대한 불만 및 통치자에 대한 간언과 권면을 표현한다. 특히『시경詩經』중에 비판과 풍유(諷喩. 본뜻을 숨기고 비유하여 넌지시 나타내는 표현 방법)를 써서 정치상황과 통치자에 대한 시인의 마음 속의 강렬한 분노와 불평을 드러낸 시 작품을 가리킨다. 한대 학자들은『시경』중의 '원怨'은 절제된 발산이고 '자'刺는 긍정적인 의미에서의 권고라고 생각했으며, 이 두 글자를 합쳐 문학비평용어로 삼아서 이러한 종류의 작품이 가진 현실적인 의의를 긍정했다. 당송이래로 이 용어에는 격렬한 비판과 강렬한 원한의 의미가 담겼으나, 핵심적인 함의는 정치가 깨끗하고 사회가 평화롭기를 바라는 것이다.

예)
주대의 인의仁義의 도가 훼손된 후, 불만의 정서와 은근한 권고의 뜻을 표현하는 시가 등장했다. 제왕이 백성에게 베푸는 은덕이 완전히 사라진 후, 사람들은 다시는 시가로써 마음속 소리를 표현하지 않았다.

周道始缺, 怨刺之詩起. 王澤旣竭, 而詩不能作. (『한서漢書·예악지禮樂志』)

원잡극元雜劇

원대의 대표적인 연극 종류이다. 전신은 송대의 북방 잡극으로 이것은 북방의 민간에서 유행한 통속적인 공연 형식을 기초로 하여 금金대의 제궁조, 원본院本의 공연 특징과 무대 경험을 흡수하고, 원대 초기 관한경關漢卿(1220?~1300?) 등 연극 명인의 개선과 정형화를 거쳐 마침내 독특한 연극 공연 형식을 형성했다. 원잡극은 일반적으로 1본本 4절折이며, 한 절은 동일한 궁조의 곡조로 모음곡套曲을 구성하며, 주인공 정단正旦 또는 정말正末이 주로 노래한다. 원잡극은 줄거리가 제대로 갖추고 있고 인물 형상의 묘사 면에서도 더 생동감 있고 입체적이며 인물의 대사와 동작 등 희곡의 표현 수법이 더욱 풍부하다. 원나라 대도大都는 경제가 발달하고 시정이 번영하여 문인과 예인들의 관계가 긴밀하여 원잡극 창작의 발전을 촉진했다. 원대 말년에 원 잡극은 침체되었고 명대에 이르러 점차 다른 연극 형식으로 대체 되었다.

예)

음악과 국가 통치의 좋고 나쁨은 서로 통하므로 희극은 시대의 심미적 관념과 취향에 따라 변한다. 근대에 교방(당대唐代 이후 궁중에 설치되어 음악·무용·배우·잡희雜戲 등을 관장하던 곳)은 원본 외에도 잡극을 탄생시켰다.

樂音與政通, 而伎劇亦隨時所尙而變. 近代, 敎坊院本之外, 再變而爲雜劇. (호지휼胡祗遹, 『증송씨서贈宋氏序』)

당대에 전기가 있었는데 모두 문인들이 쓴 것으로 야사처럼 이야깃거리 삼고 조롱하는 데 쓰였을 뿐이다. 송대의 희문에서야 비로소 노랫가락, 대사, 익살스러운 몸짓이 생겼다. 금대에 원본과 잡극이 합쳐졌고, 본 대에 이르러서야 원본, 잡극 두 종류로 나뉘어졌다.

唐時有傳奇, 皆文人所編, 猶野史也, 但資諧笑耳. 宋之戲文, 乃有唱念, 有諢. 金則院本, 雜劇合而爲一. 至我朝, 乃分院本, 雜劇而爲二. (하정지夏庭芝, 『청루집지青樓集志』)

| **원형이정**元亨利貞

『주역周易 · 건괘乾卦』의 괘사(卦辭. 괘卦의 뜻을 풀어 놓은 글)이다. 주로 두 가지로 이해된다. 첫째, 점술의 각도에서 보면 '원형, 이정'은 얻는 괘에 따라 길흉을 예측하는 단언斷語이다. '원형'은 대통大通 혹은 큰 제사를 지낸다는 의미이다. '이정'은 유리한 점괘, 즉 점을 쳐서 이 괘를 얻으면 길함을 가리킨다. 둘째, 성리학의 관점에서 보면 '원형이정'은 건괘의 네 가지 품성으로 여겨진다. 이 4가지를 인仁, 예禮, 의義, 정正에 대응시키는 사람도 있고, 만물이 처음 생겨나서 성숙하기까지의 4 단계로 보는 사람도 있다. 또는 천지 자연의 법칙, 성인이 만물을 대할 때의 4가지 덕행을 가리키기도 한다.

예)
군자는 인덕을 체득하여 남의 어른이 될 수 있고, 아름다운 것을 모아 예에 부합하게 하며, 만물을 이롭게 하여 의에 부합하게 하고, 단정하고 절개를 지켜 일을 이룰 수 있다. 군자는 이 4가지 덕행을 받든다. 그래서 "건은 원형이정이다"라고 한다.
君子體仁, 足以長人; 嘉會, 足以合禮; 利物, 足以和義; 貞固, 足以幹事. 君子行此四德者, 故曰 "乾, 元亨利貞." (『주역周易 · 문언文言』)

'원'은 만물의 시작이고, '형'은 만물의 성장이며, '리'는 만물의 발전이고, '정'은 만물의 성숙이다.
元者萬物之始, 亨者萬物之長, 利者萬物之遂, 貞者萬物之成. (정이程頤, 『정씨역전程氏易傳』1권)

| 원화체元和體

　　당唐나라 헌종憲宗 원화년간(806~820)에 유행하기 시작한 시가 형식과 풍격. 광의廣義 협의俠義로 하기와 같이 나뉠 수 있다. 광의적으로 이해하면 원화년간 이래의 각종 새로운 형식의 시문으로, 일반적으로 원화년간 이후에 유행한 새로운 문풍文風과 시풍詩風으로 한유韓愈(768~824), 원진元稹(779~831), 백거이白居易(772~846), 장적張籍(767?~830?) 등의 원화 년간의 저명한 작가가 창조하였다. 협의적으로 이해하면 원진, 백거이 시가 속의 장편 배율排律과 중단편 잡체시雜體詩를 가리킨다. 원진, 백거이의 시가는 서사를 중요시하는데 그 예로 연창궁사連昌宮詞, 장한가長恨歌, 비파행琵琶行 모두 장편 서사시의 대표작이다. 또한 시가 형식의 통속화를 중시하였는데, 구체적으로는 시의 언어가 확실하고 명쾌하여 독자가 이해하고 기억하기 용이하다. 시가와 음악의 결합 그리고 음률의 아름다운 화합을 중요시하여 노래하기가 편하다.

　　예)
　　원화 년간 이후 글을 짓는 사람들은 한유韓愈의 독특하고 괴이함과 번종사樊宗師의 고통스러움을 배웠다. 긴 시가를 짓는 사람들은 장적張籍의 걷잡을 수 없이 방탕함을 배웠다. 시를 쓰는 사람들은 맹교孟郊의 기이함과 과격함을 배웠다. 백거이白居易를 배우는 이들은 평이함과 적절함을 지니고 있었으며 원진元稹을 배우는 이들은 실속 없이 겉만 화려하고 곱고 아름다웠다. 이러한 것들을 당시에는 모두 원화체元和體라 불렀다.
　　元和已後, 爲文筆則學奇詭於韓愈, 學苦澀於樊宗師; 歌行則學流蕩於張籍; 詩草則學矯激於孟郊, 學淺切於白居易, 學淫靡於元稹, 俱名爲"元和體"(이조李肇『당국사보唐國史補』권하卷下)

　　원진元稹은 젊은 나이에 총명함으로 이름을 날렸고 태원太原 사람 백거이白居易와 절친한 사이였는데, 그들은 모두 시를 짓는 데 능했으며 노래하는 사물의 형태와 풍경을 묘사하는 데에도 능했다. 당시에 시가를 논하는 사람들은 모두 이 둘을 논했다. 사대부, 유림학자부터 시정市井의 백성들까지 모두 그들의 시를 전하고 불렀으며 이를 원화체元和體라 칭했다. [元]稹聰警絶人, 年少有才名, 與太原白居易友善, 工爲詩, 善狀詠風態物色,

當時言詩者稱元白焉.自衣冠士子, 至閭閻下俚, 悉傳諷之, 號為"元和體"(『구당서舊唐書 · 원진전元稹傳』)

| 위기지학爲己之學

자아 수양을 목적으로 하는 학문. 유가에서는 '배움學'을 일종의 도덕적 삶을 성취하는 방식으로 삼았다. 학자들은 경전과 예법의 학습 및 성현에 대한 본받음으로 통해 끊임없이 자기의 덕성을 기름으로써 이상적인 인격을 이루었다. 그래서 '학'은 자아 수양의 과정이며 '자기를 위한爲己' 것이다. '학'은 다른 사람을 향해 자기의 학문 또는 덕행을 전시하여 외부적인 이익을 얻기 위함이 아니다.

예)
공자가 말했다. "옛날의 학자는 자신의 도덕 수양을 위해 공부했으나 현재의 학자들은 다른 사람에게 학문을 과시하기 위해서 공부한다."
子曰: "古之學者爲己, 今之學者爲人." (『논어 · 헌문憲問』)

일반적으로 말하면 자기를 위한 학문은 다른 사람에게 어떤 영향도 받지 않는다. 성인, 현인들의 수많은 말들은 결국 사람들로 하여금 고유한 본성으로 돌아가게 하기 위한 것이다.
大抵爲己之學, 於他人無一毫干預. 聖賢千言萬語, 只是使人反其固有而復其性耳. (『주자어류朱子語類』8권)

| 위인유기爲仁由己

인덕을 행하는 것은 자신에게 달려 있다. 공자(B.C. 551~B.C. 479)가 제자들에게 인덕의 의미에 대해 강의할 때 '위인유기'의 관념을 제시하였다. 공자는 인덕은 외재적 규범에 의지하여 실현하는 것이 아님을 강조했다. 비록 인덕을 행하기 위해서는 예에 부합하도록 자신의 언행을 자제해야 하지만, 인덕의 실천은 근본적으로 당사자가 그에 대해 동의하는지, 그것을 추구하는지 그리고 인덕의 기준에 맞춰 행동하는지에 따라 결정된다.

예)

안연이 인에 대해 물었다. 공자가 대답했다. "자신의 언행을 자제하여 예에 부합하게 하는 것이 인이다. 언젠가 자신을 억제하고 예를 따라 행하면, 천하가 그의 인덕을 칭송할 것이다. 인덕을 실천하는 것은 자신에 달려 있으니, 어찌 다른 사람에 의지하겠느냐?"

顔淵問仁. 子曰, "克己復禮爲仁. 一日克己復禮, 天下歸仁焉. 爲仁由己, 而由人乎哉?" (『논어·안연顔淵』)

| 위정이덕爲政以德

도덕적 원칙으로 국정을 관장하고 나라를 다스리는 것을 말한다. 공자는 서주의 통치자들이 줄곧 계승했던, "덕을 밝히고 벌은 신중히 가한다"(明德愼罰)는 원칙을 기초로 후대 유가가 신봉한 '덕정德政'의 이념을 제시했다. '덕정'은 '위력과 형벌'(威刑)과 대립된다. 그러나 '위정이덕'은 결코 형법을 부정하는 것이 아니라, 정치에 대한 도덕의 결정적인 작용을 강조하고 도덕적 교화가 치국의 근본 원칙이자 방법이라고 주장하는 것일 뿐이다.

예)

도덕적 교화로 나라를 다스리는 것은 마치 북극성이 하늘의 일정한 방향에 있고 뭇별이 그 주위를 도는 것과 같다.

爲政以德, 譬如北辰居其所, 而衆星共之. (『논어·위정爲政』)

| 위편삼절韋編三絕

죽간 또는 목간을 묶는 무두질한 가죽끈이 여러 번 끊어짐. 중국의 옛사람들은 대나무 조각 또는 나무 조각에 글을 쓰고 기록한 후, 이 대나무 조각 또는 나무 조각(줄여서 '간簡'이라 부름)에 구멍을 뚫고 무두질한 가죽 끈('위韋')으로 순서에 따라 이어서 책('위편韋編')으로 만들었다. 『사기 · 공자세가孔子世家』의 기록에 의하면 공자는 노년에 『주역』을 좋아해서 많이 읽어도 질리지 않아 『주역』의 죽간을 이은 가죽끈이 여러 차례 끊어질 정도였다고 한다. 후세 사람들이 이로써 열심히 책을 읽고 공부를 좋아하며 싫증을 내지 않는 것을 비유했다.

예)
공자가 노년에 『주역』을 좋아하여 ······ 『주역』의 죽간을 이은 가죽끈이 여러 번 끊어졌다.

孔子晚而喜易······韋編三絶. (『사기 · 공자세가』)

위학일익爲學日益, 위도일손爲道日損

지식에 대한 추구는 나날이 더해가며, 도에 대한 탐구는 나날이 (편견과 욕망을) 덜어낸다. '위학'은 지식과 학문의 누적이다. 그러므로 계속 더해가며 넓어지고 풍부해지기를 추구한다. '위도'는 세계의 보편적인 법칙에 대한 깨달음이다. 그렇기에 무지와 무욕, 더 나아가 '무위'에 이르기까지 세속의 편견과 개인의 욕망을 덜어낸다. '위도일손'은 노자가 주장한 국정을 다스리는 기본 원칙이기도 하다. 정책을 제정할 때는 반드시 간단하고 실행하기 쉬워야 하고, 민중의 자연적인 생활에 가능한 한 간섭하지 말아야 한다는 것으로, 이는 도가의 '무위' 이념의 구현이다.

예)
지식에 대한 추구는 나날이 늘어가는 것이며, 도에 대한 탐구는 나날이 덜어내는 것이다. 줄고 또 줄어들면 '무위'의 경지에 다다른다. '무위'에 다다르면 어떤 일이든 할 수 있다. 천하를 다스리는 사람은 청정을 유지하며 민중에 관여하지 말아야 한다. 만약 정책이 복잡하고 엄하여 민중에 간섭하게 되면, 천하를 얻기에 걸맞지 않다.

爲學日益, 爲道日損. 損之又損, 以至於無爲. 無爲而無不爲. 取天下常以無事, 及其有事, 不足以取天下. (『노자 48장』)

유교무류有敎無類

누구든 교화를 받을 수 있거나 받아야 하고 교화를 받으면 빈부, 귀천 등으로 인해 생긴 차이가 없어진다는 뜻이다(다른 한편으로, 가르칠 때 학생들을 차별 없이 대하면 지위, 빈부 등에 따라 학생들이 나뉠 리가 없다는 뜻도 있다). '교'는 예악의 교화를 가리키고 '류'는 종류로서 귀천, 빈부, 지역, 종족, 선악 등의 차별과 구분을 가리킨다. '유교무류'는 등급, 지역, 종족 등의 차별을 초월해 교육을 보급하자는 사상이고, 나아가 편견에 반대해 평등하게 사람을 대하자는 '인문' 정신이기도 하다.

예)
성인의 도덕적 교화는 통하지 않는 데가 없어서 "교화를 받기만 하면 지역, 종족 등으로 인해 생긴 차이가 없어진다"고 했다. 그들 돌궐인은 전쟁의 상처를 입고 우리 당나라에 귀순했다. 우리가 그들을 돕고 보호해 내지로 데려가 정착시키고 예의와 법도를 가르쳐 농사를 업으로 삼게 한다면…… 걱정할 것이 뭐가 있겠는가?

聖人之道無不通, 故曰: "有敎無類". 彼創殘之餘, 以窮歸我. 我授護之, 收處內地, 將敎以禮法, 職以耕農…… 何患之恤? (『신당서·돌궐전상突厥傳上』)

유덕자필유언有德者必有言

인품과 덕성이 고상한 사람은 반드시 저술이나 뛰어난 글을 세상에 남긴다는 뜻이다. 유가에서는 작가의 인품(도덕적 수양)과 작품이 보통 내적인 관련이 있다고 생각해, 인품과 덕이 고상한 사람은 당연히 글이 빼어나지만 글을 잘 쓰는 사람이 꼭 도덕적으로 훌륭하지는 않다고 보았다. 그리고 작가의 저술은 응당 도덕 전파를 사명으로 삼아서 도덕과 글을 통일시켜야 한다고 주장했다. 그런데 후대 유가의 문사들은 때로 글의 도덕적 작용과, 글에 대한 작가의 인품과 덕성의 영향력을 지나치게 강조하여 문학 자체의 창작 특징과 가치를 무시하곤 했다.

예)

공자가 말하길, "도덕적으로 뛰어난 사람은 반드시 후대에 명언을 남기지만, 후대에 명언을 남긴 사람이 꼭 도덕적으로 뛰어나지는 않는다."고 했다.

子曰: "有德者必有言, 有言者不必有德." (『논어 · 헌문憲問』)

대장부는 세상을 살면서 가진 재능이 출중해야 하고, 훌륭한 글로 만물을 묘사해야 하고, 완벽한 지혜로 우주의 비밀을 철저히 파헤쳐야 한다. 덕을 쌓으려는 뜻을 숨길 필요 없이 도를 이해하면 꼭 널리 전수해야 한다.

丈夫處世, 懷寶挺秀. 辨雕萬物, 智周宇宙. 立德何隱, 舍道必授. (유협, 『문심조롱 · 제자諸子』)

유명類名

같은 부류의 사물을 이르는 명칭. '유명'은 묵가에서 사용하는 명칭 분류의 일종이다. 묵가는 이름[명名]의 변별을 중시하여 사물을 적합한 이름으로 지칭해 명실상부를 실현해야 함을 강조했다. 묵가에서 사용하는 이름은 '달명', '유명類名', '사명私名' 세 가지로 나뉜다. '유명'은 같은 부류의 사물을 지칭하는 명칭이다. 예를 들어 '말'이라는 이름은 말이라는 유형에 포함되는 모든 말을 지칭한다.

예)

명은 달명, 유명, 사명으로 나뉜다.

名, 達, 類, 私. (『묵자墨子 · 경상經上』)

어떤 것을 '말'이라고 명명하는 것은 유명이다. 만일 그러한 실체가 있다면 반드시 이이름으로 불러야 한다.

命之馬, 類也, 若實也者必以是名也. (『묵자墨子 · 경설상經說上』)

유무有無

'유무'에는 3가지 다른 함의가 있다. 첫째, 개별 사물의 여러 부분 중 실제로 있는 부분을 '유', 빈 부분을 '무'라고 한다. 둘째, 개별 사물이 생기고, 존재하고, 소멸되는 과정에서 생긴 뒤 사라지기 전까지의 상태를 '유', 아직 생기기 전과 이미 소멸된 뒤의 상태를 '무'라고 한다. 셋째, 형체와 이름이 있는 구체적 사물이나 그 총화가 '유'이고 모든 개별 사물을 초월하는, 형체도 이름도 없는 본체 또는 본원이 '무'이다. 이 세 번째 함의와 관련하여 일부 철학자들은 '무'가 세계의 본체 또는 본원이고 '유'는 '무'에서 생겨났다고 생각했으며 또 다른 철학자들은 '유'가 더 근본적이라고 생각해 '유'가 '무'에서 생겨났다는 것을 부정했다. 한편 '유무'의 상호관계를 보면 '유'와 '무'는 서로 구분되는 동시에 서로 의존한다.

예)
그러므로 사물에서 '유'의 부분은 사람에게 편리함을 가져다주고 '무'의 부분은 사물의 기능을 발휘한다.

故有之以爲利, 無之以爲用. (『노자 · 11장』)

'유'의 발생과 존재는 '무'에서 비롯되었다.

有之所始, 以無爲本. (왕필, 『노자주』)

유병불치有病不治, 상득중의常得中医

병을 앓을 때 의사에게 가서 보이지 않으면 그 결과는 중등 수준의 의사에게 진단 받아 치료 받는 것과도 같다(구병성의久病成醫와 의미가 유사함). 불치不治는 의사에게 청하지 않고 의사에게 가지 않고 치료하는 것을 뜻한다. 득得은 상당함相當과 능함을 뜻한다. 중의中醫는 중등 수준의 의사 혹은 치료효과이다. 때로는 합호의리合乎醫理(의학적 이치에 합치한다)로 해석된다. 이는 한서漢書·예문지藝文志에 기재된 속담으로 훗날 불복약승중의不服藥勝中醫(약을 먹지 않는 것이 중등 의사보다 낫다) 등의 표현으로 변하였다. 본의는 돌팔이 의사를 청해서 대충 치료를 행해서 병도 제대로 고치지 못하고 병세만 더욱 악화되게 하느니 의사를 청하지 않는 것이 낫다는 뜻이다. 하물며 어떤 질병은 치료하지 않아도 알아서 낫는다. 이 표현은 사람들의 돌팔이의사에 대한 배척과 좋은 의사에 대한 기대를 드러내며 하기와 같은 관념도 포함한다. 어떤 질병은 알아서 나으므로 치료를 할 필요가 없다.

예)

어떤 처방은 병세에 적합하지 않아서 열의 기운을 가진 약물은 사람을 더 열이 나게 하고 차가운 성질을 가진 약물은 사람을 더 차게 만들어서 사람의 원기가 상하면 몸을 살펴보았을 때는 드러나지 않지만 이는 약을 쓰는 것이 적합하지 않아서 생긴 잘못이다. 그래서 속담에서는 이렇게 말한다. 병이 생겼을 때 의사를 부르지 않으면 그 결과는 중등 수준의 의사를 청해서 진단받아 치료받는 것과 같다.

[經方] 及失其宜者, 以熱益熱, 以寒增寒, 精氣內傷, 不見(xiàn)於外, 是所獨失也. 故諺曰: "有病不治, 常得中醫. (『한서漢書·예문지藝文志』)

세간의 사람들은 병이 났을 때 약을 먹지 않는 것이 중등 수준의 의사보다 낫다고 한다. 이 말은 비록 모든 병세에 적용되지는 않지만 병세가 심각하지 않다면 실력이 돌팔이 수준인 의사에게 아무렇게나 처방 받아 병세를 악화시키는 것보다는 이렇게 하는 것이 더 낫다는 뜻이다.

世言 "不服藥勝中醫", 此語雖不可通行, 然疾無甚苦, 與其爲庸醫妄投藥反敗之, 不得爲無益也. (엽몽득葉夢得『피서녹화避暑錄話』권하卷下)

고대 속담에 "병에 걸리면 약을 먹지 않는 것이 의학적 이치에 부합한다"는 말이 있는데, 이 표현은 宋나라 이전부터 있었다. 이는 의술이 전수되지 않으면 의사는 사람의 병을 고칠 때 종종 실수를 범하며 환자는 의사의 수준이 높고 낮은 것을 분별하지 못하여 아예 약을 먹지 않는다는 뜻이다. 병세가 호전되지 않았더라도 돌팔이 의사에게 처방받은 약 때문에 죽음에 이르는 것보다 낫다. 하물며 죽음에 이르지 않는 질병이라면 병의 증세가 점차 사라지고 몸속에 있는 병이 점점 회복되고 스스로 치유될 수 있기 때문에 의학적 이치에 부합한다고 한다.

古諺有"不服藥爲中(zhòng)醫" 之說, 自宋以前已有之. 蓋因醫道失傳, 治人多誤, 病者又不能辨醫之高下, 故不服藥. 雖不能愈病, 亦不至爲藥所殺. 況病苟非死症, 外感漸退, 內傷漸復, 亦能自愈, 故云"中醫". (서대춘徐大椿『의학원류론醫學源流論 · 경약유병론輕藥愈病論』)

유아지경有我之境, 무아지경無我之境

근대의 학자 왕국유(1877~1927)가 물아 간 관계의 관점에서 개괄하고 정리한 고전 시사詩詞의 두 가지 심미 경지이다. 왕국유는 저명한 문학이론 저서인 『인간사화』에서 '경계'의 개념을 제시했는데, 경계를 조성해낸 시사 작품이야말로 수준이 높은 작품이라고 주장했다. 왕국유는 이를 시사 창작의 원칙으로 생각했을 뿐 아니라 비평의 기준으로 여겼고, '경계'를 사용하여 시사의 변천 과정을 논술하고, 작가의 장단점, 작품의 우열, 사품의 고저를 평가했다. '경계'를 둘러싸고 그는 또한 몇 가지 명제를 제시했는데, 그 중 '유아지경, 무아지경'은 가장 중요한 개념이다. '유아지경'은 곧 사의 작가가 자신의 주관적 감정을 문학 형상 가운데 융합시켜, 문학 속 형상이 강렬한 감정의 색채를 지니게 하는 것이다. '무아지경'은 감정이 없는 융합이 아니라, 이러한 감정을 담담하고 평온하게 하여 애써 드러내고자 수식할 필요가 없고, 교묘하여 원래부터 그러한 것 같으니 예술적 추구에 있어 최고의 경지이다. '경계'설은 왕국유 문예비평의 출발점이자, 그 문예사상이 최종적으로 귀속되는 지점이기도 하다.

예)

경계는 경물만을 말하는 것이 아니다. 희로애락 등 감정은 사람의 마음 속 하나의 경지이다. 그래서 진정한 경물과 진실한 감정을 묘사한 작품은 경계가 있다고 불리며, 그렇지 않으면 경계가 없다고 한다.

境非獨謂景物也. 喜怒哀樂, 亦人心中之一境界. 故能寫眞景物, 眞感情者, 謂之有境界, 否則謂之無境界. (왕국유王國維『인간사화人間詞話』)

유아지경이 있고 무아지경이 있다. ……유아지경은 내 시선으로 자연 경물을 관찰하여, 경물이 모두 나의 감정적 색채로 덮인 것이다. 무아지경은 자연의 시선과 심정으로 경물을 바라보아, 무엇이 나이고 무엇이 경물인지 구분할 수 없다. 옛사람이 사를 쓸 때 유아지경을 써낸 사람이 비교적 많으나, 무아지경에 다다를 수 없음을 의미하지는 않으며, 이는 재능이 걸출한 문인들이 타인과 다르게 독특한 부분이다.

有有我之境, 有無我之境……有我之境, 以我觀物, 故物皆著我之色彩. 無我之境, 以物觀物, 故不知何者爲我, 何者爲物. 古人爲詞, 寫有我之境者爲多, 然未始不能寫無我之境, 此在豪傑之士能自樹立耳. (왕국유『인간사화』)

｜ 유용내대有容乃大

도량이 있어야 큰 성취를 이룰 수 있다. '유용'은 용량이 크다, 포용할 수 있다는 의미다. '대'는 기백, 위대한 업적을 가리킨다. '유용'은 도덕 수양이고 더욱이 생존의 지혜이다. 개인과 사회의 다름을 인정하는 기초 위에서 자아와 타인의 관계를 중재하고 사회의 화목을 도모하는 도덕적 자각이다. 그러나 고의적 방임이나 원칙 없는 타협은 아니다. '유용내대'는 입신하여 일을 처리할 때 특히 관직에 나가 국정을 운영할 때 마음을 열고 다양한 의견을 들을 줄 알며 서로 다른 대상을 관용으로 대해야 함을 일깨운다. 마치 넓은 바다가 무수한 강줄기를 받아들이는 것과 같이 말이다. 그렇게 해야 위대한 성품을 키워 위대한 성취를 이룰 수 있다. '후덕재물厚德載物'과 뜻이 통한다.

예)

반드시 인내가 있어야 성취가 있다. 도량이 있어야 큰 공덕을 세운다.

必有忍, 其乃有濟. 有容, 德乃大. (『상서尙書·군진君陳』)

바다는 무수한 강을 받아들이며, 사람은 도량이 있어야 큰 성취를 이룬다. 높은 절벽은 위엄있게 솟아있고, 사람은 탐욕이 없어야 강직하고 당당하다.

海納百川, 有容乃大, 壁立千仞, 無欲則剛. (임칙서林則徐 대련)

유遊

한적하고 자유롭게 노닐다. '유'는 일종의 처세와 행동의 방식이다. '유'의 방법으로 생활 중의 사람과 사물을 마주하려면, 사람들은 그 접촉하고 인식하는 대상과 가깝고도 먼 거리를 유지해야 한다. '유'는 대상의 바깥에 소외될 수 없고, 접촉을 유지하며 그 가운데 진정으로 대상을 이해하게 된다. 다른 한편으로 '유'는 또한 대상과 일정한 거리를 유지해야 하고, 대상 가운데 침닉하여 그에 얽매이지 않는다. '유'는 항상 대상을 초월하여 주체의 자유로움을 유지해야 하며, 이를 통해 대상에 대한 더 깊은 인식을 얻을 수 있다.

예)

공자가 말했다. "도에 뜻을 두고, 덕에 근거하며, 인을 따르고, 예절, 음악, 활쏘기, 말타기, 서법, 셈의 육예에서 노닌다."

子曰, "志於道, 據於德, 依於仁, 遊於藝." (『논어·술이述而』)

만약 천지의 법칙에 순응하고 육기六氣의 변화를 몰아 무궁한 경지에 노니는 자라면 달리 의지할 필요가 무엇이겠는가.

若夫乘天地之正, 而御六氣之辨, 以遊無窮者, 彼且惡乎待哉! (『장자·소요유』)

육경개사六經皆史

　육경은 모두 역사라는 뜻으로 고대의 학자가 제시한 중요한 사상 명제이다. '육경'(『역경』, 『서경』, 『시경』, 『예기』, 『악기』, 『춘추』)은 하, 상, 주, 3대의 사회, 정치 등 현실 상황이 반영된 역사 텍스트이지, 성인이 일부러 남긴 도덕적 설교가 아니라는 것이다. 이 명제를 체계적으로 주장한 대표자는 청대의 학자 장학성章學誠이다. 이 명제는 유가 경전의 신성한 지위를 뒤흔들고 중국 사학이 독립과 자각으로 나아가는 추세를 나타냈다.

　예)
　학자들은 성인이 써서 후대에 가르침을 남긴 것이라고 생각해 육경을 숭배한다. 하지만 그것이 실제로는 하, 상, 주, 3대가 흥성할 때 각 관청의 관리들이 적은 제도와 역사적 사실이지, 성인이 일부러 쓴 문헌이 아니라는 것을 알지 못한다.
　學者崇奉六經, 以謂聖人立言以垂敎, 不知三代盛時, 各守專官之掌故, 而非聖人有意作爲文章也. (장학성章學誠, 『문사통의文史通義 · 사석史釋』)

육관六觀

　글을 감상하고 비평하는 여섯 가지 관점이다. 글 자체가 가진 여섯 가지 요소로써, 작품이 어떤 형식인지 보는 '위체位體', 언어의 사용을 관찰하는 '치사置辭', 선인의 작품 특성에 대한 계승 및 변화를 판단하는 '통변通變', 표현방법이 정통적인지 특이한지를 살피는 '기정奇正', 논증에 든 예시가 적합한지 가늠하는 '사의事義', 음률과 박자를 뜻하는 '궁상宮商'이 있다. '육관'은 비평방법론으로써 문심조룡의 전체 이론체계에서 중요한 한 축이다. 이를 통해 체계적이고 근거 있는 문학비평이 가능해진 한편, 비평의 주관성을 탈피할 수 있었다. '육관'은 후세의 시문 평론에 지침 및 규범의 역할을 하였고, 현대문학 이론의 구축에도 현저한 영향을 주었다.

> 예)
> 그러므로 글을 읽고 비평하려면 여섯 가지를 먼저 주목하여 고찰해야 한다. 첫째는 위체, 둘째는 치사, 셋째는 통변, 넷째는 기정, 다섯째는 사의, 여섯째는 궁상이다.
>
> 是以將閱文情, 先標六觀: 一觀位體, 二觀置辭, 三觀通變, 四觀奇正, 五觀事義, 六觀宮商. (유협『문심조룡 · 지음知音』)

│ 육예六藝

'육예'는 두 가지 다른 의미가 있다. 첫째는『시경』,『상서尙書』,『예기』,『악경樂經』,『주역』,『춘추春秋』등 여섯 권의 경전이다. 역대 유학자들은 육경六經 텍스트에 대한 끊임없는 해설을 통해 이러한 경전에 풍부한 의미를 부여했다. 육례의 학문은 고대 사람들의 세계질서와 가치에 대한 근본적인 이해를 보여주고 있다. 둘째는 예법, 음악, 궁술, 마술, 서법, 수학 등 여섯 가지 기예를 가리키며, 이는 고대의 학교에서 교육하던 기본 내용이다.

> 예)
> 육예는 왕이 백성을 교화하기 위한 서적으로, 고대 성인들이 천도를 밝히고 인륜을 바로잡으며 치세를 이루던 법이다.
>
> 六藝者, 王敎之典籍, 先聖所以明天道, 正人倫, 致至治之成法也. (『한서漢書 · 유림전儒林傳』)

보씨保氏의 직책은 군왕의 악행에 대해 간언하고, 왕공 귀족의 자제들을 정도正道로 가르쳐 이끄는 것이었다. 그래서 그들에게 '육예'를 가르치니, 첫째는 다섯 가지 예의요, 둘째는 여섯 종류의 음악과 춤이요, 셋째는 다섯 가지 활 쏘는 법이요, 넷째는 다섯 가지 수레를 모는 법이요, 다섯째는 한자를 구성하는 여섯 가지 방법이요, 여섯째는 아홉 가지 수를 셈하는 법이었다.

> 保氏: 掌諫王惡, 而養國子以道. 乃敎之六藝: 一曰五禮, 二曰六樂, 三曰五射, 四曰五馭, 五曰六書, 六曰九數. (『주례周禮 · 지관地官 · 사도司徒』)

육의六義

한나라 때 학자들은 국가 통치와 사회 교화의 관점에서 『시경』이 가진 6가지 의의를 정리했다. 풍風은 성현의 사상이 백성의 풍속에 끼치는 교화 작용을 밝히는 것이고, 부賦는 정치의 선악을 직접적으로 서술하는 것이고, 비比는 비유의 방식으로 완곡하게 정치의 부족함을 비판하는 것이고, 흥興은 다른 아름다운 사물을 빌려 선행을 고취하는 것이고, 아雅는 왕도를 선양해 후대의 준칙으로 삼는 것이고, 송頌은 미덕을 찬송하고 널리 알리는 것이라고 했다. '육의'는 본래 유가가 『시경』의 창작 수법을 밝히기 위해 사용한 용어인데 훗날 그것으로 시의 모든 창작 방식과 문학 비평의 기본 원칙을 설명하게 되었다.

예)

풍은 백성의 풍속에 남아 있는 성현의 치국의 도를 알려준다. 부는 자세히 말한다는 뜻인데 정치의 득실이 반영된 일들을 직접적으로 진술한다. 비는 정치의 폐단을 보았을 때 감히 직접적으로 비판하지 않고 비슷한 사물에 비유해 완곡하게 지적하는 것이다. 흥은 당시의 훌륭한 정치를 보았을 때 직접적으로 찬미하면 아부로 비칠까봐 다른 좋은 사물을 빌려 암시하고 격려하는 것이다. 아는 '바르다'는 의미인데 지금의 옳은 행위를 이야기해 후대가 따라야 할 준칙으로 삼는 것이다. 송은 '찬송'과 '자태'를 뜻하는데, 자태를 찬송함으로써 지금 군주의 덕을 찬미하고 그 아름다운 덕을 널리 알리는 것이다.

風言賢聖治道之遺化也. 賦之言鋪, 直鋪陳今之政教善惡. 比, 見今之失, 不敢斥言, 取比類以言之. 興, 見今之美, 嫌於媚諛, 取善事以喩勸之. 雅, 正也, 言今之正者, 以爲後世法. 頌之言誦也, 容也, 誦今之德, 廣以美之. (『주례周禮 · 춘관春官 · 대사大師』정현 주鄭玄注)

윤리倫理

본뜻은 사물의 이치를 가리키며, 확장된 의미는 인륜도덕의 이치, 곧 사람과 사람 간의 관계와 이러한 관계를 다루는 기본적 도리, 원칙 및 규범을 이른다. 중국인은 자고로 사람 간의 관계를 중시했고, 유가는 인륜 규범을 사람이 사람답게 하는 주요한 근거로 여겼기에 윤리사상이 매우 발달하였다. 이는 중국 전통사상문화의 큰 특징이다. 근대에들어 '윤리'는 ethics의 역어로 자리잡으며 사물의 이치라는 뜻은 사라지고, 사람과 사람이 교류할 때의 각종 도덕적 준칙을 가리키게 되었다.

예)
음이란 모두 사람의 내심에서 생겨나는 것이요, 악은 사물의 이치와 서로 통하는 것이다.
凡音者, 生於人心者也. 樂者, 通倫理者也. (『예기 · 악기』)

골육과 상간하고 친척을 범하며 위아래의 질서가 없음은 금수의 본성으로, 행위가어지럽고 인륜도덕을 모르는 것이다.
夫亂骨肉, 犯親戚, 無上下之序者, 禽獸之性, 則亂不知倫理. (왕충王充『논형 論衡 · 서허편書虛篇』)

윤집궐중允執厥中

치우치거나 기대지 않고, 성실하게 중정中正의 도를 지키다. 윤은 성실과 신뢰를 의미하며, 집은 고수하다, 실행하다의 뜻이다. 궐은 대명사 그, 그것이며, 중은 중정이다. '윤집기중允執其中'이라고도 한다. 국가의 통치자, 특히 가장 높은 자리에 있는 통치자는 각종 의견과 이익 및힘의 알력, 다툼을 마주했을 때 원칙 없이 어느 한쪽에 치우쳐서는 안되며, 성심을 다해 중립과 공정의 입장을 지키고 적합한 정책을 취하여실행해야 한다. 이렇게 해야만 국가가 잘 다스려질 수 있다. 원칙을 지키고 사심 없이 공정하다는 말로도 표현할 수 있으며, 보편주의적 가치를 내포하고 있다.

예)

사람의 마음은 위험하여 안정되기 쉽지 않고 도의 마음은 미묘하여 밝히 알기 쉽지
않다. 오직 세심하게 한 뜻으로 중정의 도를 성실하게 지켜야 국가를 잘 다스릴 수 있다.

人心惟危, 道心惟微, 惟精惟一, 允執厥中. (『상서·대우모大禹謨』)

요임금이 순에게 양위할 때 말했다. "아, 너 순아! 하늘의 뜻이 네게 있으니, 성실하
게 중정의 도를 지키라. 만약 천하 백성이 곤고와 빈궁에 빠지면, 하늘이 내린 봉록도
영원히 끝날 것이다."

堯曰, "咨! 爾舜! 天之歷數在爾躬, 允執其中. 四海困窮, 天祿永終." (『논어·요왈堯曰』)

윤회輪回

모든 중생은 생사의 교대 속에서 수레바퀴처럼 끊임없이 돈다. 윤회
사상은 영혼이 육체의 죽음과 함께 소멸하지 않는다고 가정하기 때문
에 죽음과 삶의 교대 속에서 반복해서 몸을 얻게 되고 여기에는 시작과
끝이 없다. 불교가 등장하기 전에 이미 인도에서는 윤회라는 관념이 유
행하고 있었다. 윤회하는 개체는 반드시 전생의 행위에 따른 결과를 수
동적으로 견뎌야 하기 때문에 윤회는 보편적으로 고통스러운 것으로
여겨진다. 불교 사상의 기본 이치는 이렇게 순환하고 반복되는 생명의
과정을 인과因果가 이어진 사슬로 이해하는 것이다. 불교 사상은 원인
을 소멸함으로써 결과를 소멸하는 목적에 다다를 수 있으며 결국에는
윤회를 끝내고 그 고통에서 벗어날 수 있다고 주장한다.

예)

중생이 생사 윤회하는 것은 시작이 없다. 단지 중생이 무지에 가리어지고 애욕에 사
로잡혀 오랫동안 그 속에 갇혀 있어서 고통이 생기는 까닭을 알지 못하는 것이다.

[眾生] 於無始生死, 無明所蓋, 愛結所系, 長夜輪回, 不知苦之本際. (『잡아함경雜阿含經』 권10)

은사隱士

　능력이 있어 관리로 재임할 수 있거나 군주가 될 수 있으나 근거하고 세상에서 피해 살기로 선택한 사람. 고대 사회에서 은사隱士가 숨어 살기로 선택한 데에는 각기 다른 이유가 있었다. 첫째, 일생생활 속에서의 번거롭고 불필요한 예절의 허위와 부화浮華에 진저리가 나서 소박한 자연의 생활을 추구하는 것이다. 둘째, 현실 정치의 혼란에 불만을 느끼거나 동류의 사람들과 섞여 더럽혀져 살기를 원하지 않거나 박해를 피하기 위해 세상을 피해서 숨어 살기로 선택한 것이다. 셋째, 더욱 어질고 능력 있는 사람들이 자신을 대신해 관직에 오르고 군주가 되었으면 하는 마음으로 자진하여 물러나 숨어 살기로 한 경우이다. 은사는 종종 고결한 성품을 가지고 있으나 결코 사회의 주류는 아니다. 세상을 피해 숨어 사는 생활을 고심하거나 과도하게 추구하게 되면 위선자로 취급되거나 사회적 책임의 부재를 야기할 수 있다.

　예)

　자로子路는 공자와 동행하다가 뒤처져 한 노인을 만났는데, 그 노인은 지팡이로 풀을 제거하는 도구를 사용하고 있었다. 자로가 물었다. 제 스승을 보셨습니까? 노인이 대답했다. 사지를 고생시키지 않으면 오곡을 분별할 수 없는데, 누가 당신의 스승인가? 노인은 지팡이를 한쪽에 꽂아 풀을 제거했다. 자로는 두 손을 모아 존경하면서 서 있었다. 노인은 노자에게 유숙하라고 하였고 닭을 잡아 요리를 하여 자로를 먹였으며 두 아들을 불러 나오게 하여 만나도록 하였다. 이튿날 자로는 길을 떠나 공자를 뒤쫓아가 이 일을 고하였다. 이에 공자가 대답하였다. 그 분은 은사이다. 공자는 자로에게 돌아가 그를 알현하라고 하였다. 어른과 어린이 간의 예절은 폐기해서는 안 된다. 군신 간의 직분은 어떻게 버릴 수 있겠는가? 자신을 더럽히지 않고자 하면 인륜의 질서를 어지럽히게 된다. 군자가 출사하여 관직에 오른다는 것은 그에 합당한 도의를 행해야 한다는 것이다. 정도正道를 추진할 수 없다는 것을 훨씬 전에 깨달은 것이다.

　子路從而後, 遇丈人, 以杖荷蓧(diào). 子路問曰: "子見夫子乎?" 丈人曰: "四體不動, 五穀不分, 孰爲夫子?" 植其杖而芸. 子路拱而立. 止子路宿, 殺雞爲黍而食(sì)之, 見(xiàn)其二子焉. 明日, 子

路行, 以告. 子曰: "隱者也."使子路反見之. 至, 則行矣. 子路曰: "不仕無義.長幼之節, 不可廢也; 君臣之義, 如之何其廢之? 欲潔其身, 而亂大倫.君子之仕也, 行其義也. 道之不行, 已知之矣." (『논어論語 · 미자微子』)

예)

옛날에 은사는 자신의 행적을 숨기고 사람들에게 보이지 않는 것도 아니고 자신의 언론을 닫아버리고 말을 하지 않는 것도 아니었으며 자신의 지혜를 숨기고 사용하지 않는 것도 아니었다. 이는 시대의 추세가 그들과 크게 맞지 않았기 때문이었다.

古之所謂隱士者, 非伏其身而弗見(xiàn)也, 非閉其言而不出也, 非藏其知(zhì)而不發也, 時命大謬也. (『장자莊子 · 선성繕性』)

어떤 이는 은거함으로써 자신의 지향하는 바를 이뤘고 어떤 이는 세상의 일을 회피함으로써 자신의 도덕을 보전하였고, 어떤 이는 심성을 안정되게 함으로써 자신의 불같은 성질을 극복했고, 어떤 이는 위험을 피해 평안함을 바랐으며 어떤 사람은 세속의 더러움을 보고 절개를 진작시켰으며, 어떤 이는 세상 일을 차마 눈 뜨고 볼 수가 없어 덕행을 지켜나갈 것을 격려했다. 그러나 그들이 들판에서의 생활을 달가워하고 강과 바다에서 궁상맞게 초췌한 모습을 보면 물고기와 새를 가까이하고 산림초목을 좋아하는 것인 지 의아할 뿐이다. 그들의 천성이 이와 같도록 하였을 것이라고 할 수 있다.

或隱居以求其志, 或迴避以全其道, 或靜己以鎮其躁, 或去危以圖其安, 或垢俗以動其槪, 或疵物以激其清.然觀其甘心畎(quǎn)畝之中, 憔悴江海之上, 豈必親魚鳥樂林草哉, 亦云性分(fēn)所至而已. (『후한서後漢書 · 일민전서逸民傳序』)

은수隱秀

시와 산문은 풍부한 생각과 감정을 은밀히 담고 있으며 빼어난 명언과 문장도 갖추고 있음을 가리킨다. 이 말은 본래『문심조룡』의 편명에서 나왔으며 그 편에서 '은'은 일의 서술이나 경치의 묘사가 그 일과 경치 밖의 의미를 은밀히 담고서 독자들에게 무한한 연상을 불러일으키는 것을 가리킨다. 그리고 '수'는 한 편의 글에서 그 글의 의미를 두드러지게 하는 절묘한 단어와 문장을 가리킨다. 이 두 가지는 불가분의 관계로서 함께 우수한 문학 작품의 심미적 특징을 구성한다. 훗날 시문 쓰기의 한 수사법이 되기도 했다.

예)

그래서 우수한 글은 '수'와 '은'을 겸비해야 한다. 이른바 '은'은 글에서 언어 밖에 숨겨진 겹겹의 함의를 뜻하고, 이른바 '수'는 주제를 드러내면서도 독특하게 불거진 빼어난 단어와 문장을 뜻한다.

是以文之英蕤, 有秀有隱. 隱也者, 文外之重旨者也; 秀也者, 篇中之獨拔者也. (유협, 『문심조룡 · 은수』)

생각과 감정이 언어 뒤에 은밀히 담겨 있는 것을 '은'이라 하고 생각과 감정을 담은 경치와 물상이 생생하게 독자 눈앞에 펼쳐진 것을 '수'라고 한다.

情在詞外曰隱, 狀溢目前曰秀. (장계張戒, 『세한당시화歲寒堂詩話』 상권에 인용된 유협의 말)

은일시隱逸詩

산림과 전원에 은거하는 문인이 산림, 전원생활을 창작의 소재로 하여 개인의 의지와 정감을 담은 시가를 가리킨다. 고대의 어떤 문인들은 관리가 되는 것을 하찮게 여기거나 또는 당시의 사회 정치에 불만을 품고 산림이나 전원에 은거하며 은자가 되었다. 그들은 자주 산수, 전원 등 자연 경물을 묘사함으로써 세속을 버린 정신과 뜻을 드러냈다. 그중에서 도연명은 '고금의 은일시인 중의 일인자'라고 불렸다. 당송이래로 많은 문인 사대부들이 도연명의 생활방식에서 느낀 바가 있어 산림 및 전원 생활 중에서 마음의 평안을 얻으려 했다. 그래서 은일 경향의 시가 작품이 생겨났다.

예)

(도연명의 시는) 응거應璩에서 비롯되었으며 좌사의 풍골도 겸비하고 있다. 도연명

의 시는 간결하고 맑아서 특출난 명구가 없어 보인다. 시인은 진실하고 순박하며 예스러운 관념을 전달하려 힘썼고 문장은 흥기興寄의 수법을 썼으며 완곡하면서도 적절했다. 그의 시와 문장을 읽을 때마다 그의 모습과 품성이 떠오르게 하니 …… 고금의 은일시인 중의 일인자이다.

其源出於應璩, 又協左思風力. 文體省淨, 殆無長語. 篤意眞古, 辭興婉愜. 每觀其文, 想其人德 …… 古今隱逸詩人之宗也. (종영鍾嶸, 『시품詩品』)

│ 은현隱顯

　은隱은 꺼리어 숨기고 감추는 것을 뜻하며 현顯은 선명하게 드러나는 것을 뜻한다. 문예 전문용어로서 시문詩文 창장 과정에서 어떤 경우에서는 꺼리어 숨기고 감춰야 하며 어떤 경우에서는 선명하게 드러내야 하는데, 말뜻과 문사에서 구현할 때 혹은 숨기고 혹은 드러내야 하며 이상적인 예술의 경지는 감추고 드러남이 적절한 균형을 이뤄야 한다. 문사의 감춤과 말뜻의 감춤은 결코 난삽하고 이해하기 어려운 것이 아니라 인내심을 가지고 뜻을 깊이 생각해야 하는 것이다. 문사가 명백하고 뜻이 잘 드러나는 것 또한 적나라하고 바깥으로 드러나는 것이 아니라 명확하고 분명한 것이다. 보편적인 의미로 말하자면 은隱과 현顯은 결코 이분법적인 대립관계가 아니라 서로 전환하고 유동하는 변증 관계이며 이 사이에 도道의 변화가 구현된다.

　예)
　주역周易 속의 네 가지 괘상卦象의 도리道理는 깊고 복잡하며 명확하지 않으며, 춘추春秋 속의 다섯 가지 기사記事의 조례는 문사가 세밀하면서도 완곡하고 함축되어 있는데 이는 함축이 있으면서 은밀한 의미를 통해 글의 효용을 은근히 내포하는 예시이다. 따라서 번繁과 간簡이 서로 다른 면모를 지니고 있으며 은隱과 현顯이 상이한 표현 방법을 가지고 있으며 혹은 압축하고 혹은 발휘를 더 하도록 하는 것이 당시當時의 요구사항에 근거해야 하며 작문에서의 변화는 상이한 상황에 맞춰져야 하며 주공周公, 공자孔子의 말로 검증하여 보면 글을 쓸 때 본보기를 삼을 수 있다.

四象精义以曲隐, 五例微辞以婉晦, 此隐义以藏用也. 故知繁略殊形, 隐显异术, 抑引随时, 变通适会, 征之周孔, 则文有师矣. (유협劉勰『문심조룡文心雕龍·정성征聖』)

나는 중용中庸이라는 글이 성현聖賢 사상의 본원이라고 생각하며, 이 글의 본체와 효용, 숨김과 드러냄은 자신을 완성하고 외부 사물을 완성하는 방법을 모두 갖추고 있다.

窃惟≪中庸≫一篇, 圣贤之渊源也, 体用隐显, 成己成物备矣. (장식張栻『발跋<중용집해中庸集解>』)

| **음수사원**飲水思源

물을 마실 때는 그 물이 어디서 왔는지 생각해야 한다. 남북조 시기, 유신庾信(513~581)은 핍박을 피해 북조에서 20여년 간 객지 생활을 해야 했다. 그는 자주 고향을 그리워했고, 글 속에서 자신은 강물을 마실 때마다 물의 원류가 어디인지 생각한다고 적어 남조에 대한 그리움을 나타냈다. 후세에 이 글을 음류회원飲流懷源 혹은 음수사원으로 줄여 부르며, 뿌리를 잊지 않고 은혜를 아는 것을 비유했다. 이렇게 순수하고 선량한 품성은 줄곧 사람들의 칭송을 받았다.

예)
나무의 과실을 먹으면 그 나무를 생각하고, 흐르는 물을 마시면 강물의 근원을 생각하네.
落其實者思其樹, 飲其流者懷其源. (유신庾信『징조곡徵調曲』6)

| **음양**陰陽

본래는 물체가 해를 향하는 것이 '양'이고 해를 등지는 것이 '음'인데 파생되어 두 가지 함의가 생겼다. 첫째, 천지간에 존재하는, 서로 반대되는 성질의 두 가지 기를 가리킨다. 둘째, 서로 모순되는 두 가지 기본적인 세력 혹은 속성을 가리킨다. 보통 역동적이고, 뜨겁고, 위에 있고,

바깥을 향하고, 밝고, 확장되고, 강한 것이 '양'이며 정적이고, 차갑고, 아래에 있고, 안을 향하고, 어둡고, 감퇴하고, 약한 것이 '음'이다. '음', '양'이나 '음기', '양기'의 상호작용은 만물의 생성과 존재 상태를 결정 짓는다. 음양 이론은 옛날 사람이 우주 만물과 사회, 인륜 질서를 이해 하고 설명하는 기초가 되었다. 예를 들어 하늘, 임금, 남편은 '양'으로, 땅, 신하, 아내는 '음'으로 분류했고 '양'은 귀하고 '음'은 천하다고 보았 으며 '양'과 '음'을 종속관계로 놓기도 했다.

예)
만물은 음을 등지고 양을 향하며 음양은 서로 충돌하며 조화로운 상태가 된다.
萬物負陰而抱陽, 沖氣以爲和. (『노자 · 42장』)

음과 양은 각기 단독으로 작용하지는 않는다.
陰陽無所獨行. (동중서, 『춘추번로 · 기의基義』)

| 음音

　음악을 가리키며 마음으로부터의 정감이 움직여 나오는 리듬과 음률이 있는 소리이다. 옛사람들은 자주 '음'으로 '성聲'에 대응시켰다. 모든 자연물이 내는 소리를 '성'이라 하고 사람의 속마음의 정감이 움직여 나오는 소리를 '음'이라 한다. 단일한 음향을 '소리'라 부르고, 서로 다른 '성'의 배합을 '음'이라 부르며 서로 다른 '음'이 리듬이 있는 곡조를 구성한 것을 '악樂'이라 한다. 옛사람들은 '음'은 사람의 속마음에서 나오며 한 나라 또는 한 지역의 음악은 종종 이 나라 또는 지역 백성의 마음과 뜻 그리고 풍습과 사회 상황을 반영한다고 여겼으며, 이로써 유가는 문예가 정치적 득실 및 사회 교화 기능을 가졌다는 이론과 주장을 제시했다.

예)

모든 음악은 사람의 속마음에서 생겨나며, 감정이 마음속에서 격동하여 소리를 통해 표현되어 나와 각종 소리가 리듬이 있는 곡조로 조성된 것을 음악이라 부른다.

凡音者, 生人心者也, 情動於中, 故形於聲, 聲成文, 謂之音. (『예기 · 악기樂記』)

음은 소리의 일종이다. 마음에서 생기며, 리듬 있게 표현되어 나온 후에 음악이라 부른다.

音, 聲也. 生於心, 有節於外, 謂之音. (허신, 『설문해자 · 음부音部』)

| 의경意境

　　문예작품이 묘사한 정경과 작품에 표현된 생각 및 감정이 고도로 융합되어 형성하는 심미적 경계를 말한다. '경'은 본래 국경이나 지역 간의 경계선을 가리켰다. 그런데 한나라 말기에서 위진 시대 사이에 불교가 중국에 유입되어 현실 세계는 모두 환상이고 정신과 감각만이 진실한 존재라 생각하게 되면서 '경'은 사람의 마음과 감각이 도달할 수 있는 경계라고 여겨지게 되었다. 문학예술 술어로서 '경'은 여러 가지 함의를 가지고 있다. '의경'은 당나라 때의 저명한 시인인 왕창령王昌齡이 제시한 것으로 주로 문예작품 속에서 주관적으로 감지한 사물의 형상과 정신적으로 내포된 의미가 통일되어 도달하는 심미적 수준을 가리키는데 그 특징은 '취의조경取意造境'(감정과 뜻을 경관에 반영함)과 '사여경해思與境偕'(주관적 감정과 객관적 사물의 결합)이다. '의상意象'과 비교하면 '의경'은 상대적으로 문예작품의 정신적 함의와 미감의 수준 높은 형태를 더욱 내세우는 것으로 '의경'의 개념은 작품의 감정과 정경, 허와 실, 마음과 사물 등 개념들의 응용을 확장하여 문예작품과 심미활동의 수준을 제고하였다. '의경'은 시대를 거치며 풍부하게 발전해 문예작품의 수준을 평가하는 중요한 개념이 되었으며 역대의 고전 작품이 누적된 결과이자 우수한 문예작품이 반드시 구비해야 할 중요한 특징이 되었다. '의경'이라는 술어는 또한 외래 사상 및 문화와 본토의 사상이 융합된 본보기이기도 하다.

예)

시에는 세 가지 경지가 있으니 첫째는 물경物境이다. 산수시를 짓고자 하면 능력을 다해 샘과 바위와 구름 속으로 우뚝 솟은 봉우리의 경치에 대한 관찰을 확대하여 그중에서 가장 수려한 경치와 여운을 마음속에 새기고, 자기 자신이 그 속에 들어가 마음속에서 살펴본 풍경을 마치 손에 들고 관찰한 것처럼 뚜렷이 새긴 연후에 그림을 구상하여 묘사하고자 하는 구체적인 사물을 마음속으로 생각해야만 그 모습을 닮게 표현할 수가 있다. 둘째는 정경情境이다. 즐거움, 슬픔, 원망 등의 정서에 대한 인식을 힘껏 확장하여 직접 느낀 후에 구상해야만 이러한 감정들을 깊이 있게 표현할 수 있다. 셋째는 의경이다. 마찬가지로 이에 대한 인식을 확대해 마음속으로 거듭 사색한 후에야 의경의 진의를 얻을 수 있다.

詩有三境: 一曰物境. 欲爲山水詩, 則張泉石雲峰之境, 極麗絶秀者, 神之於心, 處身於境, 視境於心, 瑩然掌中, 然後用思, 了然物象, 故得形似. 二曰情境. 娛樂愁怨, 皆張於意而處於身, 然後用思, 深得其情. 三曰意境. 亦張之於意而思之於心, 則得其眞矣. (왕창령王昌齡『시격詩格』)

시를 짓는 일의 오묘한 점은 모두 의경이 서로 통하고 융화되는 데 있다. 음성을 초월해야만 시의 진정한 여운을 음미할 수 있다.

作詩之妙, 全在意境融徹, 出音聲之外, 乃得眞味. (주승작朱承爵『존여당시화存余堂詩話』)

시의 체제와 성률은 유한하나, 우리 시인들의 의경은 나날이 새롭게 창조되어 무궁무진하다.

詩之格調有盡, 吾人之意境日出而不窮. (주병증周炳曾『도원당시서道援堂詩序』)

의대議對

고대 문체의 명칭으로, 신하가 제왕과 정사를 토론하고 의견이나 정책을 제시할 때 쓰였다. '의'는 신하와 황제의 토론 또는 정사의 분석에 쓰여, 서로 다른 의견과 건의를 서술했다. '대'는 주로 대책을 의미하며, 황제의 질문에 답하는 데 사용됐다. 『문심조룡 · 의대』는 양자를 같은 한 편에 넣어 다루었는데, 실제로는 모든 정론 문제를 포괄하고 있다. 남조 유협(465?~520)은 정론문 창작의 관건은 다음과 같다고 하였다. 고금의 문물과 정책제도, 주요 사례에 대해 전면적으로 파악하고, 의미 있는 문제를 발견 및 제시하며, 객관적이고 합리적으로 문제를 분석하여 유용한 관점 또는 대책을 마련한다. 사실을 고려하지 않거나 공연히 기교를 뽐내서는 안 된다. 유협은 정론문의 실제 내용과 효과를 근본적인 요소로써 중시했고, 작자의 견식과 재능, 태도를 우선적으로 강조했으며, 한 분야의 전문가로써 언변에 능하고 논쟁을 잠재워 복잡한 문제를 해결할 능력이 있는 종합적인 인재를 높이 평가했다. 유협의 상술한 견해는 오늘날의 정론문과 학술논문 및 기타 의론문에도 길잡이의 역할을 하고 있다.

예)
널리 자문을 구하는 것을 '의'라고 한다. '의'는 적합하다는 뜻으로, 일을 어떻게 하여야 적절할지 연구하는 것이다.

"周爰咨謀", 是謂爲議. 議之言宜, 審事宜也.(유협 『문심조룡 · 의대』)

문장은 간결명료한 것이 좋으며, 번잡하고 화려함을 교묘하게 여기지 않는다. 일은 핵심을 명확하게 하는 것이 아름답고, 심오하여 드러나지 않음을 신기하게 여기지 않는다. 이것이 의론문을 쓰는 기본 요점이다.

文以辯洁爲能, 不以繁縟爲巧. 事以明核爲美, 不以深隱爲奇. 此綱領之大要也.(유협 『문심조룡 · 의대』)

의물입상擬物立象

자연 세계와 사회 생활 속 구체적 사물의 감성적 형상을 포착하고 여기에 모방과 정련을 더하여 예술가의 마음속 고유한 예술 형상을 창조하다. 이 창작 이념은 『주역周易』에서 유래한다. 『주역』은 천하의 만물과 그것이 변화하는 규칙을 상징하는 괘상을 세웠는데 이것이 문학 예술이 구체적인 예술 형상을 통해 자연 세계와 인간 자신에 대해 인식하고 표현하는 데에 영감을 주었다. 이러한 사유 방식은 중국 고대 문학, 예술 이론에 깊은 영향을 주었으며 의상意象 이론 등장의 배경이 되었다.

예)

성인이 『주역』의 괘卦와 효爻을 통해 천하 만물의 오묘함을 살피고 그로써 만물의 형태를 모방하고 사물의 적합함을 상징하므로 이를 상象이라 부른다.

聖人有以見天下之賾, 而擬諸其形容, 象其物宜, 是故謂之象. (『주역 · 계사 상系辭上』)

공자가 말했다. "글은 말에 담긴 뜻을 완전히 표현할 수 없고 말은 그 사람의 생각을 완전히 표현할 수 없다. 그렇다면 성인의 생각은 알 수 없는 것인가?" 공자가 말했다. "성인은 궤상을 세움으로써 자신의 생각을 표현한다......."

子曰 "書不盡言, 言不盡意." 然則聖人之意其不可見乎? 子曰 "聖人立象以盡意......" (『주역 · 계사 상』)

| 의법義法

청대 방포方苞(1668~1749)가 제기한 작문에 대한 방법으로 문장의 사상 내용 및 형식 구조, 자르고 재단하며 취하고 버리는 등의 영역에서의 규범과 요구사항을 포괄한다. 『춘추春秋』, 『사기』 등의 역사서와 경전 문장을 짓는 방법에서 유래되어, '의법'은 이러한 경전의 작문 방식을 문장을 짓는 규범으로 확대했다. '의義'는 문장의 내포와 일의 도리를 가리키며 '언유물言有物'을 강조하는데 문장의 사상과 내용은 충실하고 의미가 있어야 한다는 것이다. '법法'은 문장의 조직과 구성과 글쓰기의 기법을 가리키며 '언유서言有序'를 중시하여 언어가 적당하며 조리와 순서가 있는 것이다. '의'는 근본이고 '법'은 '의'를 따라 변하며 '의'의 표현에 따라 융통성 있게 다양한 작문 기법을 선택해야 하고, 일을 서술하는 가운데 좋고 나쁨의 판단을 담는다. 의법론은 청대 동성파桐城派의 고문 이론의 시작점이자 기초이다.

예)

공자는 인정으로 천하를 통치할 줄 알아서 왕도 학설을 사용하여 칠십여 군주를 알현했으나 모두 채택되지 못했다. 그래서 그는 서쪽으로 가서 주나라 왕실의 문물을 관람하여 역사 기록 및 과거의 소문을 상세히 열거하고 평론하여 노나라의 역사 순서에 따라 『춘추』를 편찬했다. 위로는 노나라 은공 원년부터 아래로는 노나라 애공이 기린을 포획한 해까지로, 『춘추』의 문사를 간략히 줄이고 그 중의 번잡하고 중복되는 기록을 삭제하니 이것으로 사서 편찬의 내용과 이치와 규범을 제정했다.

孔子明王道, 幹七十餘君, 莫能用, 故西觀周室, 論史記舊聞, 興於魯而次於『春秋』. 上記隱, 下至哀之獲麟, 約其辭文, 去其煩重, 以制義法. (사마천司馬遷, 『사기・십이제후년표十二諸侯年表』)

춘추가 제정한 내용과 이치와 규범은 사마천이 설명을 더한 이후로 후대의 문장을 잘 쓰는 사람들은 모두 '의법'을 갖췄다. '의'는 곧 『주역』이 말하는 "문장 또는 언론은 내용이 있어야 한다"이며, '법'은 곧 『주역』이 말하는 "문장 또는 언론은 조리와 순서가 있어야 한다"이다. 내용으로 가로로 삼고 조리와 순서로 세로를 삼은 후에야 구조가 완전한 문장을 써낼 수 있다.

『春秋』之制義法, 自太史公發之, 而後之深於文者亦具焉. 義即『易』之所謂'言有物'也, 法即『易』之所謂'言有序'也. 義以爲經而法緯之, 然後爲成體之文. (방포, 『우서화식전후又書貨殖傳後』)

│ **의불칭물**意不称物, **문불태의**文不逮意

사람의 마음 혹은 문장의 구심점이 완전히 사물의 정황을 반영하지 못하며 글의 언어 혹은 문사文辭가 마음 속의 생각을 완전히 표현해 낼 방법이 없다는 것을 뜻한다. 이는 서진西晋 시기의 육기陸機(261~303)가 저서 문부文賦에서 창작 심리를 기술하고 분석할 때 언급한 것이며 구체적으로 하기와 같은 뜻을 지니고 있다. 외부 사물로부터 촉발되는 생각 혹은 창작의 아이디어가 풍부하지만 명확하지가 않아서 저자가 외부 사물이 촉발하는 생각 전부를 완전히 파악하기가 어려워서, 그 중 일부분만을 포착해 낼 수 있다. 언어가 그러한 생각을 완전히 표현해 내기가 어려워서 더더욱 외부 사물이 촉발하거나 외부 사물과 관련되는 전체적인 뜻은 한계가 있다. 인식과 실천의 영역에서 주체가 외부 사물에 대한 명확한 인식과 소원을 창출해낼 수 있다면 언어는 비교적 명확하게 인식한 바를 기록하고 소원을 표현할 수 있을 것인데, 문학 창작에서는 종종 언어로 뜻을 다 표현하지 못하고 언어가 뜻을 다 파헤칠 수 없다는 난제가 존재한다. 이는 또한 문학의 해석이 학술경전의 해석에 비해 재량이 훨씬 크다는 것을 드러낸다. 육기陸機는 문학의 창작과 이를 받아들이는 것에 대한 특징을 드러내어 문학적 자각을 추진하였다.

예)
스스로 종종 사람의 마음 혹은 글의 구성으로 인해 괴로워하는 사람은 사물의 정황을 온전히 반영할 수 없으며 언어 혹은 글의 문사 또한 완전히 마음 속의 생각을 표현할 수 없다. 대개 이러한 문제는 인식 자체는 어렵지 않지만 이를 해결하는 것은 매우 어렵다.
恒患意不称物, 文不逮意, 盖非知之难, 能之难也. (육기陸機『문부文賦』)

의상意象

문학 작품에서 작가의 주관적 감정과 독특한 의경을 표현하는 전형적인 물상. '의'는 작가의 생각과 감정을 가리키고 '상'은 외부의 구체적인 물상, 즉 작가의 생각과 감정을 담는 예술 형상을 가리킨다. 문학 창작에서 '의상'은 대체로 대자연에서 취해 와서 생각과 감정을 기탁하는 물상을 가리킨다. '의상'은 문학 작품의 사상적 내용과 형상적 아름다움의 조화로운 생성을 강조하는, 일종의 성숙한 문예 형태이다.

예)
마음속 의상을 찾아 작품을 구상하고 글을 쓴다.
窺意象而運斤. (유협, 『문심조룡 · 신사』)

시의 의상이 떠오르려 하는 것은 대자연의 기묘한 조화이다.
意象欲出, 造化已奇. (사공도, 『이십사시품 · 진밀縝密』)

의용취심擬容取心

시인이 비흥比興의 수법을 사용할 때, 사물 형상에 대한 비교와 모사를 통해 대상이 내포하는 의미와 이치를 깨닫고 이를 통해 서로 다른 사물을 하나로 연관시키는 것이다. '의용'은 '비흥'의 구체적인 형상을 중시한다는 말이다. '취심'은 사물의 정신적인 실재를 습득하는 것, 곧 사물 형상에 내재된 의미와 이치를 중시함을 뜻한다. 종합하자면, 어떤 의미를 표현할 수 있는 사물 형상을 빌려 작가의 사상과 감정을 실어 서술하는 것이다. 『문심조룡 · 비흥』에 보이며, 『주역 · 계사 상』의 '의물입상擬物立象'으로부터 발전된 개념이다. 유협(465?~520)은 이 용어를 제시하면서, 비와 흥은 모두 한 가지 사물에서 다른 사물로 이어지지만 서로 다른 면도 있다고 설명했다. 비는 '의용'으로, 사리에 맞도록 하는 것이 가장 중요하며 애매모호하면 안 된다. 흥은 '취심'으로 깊은 깨달음을 얻어 의미가 서로 연결되는 것이다.

예)
시인은 비흥의 수법을 사용할 때 구체적이고 세밀하게 사물을 접촉하고 관찰한다. 설사 호와 월 사이처럼 사물 간의 차이가 크더라도, 하나로 합하면 간과 쓸개처럼 밀접해진다. 형상을 본뜨고 내재된 의미를 취하려면 언어는 반드시 과감하고 명백해야 한다. 번잡한 사물을 비흥을 통해 시에 읊으면 글은 강물이 흐르듯 유려하다.

詩人比興, 觸物圓覽. 物雖胡越, 合則肝膽. 擬容取心, 斷辭必敢. 攢雜咏歌, 如川之渙. (유협 『문심조룡·비흥』)

사물의 외부형상을 취하는 것은 '비'이고, 사물의 내재적 의미를 취하는 것은 '흥'이다. 의미는 곧 형상에 숨겨진 뜻이다.

取象曰比, 取義曰興, 義即象下之意. (교연皎然 『시식詩式』)

│ 의義

'의'는 기본적으로 합리적이고 적절하다는 뜻을 갖고 있으며 두 가지 파생 의미가 있다. 첫째, 사람이 일을 행할 때의 합리적인 근거와 기준을 가리킨다. 둘째, 도덕적 의식의 판단과 인도에 따라 일정 기준에 맞춰 합리적으로 말과 행동을 하는 것을 뜻한다. 송대 학자들은 '리'나 '천리'의 개념으로 '의'를 설명하여, '의'가 바로 '천리'가 규정하는 합리적인 기준이라고 생각하는 동시에 언행을 '천리'에 맞춰야 한다고 요구했다.

예)
군자는 의를 이해하고 따른다.
君子喩於義. (『논어·이인里仁』)

의는 자신의 마음을 단속해 일을 합당하게 만드는 것이다.
義者, 心之制, 事之宜也. (주희, 『맹자집주孟子集註』)

│ 의이생리義以生利, 이이풍민利以豐民

위정자는 도의와 규칙에 따라 재물을 늘리고 이익을 얻은 후, 그렇게 얻은 재물로 백성의 생활을 풍족하고 부유하게 만든다. '의義'는 원래 예의를 뜻하며 도의, 법도, 규칙으로 이해될 수도 있다. '생리生利'는 부를 창출하고 이익을 얻는다는 뜻이다. '풍민豐民'은 백성들을 풍족하고 부유하게 만든다는 뜻이다. 위정자에게 있어 '이利'는 도의와 규칙에 부합해야 할 뿐만 아니라 백성이 그 이익을 누려서 민생이 개선되게끔 하는 것이어야 한다. 이는 '이의위리以義爲利'와 '장부어민藏富於民'의 사상이 결합된 것이다.

예)
백성에게 나라의 군주가 있어야 하는 까닭은 그 군주로 하여금 도의 규칙을 확립하게 하기 위해서이다. 위정자는 도의에 따라 재물을 늘리고 그 재물로 백성을 풍요롭게 한다.

民之有君, 以治義也. 義以生利, 利以豐民. (『국어國語·진어晉語 1』)

| 의자인심醫者仁心

의사醫者는 인애仁愛의 마음을 지녀야 한다. 그 기본 정신은 예부터 존재해 왔다. 당唐나라의 저명한 의학자 손사막孫思邈(581~682)은 천금방千金方·논대의정성論大醫精誠에서 의사는 응당 측은지심이 있어야 한다고 언급하였으며 또한 인심仁心과 관련하여 논하고 있다. 이는 의사는 환자를 깊이 아끼는 마음, 불쌍히 여기는 마음, 고난에서 구해겠다는 의지를 가지고 사사로운 득실을 따지지 않으며 마음을 다해 병을 고칠 것을 요구하며 의사는 또한 이 때문에 창생대의蒼生大醫 즉 백성들이 우러러 보는 위대한 의사가 된다. 이 단어는 중국 의학 인문정신의 전형적인 표현이라고 할 수 있다.

예)
무릇 걸출한 의사가 사람의 병을 고칠 때에는 반드시 마음을 가다듬고 욕심이나 구하는 것이 없어야 하며 병자에게 자비와 동정의 마음을 먼저 가지고 널리 세상 사람들을 고통에서 벗어나도록 구해내겠다는 결심이 서 있어야 한다.

凡大醫治病, 必當安神定志, 無欲無求, 先發大慈惻隱之心, 誓願普救含靈之苦. (손사막孫思邈

『천금방千金方 · 논대의정성論大醫精誠』)

　병을 고친다는 것은 인애仁愛의 마음이 충만한 도술道術인데, 필자가 이 책을 집필하는 것은 온 천하의 의사들이 모두 이와 같이 인애의 마음을 지녔으면 하는 마음이 있기 때문이다.

　醫乃仁術也, 筆之於書, 欲天下同歸於仁也. (왕기汪機『＜추구사의推求師意＞서序』)

　따라서 의사가 만약 자신의 마음을 가다듬을 수 있다면 의술이 뛰어나지 않더라도 병자에게 해가 되지는 않는다.

　故醫者能正其心術, 雖學不足, 猶不至於害人. (서대춘徐大椿『의학원류론醫學源流論 · 의가론醫家論』)

｜ 의흥意興

　'흥' 속에 내포되어 있는 의意 혹은 '흥'이 일어날 때 마음과 사물이 만나 생겨나는 의(의의, 흥취 등)를 말한다. 이것은 작가가 경물에 대해 어떠한 의취나 의미 등을 느낀 후에 이를 통해 일정한 함의를 풍부하게 내포한 예술적 형상을 직접 창작하는 것을 가리킨다. 이 술어는 작가가 묘사하려는 대상에 대한 감상 속에 생각과 감정을 자연스럽게 융합시켜 예술적 형상과 심미적 정취를 통해 이를 전달하고, 이로써 독자들의 연상을 불러일으켜 더욱 풍부한 이해와 깨달음을 발생시킬 것을 주장한다.

　예)
　무릇 시란 경치에 대한 묘사 및 의의와 흥취가 겸비된 것이 가장 좋다. 만약 경치에 대한 묘사에만 치중해 의흥이 모자라면 묘사하는 기교가 아무리 뛰어나도 쓸모가 없다.

　凡詩, 物色兼意下爲好. 若有物色, 無意興, 雖巧亦無處用之. (왕창령『시격』)

　남조 때 시인들은 문장의 화려함만 추구하고 도리가 부족하고, 지금 시인들은 도리만 숭상하고 작품에 의흥이 없다. 당나라 시인들은 의흥을 중시하면서도 도리를 담고 있었으며, 한나라와 위나라 때의 시는 말의 표현과 도리와 의흥이 자연스럽게 한데 융화되면서도 흔적을 남기지 않았다.

南朝人尙詞而病於理, 本朝人尙理而病於意興, 唐人尙意興而理在其中, 漢魏之詩, 詞, 理, 意興無迹可求. (엄우『창랑시화·시평』)

이간易簡

평이하고 간략하다. '이간'설은『주역·계사 상』에 등장한다.『계사』는 '건' '곤'이 대표하는 천지의 도가 평이하면서도 간략하여 만물을 포용하며 사람이 인식하고 따르기 쉽다고 말한다. 후대인 중 어떤 이들은 '이간'의 도를 집정자에 대한 요구로 여기고, 정치적 명령을 마땅히 쉽고 간단하게 하여 백성에게 지나치게 관여하지 말아야 한다고 강조하기도 했다. 또한 자기수양의 관점에서, '이간'의 노력을 통해 자신의 본심을 발견 및 이해하고, 내재된 도덕의식을 확립하기를 강조하는 학자들도 있다.

예)
건은 평이하여 알 수 있고 곤은 간단하여 효과를 발휘한다. 평이하면 알기 쉽고, 간단하면 따르기 쉽다. 알기 쉬우면 친근해지고, 따르기 쉬우면 공을 이룰 수 있다. 친근해지면 오래 가고, 공을 이루면 위대해질 수 있다. 오래가는 것은 현인의 덕이고, 위대한 것은 현인의 사업이다.

乾以易知, 坤以簡能. 易則易知, 簡則易從. 易知則有親, 易從則有功. 有親則可久, 有功則可大. 可久則賢人之德, 可大則賢人之業. (『주역·계사 상』)

간단하고 평이한 수양의 조예는 결국 오랫동안 크게 전해지며, 잡다하고 지엽적인 학문은 결국 부침에 시달린다.

易簡功夫終久大, 支離事業竟浮沉. (육구연陸九淵『아호화교수형운鵝湖和敎授兄韻』)

이견백離堅白

한 가지 사물이 지닌 단단하고 색이 희다는 두 가지 속성을 분리하다. '이견백'은 공손용자公孫龍子가 제시한 명제이다. 단단한 흰색 돌을 눈으로 볼 때는 오직 돌의 흰 색깔만 보이고, 돌의 단단함은 볼 수 없고, 돌을 손으로 만질 때는 단단함만 만져질 뿐 흰 색깔은 만질 수 없다. 단단함과 흰 색깔은 서로 분리된 것으로 동시에 나타날 수 없으며, 그래서 단단하고 흰 돌을 '견백석堅白石'이라 부를 수 없다. 공손용자는 '견백석'의 예시를 들어 사물 속성에 대한 인식을 표현했다. 사물이 지닌 여러 속성은 서로 독립된 것으로, 동시에 한 가지 사물과 연관 지을 수 없다.

예)
눈은 돌의 단단함을 볼 수 없고, 흰 색깔만 볼 수 있다. 그러므로 돌은 딱딱하지 않다. 손으로는 돌의 흰색을 만질 수 없고, 단단함만을 만질 수 있다. 그러므로 돌은 흰색이 아니다.

視不得其所堅, 而得其所白者, 無堅也. 拊不得其所白, 而得其所堅者, 無白也. (『공손용자 · 견백론堅白論』)

이국위국以國爲國, 이천하위천하以天下爲天下

나라를 다스리는 방법으로 나라를 다스리고, 천하를 다스리는 방법으로 천하를 다스린다. 관자管子는 통치자는 '가정'을 다스리는 방법으로 '마을'을 다스리는데 바로 적용해서는 안 되고, '마을'을 다스리는 방법으로 '나라(제후국)'를 다스리는데 바로 적용해선 안 되며 '나라'를 다스리는 방법으로 '천하(천자의 통치 범위)'를 다스리는데 바로 적용해서는 안 된다고 여겼다. 반드시 통치 범위의 변화에 따라 통치 방법을 조정해야 하며, 반드시 통치 범위의 확대에 따라 자기의 시야와 흉금을 넓혀야 한다. 현대 언어 환경에서는 '나라'는 국가로 이해될 수 있고,

'천하'는 세계로 이해될 수 있다.

예)

가정을 다스리는 방법에 따라 마을을 다스리면 마을을 잘 다스릴 수 없다. 마을을 다스리는 방법에 따라 나라를 다스리면 나라를 잘 다스릴 수 없다. 나라를 다스리는 방법에 따라 천하를 다스리면 천하를 잘 다스릴 수 없다. 마땅히 가정을 다스리는 방법으로 가정을 다스리고, 마을을 다스리는 방법으로 마을을 다스리며, 나라를 다스리는 방법으로 나라를 다스리고, 천하를 다스리는 방법으로 천하를 다스려야 한다. 성이 다르다고 하여 다른 성의 사람이 제시한 의견을 받아들이지 않아서는 안 되며, 고향이 다르다고 하여 타향 사람의 방법을 받아들이지 않아서는 안 되며, 나라가 다르다고 하여 타국인의 주장을 따르지 않아서는 안 된다. 천지가 만물에 대하는데 어찌 사사로이 치우침이나 편애가 있을 수 있겠는가? 해와 달이 천하를 두루 비추듯이 해야 한다. 이것이야말로 군왕이 마땅히 갖추어야 할 도량이다.

以家爲鄕, 鄕不可爲也; 以鄕爲國, 國不可爲也; 以國爲天下, 天下不可爲也. 以家爲家, 以鄕爲鄕, 以國爲國, 以天下爲天下. 毋曰不同生, 遠者不聽; 毋曰不同鄕, 遠者不行; 毋曰不同國, 遠者不從. 如地 如天, 何私何親? 如月如日, 唯君之節. (『관자 · 목민牧民』)

이利

이익, 즉 사람과 사회의 생존과 발전에 유익한 각종 요소. 옛사람들은 자주 '이'와 함께 '의義'를 대비하며 언급했다. '이'는 사적 이익[사리私利]과 공적 이익[공리公利]으로 나뉜다. '사리'는 개인, 가정 혹은 특정 집단이 추구하는 이익으로 재산, 명예, 권력, 지위 등 요소가 있다. 사리가 타인의 이익과 충돌될 때 사람들은 왕왕 타인의 이익을 침해하는 방식으로 자신의 이익을 실현하려고 한다. '공리'는 사회 전체가 향유하는 공공의 이익으로 주로 충분한 인구, 풍족한 재물, 건전한 사회 질서와 윤리 의식을 가리킨다. 다양한 시각과 입장에서 출발하는 중국 고대 각 학파의 '이'에 대한 요구와 태도는 뚜렷한 차이를 보인다.

예)

양혜왕이 말했다. "선생께서 천 리 길도 마다하지 않고 우리나라에 오셨는데 앞으로 우리나라에 이익이 되겠지요?" 맹자가 대답했다. "왕이시여, 어찌 이익을 논하십니까? 인의를 논하면 될 뿐입니다. 왕께서 '어떻게 우리나라에 이익이 되는지' 말씀하신다면 대부들은 '어떻게 우리 가족에 이익이 되는지' 말할 것이며 유생들과 백성들은 '어떻게 나 자신에게 이익이 되는지' 말할 것입니다. 온 나라의 위아래가 서로 이익을 추구한다면 나라가 위험해집니다.

王曰 "叟! 不遠千裏而來, 亦將有以利吾國乎?" 孟子對曰 "王! 何必曰利?亦有仁義而已矣. 王曰 '何以利吾國', 大夫曰'何以利吾家', 士庶人曰'何以利吾身', 上下交征利而國危矣." (『맹자孟子 · 양혜왕 상梁惠王上』)

고대에 나라를 다스린 천자, 제후, 대인은 모두 나라가 부유하고 백성이 많고 형사와 정무가 잘 관리되길 원했다.

古者王公大人爲政於國家者, 皆欲國家之富, 人民之眾, 刑政之治. (『묵자墨子 · 상현 상尚賢上』)

│ 이離

'팔괘'의 하나로, '☲'로 그린다. '이'는 또한 '64괘'의 하나로써 세 줄 짜리 '이' 괘를 조합하여 '䷝'로 그린다. '팔괘' 체계에서 '이'괘의 기본 상징은 불로, 만물을 마르게 한다는 뜻이 있다. 또한 불은 사물에 붙어 야만 타오르기에 붙어있다는 의미도 있다. '이'괘는 하나의 음효와 두 개의 양효로 구성되고, 음괘에 속하며, 인류 영역에서는 여성을 상징한 다. '이'괘에는 음효가 중앙에 있으므로, 가족의 여러 딸들 중 중간 위치 에 있는 사람을 상징한다.

예)

이는 붙는 것이다.

離, 麗也.(『주역 · 설괘說卦』)

밝음이 두 번 일어나는 것이 '이'이다. 대인은 이로써 밝음을 이어 천하에 비치게 한다.

明兩作, 離. 大人以繼明照於四方. (『주역 · 설괘說卦』)

이무위본以無爲本

'무'를 세계의 본체 혹은 근원으로 삼는다. 노자는 '유는 무에서 생겨 난다'(유생어무有生於無)라고 제시한 바 있다. 위진 시기의 하안何晏, 왕 필王弼 등 학자는 이를 확장하여 천지만물은 모두 '무를 근본으로 삼는 다'(이무위본)라고 주장했다. 이들은 어떤 사물도 다른 사물의 본체나 근원이 될 수 없으며 세계의 본체나 근원은 더욱 될 수 없다. 천지 만물 의 발생과 존재는 더욱 근본적이며 유형의 사물을 초월하는 '무'에 근 거한다. 오직 무형의 이름이 없는 본체만이 수많은 사물이 각자의 효용 을 발휘할 수 있게 한다.

예)
천하의 사물은 모두 유(형태가 있는 모습)로 존재한다. 유가 생겨날 때 무를 근본으 로 한다. 유를 보전하고자 한다면 반드시 '무'로 돌아가야 한다.

天下之物, 皆以有为生. 有之所始, 以无为本. 将欲全有, 必反于无也. (왕필王弼, 『노자주老 子注』)

이무위식以武爲植, 이문위종以文爲種

전쟁에 있어서 '무武'는 보조적인 수단일 수밖에 없고 '문文'이야말로 천하를 통일하고 다스리는 근본적인 방법이다. '무'는 무력, 군사적 수 단을 가리킨다. '문'은 주로 덕치와 교화를 뜻한다. 전국시대 군사가인 위료자尉繚子의 말이다. 농작물이 무성하게 성장할지 여부는 우선 씨앗 의 좋고 나쁨에 따라 결정되고 그다음에 농민의 재배에 따라 정해진다. 위료자는 이를 통해 덕치와 군사軍事 양자가 천하를 통일하고 다스릴 때의 상호관계에 비유했다. 군사는 보조 수단이고 천하의 사람들이 스스로 따르고 나라가 오랫동안 태평하고 생활이 안정될 수 있는 근본적인 방법은 반드시 덕치와 교화에 의지해야 한다. 이는 정치와 군사 양자의 관계를 처음으로 밝힌 명제이기도 하다. 군사는 정치에 종속되며 정치야말로 군사의 본질적 내용이다.

예)

전쟁에서 '무'는 농작물의 재배, '문'은 농작물의 씨앗에 해당한다. 무는 단지 보조 수단이고 문이 근본 방략이다. 이 둘의 관계를 분명히 알면 승패의 이치를 알 수 있다.

兵者, 以武爲植, 以文爲種. 武爲表, 文爲裏. 能審此二者, 知勝敗矣. (『위료자尉繚子 · 병령상兵令上』)

이병二柄

군주가 장악한 두 가지 권력인 상벌의 권한. 포상과 징벌은 통치의 기본 수단으로 여러 학파에서 모두 논의된 바 있다. 한비자韓非子(B.C. 280?~B.C. 233)는 통치에서 상벌의 역할을 매우 중시했다. 상벌은 나라의 법령을 근거로 해야 하며 법에 부합하면 상을 주어야 하고 법을 위반하면 벌해야 한다고 주장했다. 사람들은 형벌을 두려워하고 상을 좋아하니 법의 규범에 따라 행동하기 마련이다. 동시에 한비자는 군주가 상벌을 행하는 권력을 장악해 법에 따른 상벌을 보장해야 하며 상벌의 권력이 다른 이의 손에 들어가 개인의 이익을 위한 도구가 되는 일을 막아야 한다.

예)

두 가지 권력이란 형과 덕이다. 무엇을 형과 덕이라 하는가? 살육을 형이라 하고 포상을 덕이라 한다. 관리는 형벌을 두려워하고 포상을 추구한다. 그러므로 군주가 친히 형벌과 포상을 시행하면 군신은 그 위세가 두려워 포상이라는 이득을 구하기 위해 노력할 것이다.

二柄者, 刑, 德也. 何謂刑, 德? 曰 殺戮之謂刑, 慶賞之謂德. 爲人臣者畏誅罰而利慶賞, 故人主自用其刑德, 則群臣畏其威而歸其利矣. (『韓非子 · 二柄』)

이용후생利用厚生

물자의 효용을 충분히 발휘하여 백성의 생활을 부유하게 하는 것. 옛날 사람들은 좋은 정치가 백성을 잘 부양하여 풍족하게 살게 하는 데 달렸다고 생각했다. '이용'은 통치자가 근검절약하고 사치와 낭비를 안해서 물자의 효용을 극대화해야 한다는 것을 강조하고, '후생'은 역시 통치자가 요역과 세금을 줄여 백성이 행복하고 풍족하게 살게 해야 한다는 것을 강조한다. 이것은 중국 근대의 민생주의와 사회주의의 사상적 연원 중 하나이다.

예)
제왕의 덕은 좋은 정치로 구현되어야 하고 정치는 백성을 부양하는 것이 목적이다. …… 덕을 바로잡고, 물자의 효용을 다하고, 백성을 부유하게 하는 이 세 가지가 조화를 이뤄야 한다.
德有善政, 政在養民…… 正德, 利用, 厚生, 惟和. (『상서尚書 · 대우모大禹謨』)

이의역지以意逆志

자신의 이해에 따라 문학 작품의 의미를 해석한다. 문학 작품을 제대로 읽는 법에 대한 관점으로 전국시대 사상가 맹자孟子(B.C. 372?~B.C. 289)가 한 말이다. 맹자의 이 견해는 『시경詩經』을 정확하게 이해하는 방법에 대한 것으로, 후대에 시가 및 기타 문학 작품을 해석하는 방법으로 그 의미가 확장되었다. 이 관점에 따르면 독자가 문학 작품을 읽을 때 자신의 생활 경험과 생각을 결합해 작품에 담긴 감정을 헤아려 깨닫고, 그렇게 함으로써 작품의 내용과 주제를 이해해야 한다. 이는 중국 고대 문학비평의 감상이론에 해당한다.

예)

시를 해설하는 사람은 문자에 얽매여 어구를 오해하지 않으며, 개별 어구에 얽매여 작품의 뜻을 오해하지 않는다. 자신이 체득한 이해로써 저자의 본심을 짐작할 줄 아는 것이 시를 읽는 올바른 방법이다.

故說詩者, 不以文害辭, 不以辭害志. 以意逆志, 是爲得之. (『맹자 · 만장 상萬章上』)

이의제사以義制事

도의에 따라 일하다. 즉, 도의·정의의 원칙에 따라 정치·군사 등의 중대한 일을 처리한다는 의미이다. 고대 중국의 정치 담화에서 이야기되길, 권력이 없으면 말을 제멋대로 해도 되지만 반대로 권력이 발생될 때는 반드시 정당한 근거가 있어야 하고 권력의 행사 또한 반드시 도의를 따라 이루어져야 한다. 이 점은 예로부터 중시되어왔다. 도의, 정의가 권력보다 높은 것은 고대 중국인이 추구한 정치 생태이다.

예)

대왕은 숭고한 덕행을 힘써 선양하고 백성들 사이에서 올바른 도를 세워 도의에 따라 나라의 큰일을 결정하고 예법에 따라 인심을 관리하여 두터운 업적을 후세에 물려줄 수 있도록 해야 한다.

王懋昭大德, 建中於民, 以義制事, 以禮制心, 垂裕後昆. (『상서尚書 · 중훼지고仲虺之誥』)

이인동심二人同心 기리단금其利斷金

두 사람이 같은 마음이면 그 힘은 마치 예리한 칼날 같아 금속을 자를 정도이다. '이인'은 형제, 부부 혹은 어떤 일을 함께하는 두 사람을 가리킨다. '동심'은 공통된 미래상이 있고 생각이 일치함을 이른다. '이利'는 예리하다는 뜻이다. '단금'은 금속을 자른다는 뜻이다. 이 표현은 어떤 일에 관련된 두 사람이 한마음이기만 하면 강한 힘을 발휘해 어떤 어려움도 극복할 수 있음을 비유하는 말이다. 다른 말로 하면 단결하면 강해진다는 뜻이다. 한마음 한뜻으로 협력하는 일의 중요성을 강조하는 표현이다.

예)
두 사람이 같은 마음이면 그 예리함이 금속을 자른다. 마음이 서로 통하는 문장은 그 향기가 마치 난초처럼 향기롭다.

二人同心, 其利斷金. 同心之言, 其臭如蘭. (『주역周易 · 계사 상系辭上』)

이일분수理一分殊

가장 높은 범주인 '이'는 다양한 사물들 속에서 다양한 형태로 나타난다. '이일분수'는 송 · 명 시기 이학가理學家의 '이'의 존재형식에 대한 이해이다. '이'의 함의가 여러 가지로 나뉘기 때문에 '이일분수'의 의미도 달라진다. 첫째는 만물의 본질로서 '이'이다. 모든 사물은 이 '이'를 타고난다. 각 사물의 '이'는 '이'의 부분이 아니라 '이'가 가진 의미 전부이다. 두 번째는 만물이 따르는 보편 법칙이다. 보편의 '이'는 구체적 사물에서 서로 다른 원리로 실현된다. 각 사물의 '이'는 보편의 '이'가 구체적으로 실현된 모습이다. '이일(이는 하나다)'은 세계의 일관성을 보증하며 '분수(다양하게 갈라진다)'는 사물의 다양성과 질서에 근거를 제공한다.

예)
만물에는 모두 이 이理가 있고 만물의 이는 모두 같은 곳에서 유래한다. 하지만 각자가 머무르는 위치가 다르므로 그 이理의 운용은 같지 않다.

萬物皆有此理, 理皆同出一原, 但所居之位不同, 則其理之用不一. (『주자어류朱子語類』 권18)

사람과 사물이 태어나 막 품성을 부여받았을 때 그 이理는 모두 같으며 형태를 갖춘 이후에야 서로 달라진다.

蓋人物之生, 受氣之初, 其理惟一, 成形之後, 其分則殊. (나흠순羅欽順, 『곤지기困知記』 권상)

이재정사 理財正辭

　재물을 관리하고 언사를 바르게 하다. 옛사람들은 이것이 권력의 기본적인 두 가지 기능이라고 여겼다. '이재'는 부의 분배를 합리적이고 질서 있게 한다는 뜻이다. '정사'는 국가의 공식적인 언사를 예법에 맞게 하며 나아가 민중의 언행 역시 예법에 맞게 한다는 뜻이다. 부의 분배가 합리적이고 언행이 예법에 부합하면 나라와 사회 또한 건강하고 질서 있는 모습이 된다. 현대의 이른바 물질 문명과 정신 문명의 건설도 이와 일치되는 점이 없지 않다.

　예)
　천지의 가장 큰 덕은 만물을 낳아 기르는 것에 있고 성인의 가장 큰 보물은 숭고한 지위에 있다. 무엇으로 숭고한 지위를 지키는가? 인애이다. 무엇으로 백성을 모으는가? 재물이다. 재물을 관리하고 언사를 바르게 하며 사람들의 악행을 금지하는 것은 도의에 의해 이루어진다.

　天地之大德曰生, 聖人之大寶曰位. 何以守位?曰仁. 何以聚人?曰財. 理財正辭, 禁民爲非, 曰義. (『주역周易 · 계사 하系辭下』)

이전지전 以戰止戰

　전쟁으로 전쟁을 멈춘다. 이것은 중화민족이 예로부터 견지해온 전쟁관이다. 앞의 '전'은 정의로운 전쟁을 가리키며 뒤의 '전'은 정의롭지 못한 전쟁을 가리킨다. 정의로운 전쟁은 자기에게 가해진 불의한 전쟁에 맞서 부득이하게 취하는 행동이다. 이는 폭악을 없애고 백성을 안정시키며 나라를 지키고 백성을 보호하는 것이 목적으로, 불의한 전쟁을 저지하며 끝내는 소멸시켜서 인류의 평화를 실현하고 많은 백성을 행복하고 안전하게 살게 하는 것이다. 이는 중화민족의 정의를 숭상하고 평화를 애호하는 '문'의 정신을 표현하고 있으며, '지과위무(止戈爲武, 전쟁을 그치게 할 수 있는 것이 참된 무력이다.)'와 비슷하다.

예)
무공은 강포를 금지하고 전쟁을 없애며 강함을 유지하고 공훈과 업적을 견고히 하며 백성을 안정시키고 뭇사람들을 조화롭게 하며 재물을 풍부하게 한다.

夫武, 禁暴, 戢兵, 保大, 定功, 安民, 和衆, 豊財者也. (『좌전左傳 · 헌공20년宣公十二年』)

옛사람들은 인애를 근본으로 삼고 도의로써 병력을 통치하는 것을 정도라고 불렀다. ……그래서 만약 고의로 나쁜 사람을 죽인다면 이는 뭇사람을 평안하게 하는 것으로 살인은 정당화된다. 만약 다른 나라에 진격하는 것이 백성들을 보호하는 일이라면 공격은 정당화된다. 만약 전쟁으로 전쟁을 제지할 수 있다면 전쟁을 치르는 것은 괜찮다.

古者, 以仁爲本, 以義治之, 之謂正. ……是故殺人安人, 殺之可也; 攻其國, 愛其民, 攻之可也; 以戰止戰, 雖戰可也. (『사마법司馬法 · 인본仁本』)

| 이직보원以直報怨

공정한 방법으로 원한이 있는 사람을 대한다. '이직보원'은 공자가 제시한 원한을 갚은 원칙이다. 원한이 있는 사람을 대할 때 공자는 '원한으로 원한을 갚는 것'이나 '은혜로 원한을 갚는 것' 모두 맞는 방법이 아니라고 생각했다. 공자는 일시적인 분개로 제멋대로 복수를 해서도 안 되고 원한을 숨기고 은혜로 돌려줘도 안 되며, 원한을 품게 한 일의 옳고 그름을 판별해 공정한 원칙으로 대응해야 한다고 주장했다.

예)
어떤 사람이 말했다. "은혜로 원한을 갚는 것은 어떻습니까?" 공자가 말했다. "그러면 은혜는 무엇으로 갚느냐 말이냐? 공정한 방법으로 원한을 갚고 은혜로 은혜를 갚는 것이다."

或曰, "以德報怨, 何如?" 子曰, "何以報德? 以直報怨, 以德報德."

(『논어論語 · 헌문憲問』)

│ 이체二諦

두 차원에서의 진실을 의미한다. 체諦는 진실되며 헛되지 않은 도리이다. 이체二諦는 일반적으로 진리와 속체俗諦를 가리키는데 각각 승의체勝義諦와 세속체世俗諦라고도 불린다. 즉 궁극적 본질과 세간 현상의 두 차원에서 각각 성립하는 진실을 뜻한다. 진리를 구분하는 이 방법은 아비달마阿毗達磨 류의 경전에서 비롯되었다. 세속 차원에서는 이름, 언어, 표상을 가리키며 승의 차원에서는 진실이 존재하는 이치를 가리켜 상이한 인식의 경계에 대응된다. 이체의 사상은 대승 경전에서 널리 쓰였으며 주로 다음과 같은 내용을 가리킨다. 모든 사물은 본성적 차원에서 공空이지만 번잡한 현상으로 드러난다. (흡사 유有와도 같다) 또한 『중론中論』은 "부처가 이체에 의거해 중생에게 법도를 전한다"고 언급하는데 그 중 속체는 모든 이름과 언어와 표현과 해석을 가리키고 부처의 가르침을 포함하며 상응하는 승의체는 언어와 겉모습을 초월하는 진실을 가리킨다. 상술한 바에 근거하여 수나라 때 석길장釋吉藏(549~623)은 각 차원에서의 이체를 종합하여 사중이체四重二諦로 발전시켰다. 석지의釋智顗(538~597)는 공가空假(공허한 진리) 승속勝俗(궁극적인 진리) 이체와 중도를 연결지어 삼체三諦로 통합하였다.

예)

하기 내용 또한 이체二諦의 의미를 지닌다. 필경 진실이라는 의미상 모든 것은 공허한 속성을 지니고 있으며 계속해서 불변하는 존재의 본체는 존재하지 않는다. 또한 세속 현상의 차원에서는 절대로 없다고 할 수는 없다. 이는 두 차원의 진실의 두 가지 극단에 대한 의식을 서로 돌파하도록 하여 절대적인 유와 절대적인 무를 부정하는 것이다.

又此即二諦義: 真諦空故, 不得定有; 世諦有故, 不得言定無. 此用二諦互破其定有, 定無也. (석길장釋吉藏『중관논소中觀論疏』권사卷四(본본))

| 이취理趣

　문학 작품이 예술적 이미지를 통해 사람들에게 보여주는 어떠한 철학적 이치와 심미적 재미, 또는 독자가 작품을 감상하여 얻은 그 속에 내포된 철학적 이치에 대한 깨달음과 심미적 재미를 의미하기도 한다. 위진 남북조에 등장한 현언시玄言詩는 현리玄理를 숭상했고, 송대 사람들은 의론을 시에 담길 좋아하여 모두 후세사람들의 지탄을 받았다. 그래서 일부 시가평론가들은 예술적인 이미지을 벗어나 단순하게 '이理'만을 말하는 창작이념에 반대하여 '이'를 예술적인 이미지에 담아 선명하고 생동감 있는 심미적 취향으로 전환시킬 것을 주장하여, 이를 '이취'라고 불렀다. 여기서의 '이'는 삶의 체험이지 지식과 학문이 아니어서 논리적인 개념으로 표현할 수 없다. 여기서의 '취'는 일종의 심미적 감정으로, 인생의 철학적 이치를 깨달은 후에 느끼는 내면의 즐거움이다. '이취설'은 시가가 이치를 말할 수 있는가에 대한 쟁의를 철리와 즐거움이 서로 결합된 것으로 전환시키려는 이론적인 주장으로, 사상과 깨달음을 담은 모든 문학작품을 변증하여 보는데 도움이 된다.

　　예)
　　무릇 옛사람들이 시를 지을 때는 쉽게 짓지도 많이 짓지도 않았다. 시 한 수를 짓더라도 세상에서 제일 잘 지으려고 했다. 이치를 말하면 철학적 이치와 재미를 하나되게 했고, 사건을 서술하면 조리가 분명하게 했다. 사물을 묘사하면 사물의 형태가 실감나고 자연스럽게 느껴지게 했다.
　　蓋古人於詩不苟作, 不多作, 而或一詩之出, 必極天下之至精. 狀理則理趣渾然, 狀事則事情昭然, 狀物則物態宛然. (포회包恢, 『답증자화론시答曾子華論詩』)
　　시를 쓸 때는 철학적 이치를 떠나서는 안 된다. 그러나 철학적 이치와 심미적 재미를 하나되게 하는 것이 중요하지 철학적 이치를 직접적으로 드러내는 것은 좋지 않다.

詩不能離理, 然貴有理趣, 不貴下理語. (심덕잠沈德潛, 『청시별재집淸詩別裁集 · 범례凡例』)

이풍역속移風易俗

풍속을 바꾸고 관습을 고치다. '이풍역속'은 '음악(樂)'의 중요한 기능
이다. 풍속은 사회적 집단이 오랜 시간에 걸쳐 형성한 공통된 행위 관
습으로 예에 어긋나는 요소를 포함하고 있을 수도 있다. 집단의 관습을
고치는 것은 매우 어려워서 단순하게 강제적인 규범에만 의지할 수 없
고 '음악'이 사람의 마음에 미치는 깊은 영향을 발휘하게 해야 한다. 음악
의 교화를 통해 사람의 마음이 합당한 상태가 되게 인도하고 나아가 점
차 사회의 풍조와 관습을 바꿔 자발적으로 예의 요구에 부합하게 한다.

예)
'악'은 성인이 좋아하는 것으로 백성의 마음을 선하게 할 수 있고 사람에게 큰 영향력
을 끼쳐서 풍속을 바꾸고 관습을 고칠 수 있다. 그래서 선왕들은 예악으로 백성을 인도
했고 그들을 화목하게 어울려 살게 했다.

樂者, 聖人之所樂也, 而可以善民心, 其感人深, 其移風易俗, 故先王導之以禮樂而民和睦. (『순
자荀子 · 악론樂論』)

이형거형以刑去刑

형벌로써 형벌을 없앤다. 이는 법가의 '법치' 사상의 구체적인 표현
이다. 유가의 '형벌을 만드는 이유는 악인을 징계하여 또다시 죄를 지
어 형벌을 받는 일이 없도록 하기 위함(刑期於無刑)'과 비슷하지만 조금
다르다. 유가에서는 예를 숭상하여 덕으로 형벌을 없애는 것을 중시했
으나, 법가는 형벌을 추종하여 무거운 형벌을 사용하여 백성의 마음에
두려움이 생겨 감히 법을 위반하지 못하게 하려는데 의도가 있으며 이

로써 불필요하게 다시 형벌을 사용하지 않으려는 목적을 달성한다. 천하가 잘 다스려져 번영케 됨을 추구하는 이상적인 상태에서 보면 법가의 '형벌의 제거(去刑)'는 유가의 '형벌을 없앰(無刑)'과 비슷하지만, 유가가 가진 인간적 관심과 배려가 결핍되어 있다.

예)
형벌을 실행하여, 죄가 가벼운 사람에게도 중형을 쓴다 ...... 그렇다면 가벼운 죄는 발생하지 않을 것이다. 큰 죄는 더욱더 있을 수 없으니 이것을 가리켜 형벌로서 형벌을 제거한다고 한다. 형벌을 없애버리면 국가의 정사는 이상적인 경지에 도달한다.

行罰, 重其輕者 ......輕者不至, 重者不來, 此謂以刑去刑. 刑去事成. (『상군서·근령靳令』)

이형득사 離形得似

문예창작에서 대상을 묘사할 때 외형을 초월하고 그 내면의 특징을 포착하여 고도의 진실성을 갖추다. 장자(B.C. 369?~B.C. 286)는 생명의 근원은 형체가 아닌 정신에 있으며, 형체의 존재는 잊되 정신이 자유롭게 뛰놀 수 있도록 해야 한다고 여겼다. 만당晚唐의 시인 사공도司空圖(837~908)은 이 관점에 비추어 시에서 대상을 묘사할 때에도 형태의 유사성을 넘어서서 정신의 흡사함을 추구해야 한다고 주장했다. 시창작의 이념 및 비평용어로 사용되던 이 말은 후에 서법과 회화의 영역에서도 통용되었다.

예)
생명이 있는 것은 먼저 형체가 온전해야 가능하지만, 형체를 떠나지 않았으면서도 이미 생명을 잃은 자도 있다.

有生必先無離形, 形不離而生亡者有之矣. (『장자·달성達生』)

이형득사를 할 수 있다면 진정으로 대상을 잘 묘사할 줄 아는 시인이다.

離形得似, 庶幾斯人. (사공도『이십사시품二十四詩品·형용形容』)

이형득사는 서법에서 매우 높은 경지이다. 그러나 그 중의 도리는 매우 오묘하여, 문자적 의미에만 집착하면 안 된다.

離形得似, 書家上乘, 然此中消息甚微, 不可死在句下. (요맹기姚孟起『자학억참字學臆参』)

이형미도以形媚道

산과 물은 그 외부적인 형태와 모양이 '도'와 가깝거나 일치한다. 남조 화가 종병은『화산수서畫山水序』에서 공자의 '인자한 사람은 산을 좋아하고 지혜로운 사람은 물을 좋아한다'는 사상을 드러냈고, 산수는 단지 인류에게 대자연이 만들어 낸 기묘함을 자랑하는 것일 뿐만 아니라 인류에게 우주와 천지의 변화 규율까지 은근하게 드러낸다. 이 용어는 육조 사람들의 산수에 대한 심미적 관념을 표현한다.

예)
공자가 말했다. "지혜로운 자는 물을 좋아하고 어진 사람은 산을 좋아한다. 지혜로운 사람은 활동적이고 어진 사람은 고요하다. 지혜로운 사람은 즐겁고 어진 사람은 장수한다."

子曰: "知者樂水, 仁者樂山; 知者動, 仁者靜; 知者樂, 仁者壽." (『논어 · 옹야』)

성인은 정신으로 도를 본받고 덕과 재주가 걸출한 사람은 도에 통달할 수 있다. 산수가 자연적 형질로 은근하게 도와 부합하여 어진 사람으로 하여금 그것을 좋아하게 한다. 이것이 매우 미묘하지 아닌가?

夫聖人以神法道, 而賢者通; 山水以形媚道, 而仁者樂. 不亦幾乎? (종병, 『화산수서』)

이형사신以形寫神

화가가 외부의 형태를 묘사하여 그 내재적 정신을 표현함. 동진東晉 시기 화가 고개지는 형태와 정신의 대응 관계를 강조했다. 그는 외형의 묘사를 중시하면서 동시에 외형에서 나아가 대상의 내재적 정신과 기

질을 표현할 것을 제창했고, 정신과 기질을 표현하는 것은 회화 창작에
있어 가장 필요한 것이라 여겼다. 동시에 화가는 대상의 내재적 정신을
가장 잘 대표하는 외형의 특징을 포착해야 한다고 요구했다. 이 견해는
후대 문예 창작에 큰 영향을 끼쳤다.

예)
모든 살아있는 사람은 만약 앞에 사람이 없다면 까닭 없이 마주 보고 두 손 모아 공
손히 인사하지 않을 것이다. 회화는 형체를 통해 그 내재적인 정신을 표현하는 것으로
만약 실재하는 대상이 없다면 회화의 사물 형상을 묘사하는 기능을 위배하는 것으로 물
상의 내재적 정신을 표현하는 본뜻을 잃어버리게 될 것이다.
凡生人, 亡有手揖眼視而前亡所對者. 以形寫神, 而空其實對, 荃生之用乖, 傳神之趨失矣. (고
개지, 『위진승류화찬魏晉勝流畫贊』)

인도人道

사람으로서 지켜야 할 도리. 인류 사회에서 반드시 따라야 할 행위
규범('천도天道'와 상대되는 개념)이자 인류 사회가 유지되고 지속적으
로 운행되도록 하기 위한 관계 및 법칙을 말한다. 근대 이후에 서양 학
문이 동양으로 점차 유입된 후로 이 술어는 의미가 변화해 인간의 생
명, 행복, 존엄, 자유, 개성의 발전 등을 아끼고 존중할 것을 원칙으로
하는 행동 규범 및 권리를 뜻하게 되었다.

예)
하늘의 도는 멀고 사람의 도는 가깝다.
天道遠, 人道邇. (『좌전 · 소공 십팔년』)

요 임금과 순 임금은 해와 달의 운행을 바꾸지 않았으나 흥하였으며 걸왕과 주왕은
별의 운행을 바꾸지 않았으나 망하였으니 이는 천도는 변하지 않으나 인도는 변하기 때
문이다.

堯, 舜不易日月而興, 桀, 紂不易星辰而亡, 天道不改而人道易也 (육가陸賈 『신어新語 · 명계明誡』)

인륜人倫

사람 사이의 질서의 차등과 행위준칙. 인륜人倫이라는 단어는 맹자(기원전 372?~기원전 289)가 처음 썼는데 부자父子, 군신君臣, 부부夫婦, 장유長幼, 붕우朋友 등의 다섯 가지 사람 간의 관계를 가리키며 오륜五倫이라 칭하기도 한다. 옛 사람들은 이 다섯가지가 사회질서의 기본 골자를 구성하였으며 사람들의 장유長幼, 친소親疎, 존비尊卑 등의 영역에서의 신분 차이 등을 나타낸다고 생각했다. 상이한 인륜 관계에서 사람들은 인륜과 부합하는 행위 준칙을 준수해야 한다.

예)

사람은 도덕적 본성을 지니고 있다. 배불리 먹고 따뜻하게 입고 안전하게 산다고 한들 교양이 없다면 금수禽獸와 차이가 없다. 성인聖人들은 이를 걱정하여 사도司徒 계契를 보내 백성들이 상이한 사람 사이의 관계를 분별하고 상응하는 규범을 지키도록 가르쳤다: 부자지간에는 골육지친이 존재하고 군신지간에는 공정한 도가 존재하며 부부지간에는 내외의 구별이 존재하고 노소지간은 존비의 질서가 존재하며 친구지간에는 신의성실의 덕이 존재한다.

人之有道也, 飽食, 暖衣, 逸居而無教, 則近於禽獸. 聖人有憂之, 使契(xiè)為司徒, 教以人倫: 父子有親, 君臣有義, 夫婦有別, 長幼有序, 朋友有信. (『맹자孟子 · 등문공상滕文公上』)

인명관천人命關天

사람의 생사는 가장 중요한 일이다. 인명人命은 사람의 목숨을, 천天은 가장 중요한 것을 가리킨다. 인명지중人命至重과 같은 뜻이다. 옛 중국인들은 사람은 천지 간에 가장 존귀한 생명이자 존재이며 생명은 각 사람에게 단 한 번만 주어지므로 가장 귀한 것이라고 여겼다. 따라서

법정 판결, 용병, 의술을 행함 등에 있어서 사람의 목숨과 관련된 것일 때에는 특히 신중해야 한다고 생각했다. 이는 사람과 생명을 존중하는 중국의 인문정신을 드러낸다.

예)

또한 인명은 가장 중요한 것인데 부지하기는 어려우나 죽이기는 쉽다. 따라서 성현聖賢은 사람의 생명을 중히 여겼다.

且人命至重, 難生易殺, 氣絶而不續者也, 是以聖賢重之. (『삼국지三國志 · 위서魏書 · 왕랑전부자숙王郎傳附子肅』)

인명이 가장 중하며 천금보다 귀하다. 처방을 내리고 병자를 낫게 하는 이런 은덕은 천금보다 나은 것이므로 필자는 이 책의 이름을 천금방千金方으로 짓고자 한다.

人命至重, 有貴千金.一方濟之, 德逾於此, 故以爲名也. (손사막孫思邈 · 『천금방千金方 · 서序』)

사람의 생사는 가장 중요한 것이므로 어린아이와 장난치는 것과 같지 않다.

人命關天, 非同兒戲. (『홍루몽紅樓夢 · 제육십구회第六十九回』)

인문人文

예악교화禮樂教化와 전장제도, 즉 정신문명의 창조물인 시서, 예악, 법도 및 이들과 관련된 서로 차등이 있으면서도 조화되어 있는 사회질서를 말한다. '천문'(일월성신 등 천체의 운행 상태 및 규율)과 상대되는 개념이다. 또한 인간사, 즉 인류사회의 행위와 습속 혹은 상태 등을 널리 가리키기도 한다. 근대 이후에 서양 학문의 영향을 받으면서 '인문'은 의미가 변화해 인류사회의 각종 문화현상을 가리키게 되었으며 인류사회의 문화현상을 연구하는 학과를 인문학과라 한다.

예)

일월성신의 운행 상태를 관찰하면 사계의 변화를 알 수 있고, 시서예악의 발전 상황을 고찰하면 천하의 백성을 교화시켜 문치로써 문화를 발전시킬 수 있다.

觀乎天文, 以察時變; 觀乎人文, 以化成天下. (『주역 · 단상』)

일월성신의 운행이 뚜렷하니 사람이 이를 보고 시사의 변화를 추측하는 것이 바로 '천문'이다. 성현은 문장과 이론에 통달하여 백성을 선한 길로 이끌고 문치로써 문화를 발전시키니 이것이 바로 '인문'이다. 형태 있는 것과 없는 것의 실제 변화에 통달하여 하늘과 인간사의 미묘한 관계를 이해하게 하는 것이 아마도 바로 '문'이 아니겠는가?

夫玄象著明, 以察時變, 天文也; 聖達立言, 化成天下, 人文也. 達幽顯之情, 明天人之際, 其在文乎? (『북제서北齊書 · 문원전서文苑傳序』)

인문화성人文化成

사회 문명의 진전과 실제 상황에 근거해 '인문'에 부합하는 기본 정신과 원칙으로 민심을 선하게 인도하고 궁극적으로 조화로운 사회 질서를 실현하는 것. '인문'이 가리키는 것은 시서詩書, 예악, 법도 등 정신 문명의 창조이고 '화'는 교화로서 백성을 바꾸는 것이며 '성'은 나라의 문치文治와 번영의 구현을 뜻한다. '인문화성'의 핵심은 문치의 강조에 있으며 실제적으로는 중화 '문명'의 또 한 가지 이상적인 표현 형식이다.

예)
천체의 운행 상태를 살피면 사계절의 변화를 알 수 있고 시서예악의 발전 상황을 살피면 그것으로 천하 백성을 교화하고 문치와 번영을 이룰 수 있다.

觀乎天文, 以察時變; 觀乎人文, 以化成天下. (『주역 · 분賁』)

인민애물仁民愛物

백성을 어질게 대하고 만물을 아낀다. 여기서의 '물物'은 모든 금수와 초목을 가리키고, '애愛'는 그것을 취할 때는 시기가 있고, 쓸 때는 절제가 있다는 의미이다. 이것은 맹자가 제시한 사상이다. 맹자는 인류가 자기의 가족은 친밀하게 사랑하고 백성은 어질게 대하며 동식물은 아껴야 한다고 여겼다. 이것은 자연적으로 생기는 감정의 차이이다. 사랑은 비록 친밀하고 소원한 차이 있지만, 군자는 '가족을 친밀하게 사랑하는 것(親親)'을 원점으로 하여 자기를 미루어 보아 남에게 미치고, 널리 만물에까지 미치며, 가족을 사랑하는 데서 나아가 백성을 어질게 대하며, 더 나아가 만물을 아낀다. 이는 일종의 가족 단위에서 시작하여 가족 단위를 뛰어넘고, 심지어는 인류 단위를 초월하여 모든 일과 모든 사물에 이르는 큰 사랑으로 사람 자신, 사람과 사람, 사람과 자연이 관계의 조화로움과 온전함을 달성하는 기본 원리이다. 장재張載의 '민포물여民胞物與' 사상이 이와 유사하다.

예)
맹자가 말했다. "군자는 만물을 아끼지만 어질게 대한다고는 말할 수 없고, 백성은 어질게 대하지만 사랑한다고는 할 수 없다. (군자는) 자기의 가족을 사랑하는 데서 나아가 백성에게 어질게 대하며 백성을 어질게 대하는 데서 더 나아가 만물을 아낀다."
孟子曰: "君子之於物也, 愛之而弗仁; 於民也, 仁之而弗親. 親親而仁民, 仁民而愛物." (『맹자孟子·진심상盡心上』)

무릇 사람이 태어날 때는 모두 천지의 '이理'를 받아 본성이 생기고, 천지의 '기'를 받아 형상을 이룬다. 나와 모든 백성, 모든 사물은 근본적으로 한 뿌리에서 난 것이다. 만약 내가 자기의 사리사욕만 챙기고 백성을 아끼고 만물을 사랑하지 않는다면 나와 모든 백성과 사물은 한 뿌리요 한 근원이라는 이 도리에 위배되어 자아도 잃어 버리는 것이다.
凡人之生, 皆得天地之理以成性, 得天地之氣以成形, 我與民物, 其大本乃同出一源. 若但知私己而不知仁民愛物, 是於大本一源之道已悖而失之矣. (증국번曾國藩, 『계자서誡子書』)

인부천수人副天數

사람의 신체 구조, 감정, 윤리 등은 하늘의 구조와 질서에 부합한다. '인부천수'라는 말은 동중서가 제시한 것이다. 그는 천지 만물 및 그 운행은 그 나름의 구조와 질서가 있다고 여겼다. 그리고 사람의 신체, 감정, 사고 및 행동, 윤리는 모두 천지의 구조 및 질서와 서로 합쳐진 것으로 특히 수량에서 일정한 대응 관계가 있다고 보았다. '인부천수' 이론에 따르면 사람은 하늘의 복사본일 뿐이다. 이 사상은 하늘과 사람이 서로 감응하고 작용한다는 이론의 기초가 되었다.

예)

하늘은 한 해의 수로 사람의 신체를 구성한다. 그래서 작은 뼈는 366개로 한 해의 일수와 부합하고 큰 뼈는 12개로 한 해의 개월 수와 같다. 몸 안의 오장(五臟, 심장, 간장, 폐장, 비장, 신장)은 오행의 수와 일치하고 외부의 사지四肢는 사계절의 수와 부합된다. 눈은 뜨기도 하고 감기도 하여 낮과 밤의 형상과 같다. 정서는 슬프기도 하고 즐겁기도 하므로 음양과 같다. 마음 속의 계획과 생각은 천지의 규칙과 부합된다. 일을 함에는 윤리가 있어 천지의 질서와 부합한다. 이것은 모두 암암리에 사람의 몸에 부착된 것이자, 사람이 태어나면서 바로 갖게 되는 것으로 천지의 수와 서로 합치된다. 셀 수 있는 경우, 인체는 하늘의 숫자와 부합한다. 셀 수 없는 경우, 인체는 하늘의 구성하는 성분과 대응한다. 이것들은 하늘의 법칙에 부합한다는 한가지 공통점에서 서로 일치된다.

天以終歲之數, 成人之身, 故小節三百六十六, 副日數也; 大節十二分, 副月數也; 內有五臟, 副五行數也; 外有四肢, 副四時數也; 乍視乍瞑, 副晝夜也; 乍剛乍柔, 副冬夏也; 乍哀乍樂, 副陰陽也; 心有計慮, 副度數也; 行有倫理, 副天地也. 此皆暗膚着身, 與人俱生, 比而偶之弇合. 於其可數也, 副數; 不可數者, 副類. 皆當同而副天一也. (동중서,『춘추번로 · 인부천수』)

| 인심人心

외부 사물에 대한 지각과 욕구. 인심人心과 도심道心은 서로 대조되는데, 고문 상서尙書와 순자荀子 등의 전적典籍에서 사용되었던 표현이다. 송대 유학자들은 마음의 지각활동은 다음과 같은 두 가지 내용을 포함한다고 하였다. 첫째, 귀와 눈 등의 신체기관을 통해 생겨나는 외부를 향한 욕구가 인심이다. 둘째, 도덕원칙에 의거한 지각과 의식을 도심이라고 한다. 인심은 육적 감각에서 나온 사욕私慾이다. 인심은 쉽게 과도

해져 위해危害를 초래하므로 도심의 효용을 발휘해 과도한 욕망을 극복해야 한다.

예)
인심은 위험하고 도심은 은밀하며 마음을 다해 정의와 바름의 길을 붙들어야 한다.
人心惟危, 道心惟微, 惟精惟一, 允執厥中. (『상서尙書·대우모大禹謨』)

마음의 지각과 인식은 사실 동일한 것이다. 하지만 사람들은 인심과 도심이 다른 것이라고 알고 있는데, 왜냐하면 인심은 육적 감각을 통해 생겨난 사욕이며 도심은 천명의 성질 속에 있는 올바른 도리이기 때문이다. 따라서 이 두가지 지각이 서로 다르며 인심은 위험하고 불안정한 것이고 도심은 은밀하며 쉽게 드러나지 않는다고 여겨지는 것이다.

心之虛靈知覺, 一而已矣.而以爲有人心, 道心之異者, 則以其或生於形氣之私, 或原於性命之正, 而所以爲知覺者不同, 是以或危殆而不安, 或微妙而難見(xiàn)耳. (주희朱熹『중용장구서中庸章句序』)

| 인원상국人怨傷國

민심에 원망이 있으면 국가가 해를 입는다. 인원人怨은 백성의 원망으로, 백성이 정책 시행施政에 불만이 있고 심지어는 원한이 있음을 가리킨다. 만약 백성이 정책 시행에 보편적으로 불만이나 원한이 있다면 국가를 다스릴 때 이러저러한 문제가 있을 수 있으며 백성이 편안히 살면서 즐겁게 일할 수 없고 사회가 쉽사리 질서를 잃고 동란이 일어난다는 것을 뜻하는데, 이는 국가에 있어 좋지 않은 일이다. 이에 대해, 집정자 혹은 정책 집행자는 제때 정책을 조정하고 민심을 편안하게 하는 데 노력을 기울여야 하며 국가의 장구長久한 치안을 보장해야 한다. 이는 국무원민왈강국國無怨民曰强國(나라에 원망이 없다는 것은 강국임을 뜻한다)과 동일한 이치로 민본民本사상의 구현이라고 볼 수 있다.

예)

백성이 마음에 원한을 품으면 국가는 위태로워진다.

民怨則國危. (『한비자韓非子 · 난일難一』)

발이 시리면 심장이 상할 수 있으며 백성이 원한을 품으면 국가가 해를 입는다.

足寒傷心, 人怨傷國. (『소서素書 · 안례安禮』)

집권자가 부정부패를 저지르고 백성이 원한을 품으면 재난과 동란이 일어난다.

上貪民怨, 災害生而禍亂作. (『한서漢書 · 식화지상食貨志上』)

인人

'인人'이라는 글자는 만들어질 때부터 중국의 인문 정신이 주입되었다. 글자의 형상이 사람이 옆으로 서서 두 손을 드리우고 공손히 시립한 것을 닮아 겸손의 의미를 포함하고 있다. 사람은 사고할 줄 알기 때문에, 개인으로서는 역량이 부족함을 깨닫고 다른 사람과 함께 일해야 한다. 고대의 사상가는 사람은 하늘 및 땅과 병립하는 생명 체(합쳐서 '삼재三才'라고 부름)로, 사람은 천지의 심령이자 우주의 정화이며 그러므로 가장 존귀하다고 여겼다. 중국 옛사람들의 많은 사상 특히 정치와 윤리 사상은 모두 '사람'에 기반하여 나왔기 때문에, 인문의 광채를 뿜어내고 있다.

예)

그래서 사람은 하늘과 땅에서 얻은 천성을 가지고 있다고 할 수 있는데, 곧 음양 두 기운의 결합 및 형체와 정신이 결합한 소산으로 쇠, 나무, 물, 불, 흙, 오행五行의 정수를 응집하고 있다. …… 그러므로 사람은 천지의 심령이며 오행으로 구성된 만물의 으뜸이다.

故人者, 其天地之德, 陰陽之交, 鬼神之會, 五行之秀氣也. ……故人者, 天地之心也, 五行之端也. (『예기 · 예운禮運』)

자연적으로 생성된 모든 것 중에서 사람이 가장 존귀하다.

天生萬物, 唯人爲貴. (『열자 · 천서天瑞』)

사람은 천지의 만물 중에서 본성이 가장 존귀하다.

人, 天地之性最貴者也. (허신許慎, 『설문해자說文解字 · 인부人部』)

│ 인仁

'인'의 기본 함의는 다른 사람을 사랑하고, 나아가 사람과 사람이, 그리고 천지 만물이 일체가 되는 상태에 도달하는 것이다. '인'은 도덕적 행위의 기초이자 근거인 동시에 도덕적 행위에 상응하는 내적인 의식이다. 대체적으로 '인'에는 3가지 함의가 있다. 첫째, 다른 사람을 불쌍히 여기는 마음 혹은 양심을 가리킨다. 둘째, 부모형제 관계의 기초에서 비롯된, 근친을 사랑하는 덕을 가리킨다. 셋째, 천지 만물이 일체가 된 상태와 경지를 가리킨다. 유가는 '인'을 최고의 도덕 준칙으로 삼는 한편으로 그것을 차등을 두는 사랑으로 이해했다. 다시 말해 다른 사람을 사랑하는 것은 부모에게 효도하고 손위 형제를 공경하는 것이 우선이며 그 다음에는 다른 친척을 아끼고 마지막으로 세상 사람들에 대한 박애로 확대한다는 것이다.

예)
자신을 단속해 말과 행동이 예에 부합하게 하는 것이 바로 인이다.
克己復禮爲仁. (『논어 · 안연顔淵』)

인은 사랑의 도리이고 마음의 덕성이다.
仁者, 愛之理, 心之德也. (주희, 『논어집주』)

│ 인자무적仁者無敵

인덕을 가진 사람은 천하에 적이 없다. '인자仁者'는 '인덕仁德'을 가진 군주 또는 인정을 시행하는 나라를 가리킨다. '인덕'은 정치 영역에서는 '인정仁政'으로 나타나며 인애仁愛를 통치의 근거와 출발점으로 삼아 백성을 선대하고 형벌을 신중히 사용하며 세금을 경감하고 최대한 백성이 혜택을 받게 한다. 이렇게 해야 백성의 지지를 얻을 수 있고 위아래가 뜻을 하나로 모아 큰일을 해낼 수 있으며 천하에 적이 없게 된다. 그 기본 원리는 이렇다. 국가 강성의 깊은 원천은 민심을 얻는 데 있고 백성을 선대해야만 이 원천을 얻을 수 있고, 충분한 역량이 생긴다는 것이다.

예)

맹자가 대답했다. "사방이 백리가 되는 땅이라면 천하를 얻을 수 있습니다. 대왕이 만약 백성에게 인정을 베풀고 형벌을 신중히 사용하고 세금을 줄이고 깊이 갈고 정성껏 가꾸며 제때 잡초를 제거한다면, 그리고 젊은 남자가 여가시간에 자기를 수양하고 부모에게 효도하고 연장자를 공경하고 다른 사람에게 마음을 다하고 사람을 성심껏 대하는 품성으로, 집에서는 부모와 형제를 섬기고 나가서는 웃어른과 상급자를 섬길 수 있다면, 이렇게 된다면 그들은 가공한 나무 방망이를 들고서도 잘 무장한 진나라 초나라의 군대에 대항할 수 있습니다. ......그래서 '인덕을 가진 사람은 천하에 적이 없다'라고 하는 것입니다."

孟子對曰: "地方百里而可以王. 王如施仁政於民, 省刑罰, 薄稅斂, 深耕易耨; 壯者以暇日修其孝悌忠信, 入以事其父兄, 出以事其長上, 可使制梃以撻秦楚之堅甲利兵矣. ......故曰: '仁者無敵.'" (『맹자 · 양혜왕상』)

인자애인仁者愛人

어진 사람은 남을 사랑하는 마음이 충만하다. '인자'는 인덕이 있는 사람으로 큰 지혜와 큰 용기가 있고 덕행에 부족함이 없고 남을 사랑하며 매력적인 인격과 감화력이 있는 사람이다. '인'은 공자의 사상에서 가장 높은 도덕 범주와 경지에 해당한다. '남을 사랑함'을 기본 원칙으로 하며 그 방식은 '인'은 부모에게 효성스럽고 손위 동기를 공경하는 일에서 시작하여 가족의 다른 구성원에게 관심과 사랑을 가지고 나아가 이를 만인에게 확장하는 것이다. 맹자는 이 개념을 사상의 명제로 발전시키고 나라를 다스리는 일에 적용하였다. 그는 군자가 자기 피붙이에게 다정한 마음에서 백성을 사랑하고 백성을 사랑하는 마음에서 만물을 아낀다고 주장했다. 유가에서 사람에 비록 차등이 있지만 인애는 누구에게나 보편적으로 적용된다. 인애는 조화롭고 호의적인 사회를 만드는 기초이자 목표이다.

예)
어진 사람은 남을 사랑하고 예가 있는 사람은 남을 공경한다. 남을 사랑하는 자는 남도 항상 그를 사랑하고 남을 공경하는 자는 남도 항상 그를 공경한다.
仁者愛人, 有禮者敬人. 愛人者, 人恒愛之, 敬人者, 人恒敬之. (『맹자孟子 · 이루離婁 하』)

피붙이에게 다정한 마음이 있고 나서 백성을 사랑하며 백성을 사랑하고 나서 만물을 아낀다.
親親而仁民, 仁民而愛物. (『맹자 · 진심盡心 상』)

인자요산仁者樂山, 지자요수智者樂水

덕을 행하는 사람은 산을 좋아하고 지혜가 있는 사람은 물을 좋아한다. 산은 숭고하고 변함이 없으며 그 깊고 두터움으로 만물을 유지하며 인자仁者는 여기에서 평화와 고요함, 마음속의 인과 덕을 떠올리며 기뻐한다. 물은 계속해서 흐르며 정세를 따라 널리 퍼지고 막힘이 없으며, 지혜자는 정세를 따라 흐르며 수시로 응하여 변함을 떠올리며 즐거워한다. 이 두 글귀는 서로 교착하고 보충하면서 완전한 하나의 뜻을 표현한다. 인애가 있으면서도 지혜가 있는 사람은 자연 속 산과 물속에서 자신의 천성과 추구할 바를 보게 되고 자신을 비추어 보게 되어 산과 물을 보고 기뻐한다. 이는 군자 수양의 두 부분인데, 덕을 산수에 비하고 더 나아가 산수가 가져다주는 의인화하는 성질을 지니는 자연의 아름다움과 감상에서 오는 즐거움에 감정을 이입하는 것이다. 이에 산수는 인류의 아름다운 감정과 연결되어 있어 흔히 볼 수 있는 심미적 이미지가 되었고 산수를 한가로이 거니는 것 또한 문인이 심신을 수양하는 중요한 방식이 되었다. 이 비유는 중국 특색이 풍부한 예술 표현 방식이자 사유방식이다.

예)
매년 날씨가 가장 추운 때가 찾아오면 소나무와 잣나무가 마지막으로 시든다는 것을 알 수 있다.
歲寒, 然後知松柏之後凋也. (『논어論語 · 자한子罕』)

지혜가 있는 자는 물을 사랑하고 덕을 행하는 자는 산을 사랑한다. 지혜가 있는 자는 활동적이고 덕을 행하는 자는 마음이 평온하다. 지혜가 있는 자는 즐거우며 덕을 행하는 자는 장수한다.
知(zhì)者樂水, 仁者樂山. 知者動, 仁者靜. 知者樂, 仁者壽. (『논어論語 · 옹야雍也』)

인자자애仁者自愛

인덕이 있는 사람은 자신을 소중히 여긴다. 공자(B.C. 551~479)의 학생인 안회가 제시한 명제로 '인자애인仁者愛人'에 주체성의 출발점을 제공한다. 유가의 논리에 따르면 인자는 반드시 '자애'한 다음, 자신으로부터 남에게 미쳐 '애인'에 도달한다. 또한 그렇기에 자연히 타인의 사랑을 받게 되며, 타인과 나 사이에 사랑의 순환이 형성된다. 이 외에도 예부터 '자애'를 제창한 자는 많았고 유가에만 한정되지 않았다. 그 뜻은 자기 이익만 추구하라는 것이 아니고, 자신을 존중하고 세우며 나라와 백성을 위해 행동하라는 데 있다.

예)

공자가 말했다. "회야, 지혜로운 사람은 어떠하냐? 인덕이 있는 사람은 어떠하냐?" 안연이 대답했다. "지혜로운 자는 스스로 알고, 인덕이 있는 자는 자신을 사랑합니다." 공자가 말했다. "이러한 사람은 현명한 군자라 할 수 있다."

子曰, "回, 知者若何? 仁者若何?" 顏淵代曰, "知者自知, 仁者自愛." 子曰, "可謂明君子矣." (『순자 · 자도子道』)

사람은 반드시 자신을 사랑해야만 타인이 그를 사랑한다. 사람이 자신을 공경해야만 남도 그를 공경한다.

人必其自愛也, 然後人愛諸. 人必其自敬也, 然後人敬諸. (양웅揚雄『법언法言 · 군자君子』)

학문을 하는 사람은 자신이 분명 출세할 것을 알기에, 자신을 사랑하며 중히 여기고 그른 행동을 하지 않으려 한다.

蓋爲士者知其身必達, 故自愛重而不肯爲非. (홍매洪邁『용재수필容齋隨筆』9권 '고과득인高科得人')

| 인재시교因材施教

사람의 자질, 취지 등에 근거하여 교육과 교학을 실시함. 재材는 사람의 자질, 취지, 교육을 받는 정도 등의 요소를 가리킨다. 이는 공자孔子(기원전 551~기원전 479)가 실천하였으며 후대 사람이 정리하고 개괄하여 확립한 교육과 교학의 원칙이다. 예기禮記 · 중용中庸에서 언급하는 솔성率性(사람의 천성을 준수함), 주역周易에서 언급하는 진성盡性(충분히 천성을 발휘함)은 이 원칙의 기초 이념이며, 지금까지 여전히 널리 제창되고 있다. 인재시교의 요지는 교육과 교학은 내용 선정, 방법의 운용, 목표 설정 등의 측면에서 교육을 받는 사람의 개인적인 차이에 부합해야 하며, 더 나은 효과에 도달하는 것을 목적으로 해야 한다. 이 원칙은 심리학과 교육학에서 논증되어 현대 교육과학의 기본이념이 되었다.

예)

공자가 말했다. 자질이 중등 이상인 사람은 높고 깊은 도리를 말할 수 있으며 자질이 중등 이하인 사람은 높고 깊은 도리를 말할 수 없다.

子曰: "中人以上, 可以語上也; 中人以下, 不可以語上也."(『논어論語 · 옹야雍也』)

하늘은 만물을 낳아 기르며 만물의 자질과 천성에 근거하여 그 만물을 후대해야 한다.

天之生物, 必因其材而篤焉. (서대춘徐大椿『예기禮記 · 중용中庸』)

[朱筠]의 인재시교, 공부하는 많은 이들이 그로부터 배양되고 이름을 이름을 날렸으며 당시 "주문제자朱門弟子"라는 이름도 있을 정도였다.

因材施敎, 士多因以得名, 時有朱門弟子之目. (『청사고淸史稿 · 주균전朱筠傳』)

| 인정仁政

어진 마음[인애지심仁愛之心]에 기초해 위정하는 방식. '인정'이라는 말은 맹자孟子(B.C. 372?~B.C. 289)가 제시한 것이다. 맹자에 따르면 모든 사람은 천성적으로 어진 마음을 가지고 있다. 하지만 어진 마음은 반드시 부단히 확장해나가야만 비로소 현실의 인덕仁德으로 실현될 수 있다. 위정자는 자신의 어진 마음을 끊임없이 확장하고 그 마음으로 자신이 다스리는 백성을 보살피고 백성에게 생활에 필요한 물질적인 조건과 건전한 사회 질서를 제공해야 한다. 이렇게 어진 마음을 바탕으로 한 통치가 '인정'이다. 위정자가 '인정'을 펼칠 수 있다면 민심을 얻고 부강한 나라를 만들 수 있다.

예)

맹자가 말했다. "사람은 누구나 측은지심을 가지고 있다. 옛 임금은 측은지심이 있다면 측은지심에 기반한 정치를 했다. 측은지심으로 측은지심의 정치를 펼친다면 천하를 손바닥에 올린 작은 물건을 다루듯이 다스릴 수 있다.

孟子曰 "人皆有不忍人之心. 先王有不忍人之心, 斯有不忍人之政矣. 以不忍人之心, 行不忍人

之政, 治天下可運之掌上." (『맹자 · 공손추 상公孫醜上』)

맹자가 대답하여 말했다. "사방 백 리의 땅이 있으면 천하를 귀순시킬 수 있다. 왕이 백성에게 인정仁政을 펼쳐 형벌을 신중히 내리고 세금을 줄이고 논밭을 깊이 갈고 작물을 세밀하게 가꾸면, 혈기 왕성한 나이의 남자가 쉬는 날이면 자신을 수양하고 부모에게 효도하며 형제를 아끼고 타인에게 정성을 다하고 성실한 인품을 지녀, 집에서는 부모 형제를 모시고 밖에서는 웃어른을 모시게 만든다. 이렇게 되면 그들이 나무 몽둥이를 들고 있더라도 정교한 무기를 갖춘 진秦나라, 초楚나라의 군대에 맞서 싸울 수 있다.

孟子對曰 "地方百裏而可以王. 王如施仁政於民, 省刑罰, 薄稅斂, 深耕易耨, 壯者以暇日修其孝悌忠信, 入以事其父兄, 出以事其長上, 可使制梃以撻秦, 楚之堅甲利兵矣." (『맹자 · 양혜왕 상梁惠王上』)

인치人治

인륜 관계, 도덕 관념 그리고 기타 가치 체계의 규제를 통해 나라와 백성을 다스리는 것('법치'와 반대됨)으로서 중국 고대 유가의 정치철학에서 가장 중요한 치국 이념이었다. 이 이념은 정치에서 사람이 차지하는 근본 지위와 작용을 강조하여, 군주가 성현의 인격을 갖추고서 도덕과 능력을 겸비한 인재를 택해 나라를 다스리고 신하와 백성을 교화할 것을 권장했다. 중국 역사에서 이 치국 이념은 통상적으로 하나의 이상적인 기대, 즉 군주, 신하, 백성, 이 3자 사이의 조화로운 공존을 수반했고 이것이 바로 '인정仁政'이다.

예)
인치는 바로 인륜 관계를 규제하는 것이다.
人治所以正人. (『예기 · 대전大傳』 정현 주)

인치의 근본은 사람의 감정과 욕망을 다스리는데 있고 이것이 예악을 제정한 원인이자 근거이기도 하다.
情性者, 人治之本, 禮樂所由生也. (왕충, 『논형 · 본성本性』)

| 인혁因革

　계승되면서도 혁신이 있음. 인因은 계승, 답습을 뜻하며 혁革은 혁신과 변화를 뜻한다. 이 사상은 공자(기원전 551~기원전 479)로 거슬러 올라갈 수 있다. 공자가 보기에는 하상주夏商周 삼대三代의 예제禮制(상례에 대한 제도)는 모두 앞 세대의 기초 위에 당시 역사 조건에 근거해 손익損益(가감)된 것이다. 소위 손익이라는 것은 인혁의 관념을 내포하고 있다. 한漢나라 양웅揚雄(기원전 53~서기 18)은 계통을 비교하는 설명을 하였다. 이 사상은 나중에 남조南朝 사람 유협劉勰(465?~520)이 문론文論에 사용하여 통변通變이라는 개념이 파생되었다. 인혁과 통변은 계승과 창조의 대립과 통일을 구현하며 역사와 전통에 기초한 변화를 강조하며 앞선 세대 사람의 경험과 성과를 계승한 기초 위에 창조하는 것이다. 이는 낡은 관습을 고수하며 변통할 줄 모르는 것도 아니고 새로운 것과 다른 것을 좇는 것도 아니다. 문예 창작 뿐 아니라 학술발전 및 국가 치리에서도 모두 적용될 수 있다.

　예)
　공자가 말했다. 은殷나라와 상商나라는 하夏나라의 예의禮儀제도를 계승했으며 버리거나 더한 것이 무엇인 지 알 수 있다. 주周나라는 은나라殷와 상나라商의 예의제도를 계승하였으며 이 시대에서 버리거나 더한 것 또한 알 수 있다. 그렇다면 주나라周를 계승하여 정치를 행하는 사람이 있다고 한다면 백 세대 이후에도 동일한 것을 미리 알 수 있다.
　子曰: "殷因於夏禮, 所損益, 可知也; 週因於殷禮, 所損益, 可知也. 其或繼周者, 雖百世可知也. (『논어論語·위정爲政』)

　도道의 운행법칙은 계승도 있고 변혁도 있다. 계승을 이해하면 도의 신기를 철저하게 파헤칠 수 있다. 변혁을 이해하면 당세當世에 적합할 수 있다. 따라서 계승을 이해하면서도 변혁이 있다면 도의 운행 법칙을 깨달을 수 있다. 변혁을 이해하면서 계승이 있다면 도의 운행 법칙은 사람들에게 소용이 있다. 따라서 계승만을 이해하고 변혁을 이해하지 못한다면 만물의 보편적인 법칙을 깊게 이해할 수 없다. 변혁만 이해하고 계승을 이해하지 못한다면 만물 간의 균형 법칙을 깊이 이해할 수 없다.

夫道有因有循, 有革有化.因而循之, 與道神之; 革而化之, 與時宜之. 故因而能革, 天道乃得; 革
而能因, 天道乃馴. ……故知因而不知革, 物失其則; 知革而不知因, 物失其均. (양웅揚雄『태현
太玄 · 현영玄瑩』)

자고 이래의 문인 작가는 역대에 앞뒤로 서로 계승되었으며 변화무쌍함, 계승 그리
고 혁신에 기대어 성과를 거두지 않은 것이 없다. 풍경에는 제한이 있으며 사람의 감정
은 다 써낼 수가 없는데, 이는 사람들이 융합과 변통을 이해하기 때문이다.

古來辭人, 異代接武, 莫不參(sān)伍以相變, 因革以爲功.物色盡而情有餘者, 曉會通也. (유협
劉勰『문심조롱文心雕龍 · 물색物色』)

일물양체一物兩體

통일체인 '기氣'에 포함된 대립하는 두 요소. 장재張載는 천지 만물은
모두 '기'로 구성되었다고 여겼다. '기'는 완전한 통일체로 '일물'이라고
도 한다. 동시에 '기'에는 허와 실, 동과 정, 모임과 흩어짐, 청과 탁이라
는 대립하는 상태 즉 '양체'가 있다. 대립하는 요소의 상호 작용이 없으
면 통일체가 존재하지 않고 동일체가 없으면 대립하는 상호 작용 역시
사라진다. 통일체 안의 대립은 '기'와 그것으로 구성되는 사물에 생기
는 변화의 근원이다.

예)
하나의 통일체에 두 요소가 있으니 기이다. 하나이기 때문에 신묘하며 둘이기에 변
화한다. 이것이 천이 가진 '삼三'의 의미이다.

一物兩體, 氣也. 一故神, 兩故化, 此天之所以參兩. (장재, 『정몽正蒙 · 삼량參兩』)

일신日新

매일매일 새로워지는 것. 자신을 끊임없이 새롭게 만들고, 또 백성,

사회, 나라도 끊임없이 새롭게 만들어 계속 진보하고 완전해지게 함으로써 시종일관 새로운 기상을 띠게 하는 것이다. 이것은 '수신제가 치국평천하'의 각 단계에 관철되는, 스스로 쉬지 않고 강해지고 혁신하는 진취적인 정신이다.

예)

탕왕의 욕조에는 "하루를 스스로 새로워질 수 있다면 매일 계속 새로워져야 하고 새로워져도 또 더 새로워져야 한다."는 말이 새겨져 있다. 그리고 「강고康誥」에서는 "백성들이 낡은 것을 버리고 새로운 것을 도모하게 장려하라."라고 했고 『시경』에서는 "주나라는 오래된 나라이기는 해도 새로운 천명을 부여받았다."고 했다. 그래서 군자는 언제 어디에서나 온 힘을 다해 자신을 새롭게 한다.

湯之盤銘曰: "苟日新, 日日新, 又日新." 「康誥」曰: "作新民." 『詩』曰: "周雖舊邦, 其命維新." 是故君子無所不用其極. (『예기 · 대학大學』)

| **일언흥방**—言興邦

한 마디 말로 국가를 흥왕케 하다. 나라를 다스리는 것은 복잡한 일이다. 단순히 한 마디 말로 표현된 어떤 구체적인 방안에 의해 국가를 발전시키는 것은 불가능하다. 그러나 만약 통치자가 천하를 다스리는 어려움을 충분히 인식하여 신중하게 임하고 태만하지 않으면, 위정자의 이러한 자세에 따라 나라가 발전할 수 있다. 이러한 인식에서 나오는 효과는 '일언흥방'에 가깝다.

예)

노정공이 물었다. "한 마디 말로 국가를 흥왕케 할 수 있습니까?" 공자가 대답했다. "한 마디 말에 그런 기대를 가지면 안 됩니다. 사람들은 '군주 노릇은 어렵고, 신하 노릇도 쉽지 않다'고들 말합니다. 군주가 군주 됨의 어려움을 안다면, '일언흥방'에 가까운 것이 아니겠습니까?"

定公問: "一言而可以興邦, 有諸?" 孔子對曰: "言不可以若是其幾也. 人之言曰: '爲君難, 爲臣

不易.' 如知爲君之難也, 不幾乎一言而興邦乎?"(『논어 · 자로』)

▎일이관지—以貫之

근본적인 한 가지 원칙으로 학문과 처세의 모든 것을 관통하다. '관'은 관통, 통섭의 뜻이다. 유가의 사상에 따르면 입신과 처세에 있어 사람은 다방면의 지식과 능력을 갖춰야 하고, 각종 도덕과 예법의 규범을 준수해야 한다. 그러나 공자는 이처럼 많고 복잡해 보이는 지식과 능력, 규범은 근본적인 한 가지 원칙으로 연결되어 있다는 점을 강조했다. 공자는 학생들이 이 한 가지 원칙을 알고 숙달하도록 가르쳤고, 이를 통해 학문과 처세의 각종 구체적인 요구를 통섭하도록 했다. 후대의 학자들은 이 근본적인 원칙이 무엇인지에 대해 서로 다른 해석을 내놓았는데, 증자는 이를 '충서忠恕'의 도라고 주장했다.

예)
공자께서 말씀하셨다. '증삼아, 나의 도는 한 가지 근본적인 원칙으로 연결되어 있다.' 증자가 말했다. '예.' 공자가 나갔을 때, 문인들이 물었다. '무슨 뜻입니까?' 증자가 대답했다. '선생님의 도는 충과 서뿐이다.'
子曰: "參乎! 吾道一以貫之." 曾子曰: "唯." 子出, 門人問曰: "何謂也?" 曾子曰: "夫子之道, 忠恕而已矣." (『논어 · 이인里仁』)

공자께서 말씀하셨다. "사(자공)야, 너는 내가 많은 것을 배워서 다 기억하고 있다고 생각하느냐?" 자공이 대답했다. "그렇습니다. 그게 아니란 말씀입니까?" 공자가 말했다. "아니다. 나는 한 가지 원칙으로 모든 것을 관통한다."
子曰: "賜也, 汝以予爲多學而識之者與?" 對曰: "然. 非與?" 曰: "非也, 予一以貫之."(『논어 · 위령공』)

| 일—

'일'은 3가지 서로 다른 함의가 있다. 첫째, 만물의 본체 혹은 본원을 가리킨다. 즉 '도'의 별칭으로 '태일太—'이라고도 불린다. 둘째, 천지가 아직 분화되지 않았을 때의 혼돈 상태를 가리킨다. '일'이 분화되어 천지를 형성했고 천지 만물도 그런 혼돈의 통일체 속에서 생겨났다. 셋째, 사물의 통일성을 가리키며 '다多', '양兩'과 대립 관계를 이룬다. 서로 다르거나 대립되는 사물들 사이의 통일성을 강조한다.

예)
'일'은 만물이 생겨난 시초이다.
—者, 萬物之所從始也. (동중서, 「거현량대책舉賢良對策」)

서로 반대되는 양측의 대립이 없으면 통일체가 나타나지 않고, 통일체가 나타나지 않으면 서로 반대되는 양측의 대립도 사라진다.
兩不立則—不可見, —不可見則兩之用息. (장재, 『정몽 · 태화』)

| 일천제—闡提

표면적 의미는 "욕구가 있는 사람"이며, 좋은 결과를 낳는 근본적 조건이 결핍되어 깨달음을 얻지 못하고 해탈解脫을 실현하지 못하는 사람을 가리킨다. 단선근저斷善根者(선함의 뿌리를 끊은 자)라고도 부른다. 일천제—闡提의 이치에 대한 논쟁은 주로 중생이 성불成佛할 수 있는지의 문제에 집중되어 있다.

예)
나는, 모든 중생은 성불할 수 있는 가능성이 있으며 모든 선함의 뿌리를 끊어낸 사람이라 하더라도 불성이 있다고 줄곧 공언해왔다. 선함의 뿌리를 끊어낸 자는 비록 선한 업을 쌓지 못했지만 본래 가지고 있는 불성은 좋은 것이다. 아직 실현되지는 않았지만 여전히 선한 업을 쌓고 행할 가능성이 있으므로 이러한 사람들 또한 불성이 있다고 할 수 있다.

我常宣说一切众生悉有佛性, 乃至一闡提等亦有佛性. 一闡提等无有善

法, 佛性亦善, 以未来有故, 一闡提等悉有佛性. (『대반열반경大般涅槃經 · 사자후보살품師子吼菩薩品』)

경론에서 말하는 바를 종합하면 일천제는 세 가지로 나뉠 수 있다……첫째, 조건이 구비되었지만 성불의 결과를 실현하지는 않은 상태로, 이를 대비천제大悲闡提라 일컫는다. 둘째, 조건이 구비되지 않았지만 불력을 빌려 결과를 성취할 수 있는 것으로, 이는 불성佛性은 존재하지만 선함의 뿌리를 끊어낸 천제闡提라고 일컫는다. 셋째, 조건과 결과가 모두 존재하지 않은 상태를 무성천제無性闡提라 일컫는데, 이는 성문聲聞과 연각緣覺이라는 두 길을 실현할 본성만 존재한다는 것을 의미한다.

合經及論, "闡提"有三……一因成果不成, 謂大悲闡提; 二果成因不成, 謂有性斷善闡提; 三因果俱不成, 謂無性闡提, 二乘定性(석규기釋窺基『성유식론장중추요成唯識論掌中樞要』권상卷上(본본))

일획—畫

문사적인 의미는 회화에서의 선을 가리키나, 실제로는 회화 예술의 근본적인 법칙을 말하며, 또한 우주의 일체의 사물이 생성하고 발전하는 보편적인 법칙이다. 청대 화가 석도石濤(1641~1718?)가 제시했고 구체적인 함의에 대해서는 요즘 사람들은 서로 다른 견해를 갖고 있다. 석도는 노자 학설 및 선종禪宗의 이론(또는 복희伏羲가 음양의 일획에서 팔괘를 만들고 나아가 문명 세계를 창건했다는 것에서 따왔다고도 한다)을 빌려 우주 만물은 모두 태초의 '일一'에서 생성되었다고 여겼고, 화가의 붓 아래서 형태를 갖게 된 모든 물체는 역시 '일'로부터 생겨나고 '일'과 통한다고 여겼다. 석도가 보기에 '일'은 '무無'를 가리키며 회회는 바로 '무'에서 형태가 있는 물체의 형상이 생겨나는 과정이었다. '일'은 또한 '도리道'를 가리키는데, 이는 회화의 '도리'이기도 하고 우주 만물의 '도리'이기도 하여 이 둘은 서로 통하며 하나로 합쳐진다. '일'은 또한 각종 회화 수법의 보편적인 법칙을 포함하며 관통한다. 화가의 붓 아래서의 모든 획과 모든 선은 모두 이 보편적인 법칙을 드러내고 있다. '일획론一畫論'은 '일一'과 '도道', '무無', '유有', '다多'등 과의 다중적인 관계를 개괄하여 포함하며 풍부한 철학적 의미와 예술적 사상을 담고 있다. 이 용어는 훗날 중국 전통 미학 사상과 회화론의 중요한 범주가 되었다.

예)

일획은 일체의 사물과 현상의 생성 및 발전의 근본으로 '마음'으로 체득해야 그것을 볼 수 있고, 그것은 사람의 마음속에 숨겨져 있으며 사람을 위해 사용되지만, 세상 사람들은 이것에 대해 알지 못한다.

一畫者, 衆有之本, 萬象之根, 見用於神, 藏用於人, 而世人不知. (석도,『화어록畫語錄 · 일획장一畫章』)

화법畫法을 초월하는 우주 만물 중에서 가장 회화의 본질에 근접한 보편적인 법칙을 깨닫는 것이다. 가장 미세하고 평이한 필획 사이에서 우주와 인생의 도리를 파악한다. '일획'은 자획의 가장 초보적인 입문 기술이나 그것의 무수한 변화는 운필과 먹의 사용에서도 가장 기본적인 법도이다.

受之於遠, 得之最近; 識之於近, 役之於遠. 一畫者, 字畫下手之淺近功夫也; 變畫者, 用筆用墨之淺近法度也. (석도,『화어록 · 운완장運腕章』)

| 임연리박臨淵履薄

깊은 못에 가까이 가거나 살얼음을 밟을 때처럼 조심하고 신중하다. '임연', '리박'은 모두 극도로 위험한 상황으로, 이런 지경에 처했을 때는 마땅히 정신을 집중하고 조심하는 태도로 임하여 위험을 피해야 한다. 도덕과 예법의 준수, 혹은 자신이 감당해야 하는 책임에 대해서도 마찬가지로 시종일관 집중력과 신중함을 유지해야 한다. 어떤 방심과 태만이라도 좋지 않은 결과를 초래할 수 있으므로, '임연리박'한 것처럼 경계하는 마음으로 언행을 조심해야 한다.

예)
맨손으로 호랑이를 잡을 수 없고, 맨발로 강을 건널 수 없다. 사람들은 이 한 가지는 알지만, 다른 것은 모른다. 경계심을 갖고 조심하기를 깊은 못가에 선 듯, 살얼음을 밟는 듯해야 한다.

不敢暴虎, 不敢馮河, 人知其一, 莫知其他. 戰戰兢兢, 如臨深淵, 如履薄冰. (『시경詩經 · 소아小雅 · 소민小旻』)

증자가 질병을 얻어 그의 문하생을 모아놓고 말했다. "내 발을 보아라! 내 손을 보아라! 『시경』에서 말하길 '전전긍긍하기를 깊은 못가에 선 듯, 살얼음을 밟는 듯해야 한다.' 하였다. 오늘 이후 비로소 내가 이런 것을 면함을 알겠구나, 제자들아!"

曾子有疾, 召門弟子曰, "啓予足! 啓予手! 『詩』雲: '戰戰兢兢, 如臨深淵, 如履薄冰..', 而今而後, 吾知免夫, 小子!"(『논어 · 태백泰伯』)

│ 입주뇌立主腦

희곡 창작은 수요 인물과 주요 사건을 중심으로 전개되어야 한다. 명말 청초의 곡론가曲論家 이어李漁(1611~1680)가 제시한 개념이다. 이어는 옛사람이 글을 흘 때 반드시 한 편의 '주뇌主腦'가 있다고 생각했다. 주뇌란 작가가 특정 글을 쓰는 이유 또는 글의 구상이다. 한 편의 희곡 역시 반드시 하나의 인물, 하나의 사건의 발생을 중심으로 놓아야 한다. 이 인물과 사건이 바로 희곡의 주뇌로, 극의 흐름과 갈등이 발전하게끔 촉진한다. 이 '인물'과 '사건'은 희곡의 주인공과 주요 사건이라고 이해될 수 있다. 주요 사건이란 극 전체의 모든 사건 중에서 갈등의 촉발에 결정적인 역할을 하고 전체 줄거리를 꿰어낼 수 있는 중심 사건이다. 이어는 예를 들어 『서상기西廂記』의 주뇌는 장군서張君瑞라는 인물과 백마장군의 군대가 반란군 두목의 포위를 푼 사건이며 나머지는 모두 이 인물과 이 사건에서 파생되었다고 설명했다. 입주뇌는 주요 인물을 세우는 것[입인立人]과 주요 사건을 세우는 것[입사立事]을 모두 가리키는 말이다. 많은 사람들이 전기傳奇를 창작할 때 주인공을 세우는 법은 알았지만 주요 사건을 세우는 법을 몰라 작품이 끊어진 실에 꿰인 진주나 기둥이 없는 가옥처럼 되어버렸다. '입주뇌'는 희곡의 구성에서 매우 중요한 작업이다.

예)
옛사람이 글을 한 편 쓸 때면 반드시 그 글의 주뇌가 있었다. 주뇌는 다른 것이 아니라 작가가 글을 쓰고자 한 본래의 의도와 주제이다. 전기 또한 그렇다.

古人作文一篇, 定有一篇之主腦. 主腦非他, 即作者立言之本意也. 傳奇亦然. (이어李漁, 『한정우기閑情偶寄 · 사곡부詞曲部』)

무릇 글 한 편을 쓴다면, 그 글을 쓰는 의도를 한 문장으로 나타낼 수 있어야 한다. 그것을 확장하면 천만 문장이 되고 요약하면 한 문장이 된다. 이른바 주뇌主腦란 바로 이런 의미이다.

凡作一篇文, 其用意俱要可以一言蔽之. 擴之則爲千萬言, 約之則爲一言, 所謂主腦者是也. (유희재劉熙載, 『예개藝槪 · 경의개經義槪』)

입중제절立中製節

치우치지 않는 인정人情의 표준을 세워 예의의 절도를 제정하는 것. 예기禮記와 순자荀子에서 처음 언급되었다. 유가儒家에서는 사람의 감정은 적당한 표현과 토로가 필요하다고 여겼다. 하지만 人情의 경중과 두터움에는 현저한 차이가 존재한다. 예禮가 자리잡히기 위해서 충분히 인정의 차이를 파악해야 하며 치우치지 않는 인정의 정도程度를 예에 합하는 표준으로 택하고 이에 근거해 인정에 대한 토로와 표현을 절제해야 한다.

예)

사악하게 방종하는 그들을 견뎌야 하는가? 그들은 아침에 부모를 잃으면 저녁에는 그 일이 일어났다는 사실을 잊을 것이다. 그들의 감정에 따라 예의를 정한다면 새나 짐승만도 못한 것이 될 터인데, 어떻게 함께 거처하면서 혼란이 생기지 않겠는가? 행동거지에 정도가 있는 군자들을 따라야 하는가? 그들은 3년 동안은 상복을 입는데 25개월이라는 시간이 마차가 틈을 지나 날아가듯 떠나버린다. 그들이 바라는 대로 행한다면 상복을 평생 입어야 할 것이다. 따라서 선왕先王은 사람들에게 알맞은 표준을 확립하여 예의의 절도를 제정함으로써 사람들이 예의 규정에 다다르면 상례喪禮를 마칠 수 있게 해주었다.

將由夫(fú)患邪淫之人與?則彼朝死而夕忘之, 然而從之, 則是曾(zēng)鳥獸之不若也, 夫焉能相與群居而不亂乎?將由夫修飾之君子與?則三年之喪, 二十五月而畢, 若駟之過隙, 然而遂之, 則是無窮也.故先王焉為之立中製節, 壹使足以成文理, 則釋之矣. (『예기禮記 · 삼년문三年問』)

ス

자강불식自强不息

스스로 발전하고 강대해지기 위해 노력하며 결코 나태해지거나 그만두지 않는다는 뜻. 옛사람들은 천체는 그 자신의 본성에 따라 운행하며 강건하고 힘차게 계속해서 용맹하게 앞으로 나아가 순환하며 영원히 멈추지 않는다고 생각했다. 군자는 하늘의 법을 따르므로 응당 자신의 능동성과 주동성을 발휘해 게을리 하지 않고 근면하게 분발하여 나아가야 한다. 이것은 중국인이 천체의 운행 상태를 참고해 수립한 정치 이념이자 자아 이상이다. 이 사상은 '후덕재물'과 함께 중화민족 정신의 기본적인 품격을 구성하였다.

예)
하늘의 운행은 강건하고 힘차며 용맹하게 나아가니 군자의 처세도 응당 하늘과 같이 스스로 발전하려 노력하며 결코 그치지 않아야 한다.
天行健, 君子以自强不息. (『주역 · 단상』)

제왕과 공경公卿으로부터 평범한 백성에 이르기까지, 분발하여 발전하지 않고 공훈과 업적을 세운 이는 천하에 아무도 없다.
自人君公卿至於庶人, 不自强而功成者, 天下未之有也. (『회남자 · 수무훈脩務訓』)

바깥에 적국이 있으면 우리는 우선 스스로 강대해지기를 도모해야 한다. 우리가 강대해지면 적국은 우리를 두려워할 것이나 우리는 적국을 두려워하지 않을 것이다.
外有敵國, 則其計先自强. 自强者人畏我, 我不畏人. (『송사宋史 · 동괴전董槐傳』)

| 자미滋味

감상자가 곱씹어 음미할 수 있는 시의 내포 의미로서 사실은 시의 미감美感에 해당한다. 남조의 시론가 종영이 『시품』에서 이를 제시하면서 오언시五言詩(한 행이 5글자로 이뤄진 시)를 창작할 때 내용과 형식의 결합에 중시하여 감상자가 계속 시를 음미할 수 있게 해야 한다고 했다. 훗날 '자미'는 문예 창작을 할 때 느끼는 일종의 흥취를 가리키기도 했다.

예)
오언시는 각종 시들 중에서 수위를 차지하며 많은 작품들 중에서 가장 음미할 만한 뜻이 풍부하다.
五言居文詞之要, 是衆作之有滋味者也. (종영, 『시품서』)

글은 사람의 내면을 도야하고 제왕의 잘못을 완곡하게 지적하며 독자들이 그 내포된 의미를 느끼게 하니, 이것은 역시 즐거운 일이다.
至於陶冶性靈, 從容諷諫, 入其滋味, 亦樂事也. (안지추顔之推, 『안씨가훈顔氏家訓 · 문장文章』)

| 자생自生

만물이 저절로 생겨난다. 만물은 '천' 혹은 '무'에 의해 창조되어 생기는 것이 아니며 다른 유형의 사물로 인해 생기는 것도 아니다. '자생'설은 조물주 관념을 깨뜨리는 데 의미가 있다. 만물이 '자생'하는 구체적인 정황에 대해 사람들은 다르게 이해한다. 어떤 사람은 '자생'한 사물 간에는 서로 연관이 있고 상호 의존한다고 여긴다. 그러나 어떤 사람은 만물은 각자 관련이 없으며 독립적이고, 돌발적으로 '자생'한다고 주장한다.

예)

'무'는 사물을 만들어 낼 수 없다. 그러므로 최초로 생겨난 사물은 반드시 자생한 것이다.

夫至無者無以能生, 故始生者自生也. (배외裴頠, 『숭유론崇有論』, 『진서晉書·배외전裴頠傳』참고)

'무'는 존재하지 않는 것이므로 당연히 유형의 사물을 생산할 수 없다. 아직 생기기 전인 유형의 사물은 생물을 만들어 내는 주체가 될 수 없다. 그렇다면 다른 사물을 만들어 내는 것은 무엇인가? 만물은 스스로 생겨나는 것이다.

無既無矣, 則不能生有. 有之未生, 又不能爲生. 然則生生者誰哉? 塊然而自生耳. (곽상郭象, 『장자주莊子注』)

자연영지自然英旨

시 창작에서 지나친 수식 없이 자연 만물의 아름다움과 인간의 진실한 감정을 나타내는 것을 뜻한다. '영지'의 본래 뜻은 '좋은 맛'이지만 문학 용어로 쓰이면 시의 미묘한 내용과 의경을 가리킨다. 남조의 종영은 『시품서』에서 시인은 자신의 언어로 생각과 감정을 직접적으로 토로해야 한다고 주장하여, 옛날 사람의 시구를 빌려 자신의 생각과 감정을 읊는 것에 반대했다. 동시에 시 창작에서 지나치게 수식과 성률에 신경 쓰는 것을 비판하고 '자연영지'에 부합하는 창작이야말로 가장 진귀한 시 작품을 낳는다고 생각했다. 후대의 문론에서는 '자연', '천진天眞' 등이 이 용어의 의미를 이어받았다.

예)

최근의 문인인 임방任昉, 왕융王融 등은 언어의 참신함을 중시하지 않고 아무도 안 써본 갖가지 전고를 앞 다퉈 사용했으며 그 후의 작가들도 점차 그런 습관에 물들었다. 그래서 전고를 안 쓴 구가 없고 내력이 없는 글자가 없는데, 전고와 자신의 글을 억지로 끼워 맞춰 작품을 크게 망친다. 단지 극소수 작가만 지나친 수식 없이 자연 만물의 아름다움과 인간의 진실한 감정을 나타낸 작품을 쓸 수 있다.

> 近任昉, 王元長等, 詞不貴奇, 競須新事, 爾來作者, 浸以成俗. 遂乃句無虛語, 語無虛字; 拘攣補衲, 蠹文已甚. 但自然英旨, 罕直其人. (종영, 『시품서』)

당신이 내게 보여준 편지와 시부詩賦, 잡문은 잘 읽었습니다. 대체로 떠다니는 구름과 흐르는 물처럼 고정된 형태가 없으며 흘러야 할 때는 흐르고 멈춰야 할 때는 멈추더군요. 또한 문장이 자연스럽고 조리가 있으며 또 변화가 많고 구속을 받지 않습니다.

> 所示書敎及詩賦雜文, 觀之熟矣. 大略如行雲流水, 初無定質, 但常行於所當行, 常止於所不可不止, 文理自然, 姿態橫生. (소식蘇軾, 「답사민사서答謝民師書」)

│ **자연**自然

사물 본래의 상태로 '인위'의 뜻과 반대된다. 철학적 의미에서의 '자연' 개념은 상식적인 '자연계'의 개념과는 다르다. 일상적인 의미에서의 '자연계'는 인간과 사회 이외의 물질세계를 가리키며 이 영역은 인위적인 간섭을 받지 않는다. 하지만 철학적 측면에서 보면 인간과 사회도 '자연'의 상태를 갖는다. 또 정치철학 영역에서의 '자연'은 따로 백성이 행정과 교화의 간섭을 받지 않는 상태에서 그저 자기 자신인 것을 가리킨다. 도가는 군주가 나라를 다스리면서 반드시 백성의 '자연' 상태를 따르고 또 그것에 순응해야 한다고 주장했다.

> 예)
> 도는 자연을 법칙으로 삼는다.
> 道法自然. (『노자·25장』)

천지는 만물을 자연 그대로 놔두고 조작을 가하지 않음으로써 만물이 알아서 서로 다스리게 한다.

> 天地任自然, 無爲無造, 萬物自相治理. (왕필, 『노자주』)

자유自由

본 뜻은 자기가 주인이 되는 것으로 자기의 생각, 의지, 염원에 따라 행동하며 외부의 제한과 구속을 받지 않는 것이다. 고대 중국에서 유가와 도교는 속마음과 생명이 속박당하지 않는 자유를 갈망했다. 근대 이후로 자유는 liberty와 freedom의 의역어로 쓰인다. 고유명사로서 주로 두 개의 함의를 지닌다. 첫째, 법률로 규정되고 보호를 받는 국민은 그 의지와 행위가 간섭 받지 않을 권리가 있다. 예를 들면 언론, 집회, 종교 신앙 등 측면의 자유이다. 둘째, 철학에서는 사람의 필연성에 대한 인식과 객관적 세계에 대한 개조의 자유를 가리킨다. 이것은 자연과 사회 규율에 대한 깊은 이해를 바탕으로 수립되며, 사람의 전면적인 발전을 목표로 하는 자유는 아름다운 사회 건설의 핵심가치 중의 하나라고 여겨진다.

예)
모든 것이 중요하지 않으므로, 나는 천천히 거닐며 자유롭다.
外物盡已外, 閒遊且自由. (제기齊己, 『광산우거서공匡山寓居棲公』)

자慈

자애는 고대인이 제창한 미덕이다. 유가는 자녀의 효도를 강조하는 한편, 부모된 자는 마땅히 자기 자녀에게 관심을 기울이고 보호해야 한다고 주장했으며 이것이 곧 '자'이다. 또한 위정자가 자애심을 기르면, 정사를 행할 때 자기 자녀를 대하듯 치하의 백성을 사랑하고 보호할 수 있다. 도가 사상에서 '자'는 특히 백성에 대한 통치자의 자애를 가리키는 말로 종종 사용되었다.

예)

군주로서는 인을 베풀고, 신하로서는 공경하며, 자식으로서 효를 행하고, 부모로서
는 자애를 베풀며, 타국인과 교류함에 있어서는 신의를 지켰다.

爲人君, 止於仁, 爲人臣, 止於敬, 爲人子, 止於孝, 爲人父, 止於慈, 與國人交, 止於信. (『예기
禮記 · 대학大學』)

내게는 세 보물이 있어, 지니고 지킨다. 첫째는 자애요, 둘째는 검소함이며, 셋째는
세상 사람들이 다 하지 않은 일에 감히 나서지 않는 것이다.

我有三寶, 持而保之. 一曰慈, 二曰儉, 三曰不敢爲天下先. (『노자 67장』)

▌**자지탈주**紫之奪朱

　사회생활과 문학예술 등의 영역에서 사악한 것이 올바른 것을 어지
럽히고 진짜와 가짜가 뒤섞이는 현상을 가리킨다. '주'는 빨간색을 뜻
하는데 옛날 사람은 이를 바른 색깔로, 자색은 잡색으로 취급했으며
'탈'은 이긴다는 의미이다. 결국 글자 그대로 풀이하면 자색이 붉은색
을 이긴다는 뜻이다. 맨 처음 이 말을 언급한 공자는 춘추시대에 사악
함과 올바름이 구분되지 않고 음탕한 음악이 고상한 음악을 대체하는
현상이 심해진 것에 반감을 느껴, 근본적인 개혁으로 정상을 회복할 것
을 역설했다. 그리고 남조의 유협은 어떤 작가가 글을 쓸 때 유가 경전
에 반하여 사람들의 엽기적인 심리에 영합하는 것을 두고 이 말을 빌려
비판했다. 후대에는 유가의 문학적 기준과 규범을 확립하고자 할 때 이
말을 썼다.

예)

공자는 말하길, "나는 자색으로 붉은색을 대체하는 것을 미워하며, 정나라 음악이 고
상한 음악을 어지럽히는 것을 미워하며, 말주변으로 나라를 전복시키는 자를 미워한
다."라고 했다.

子曰: "惡紫之奪朱也, 惡鄭聲之亂雅樂也, 惡利口之覆邦家者." (『논어 · 양화』)

수사는 글의 피부이고 작가의 생각과 감정이 글의 골수이다. 고상한 글은 예복의 아름다운 꽃무늬처럼 화려하고 장중한데 지나치게 수식과 기교를 추구하면 잡색이 바른 색에 섞이듯 돼버린다.

辭爲肌膚, 志實骨髓. 雅麗黼黻, 淫巧朱紫. (『문심조룡 · 체성』)

장구章句

주로 두 가지 의미를 포함한다. 첫째, 중국어 시문에서 문자와 단어, 구절, 단락, 편의 통칭이다. 남조 유협(465?~520)의 『문심조룡』은 글의 주제를 중심으로 단어와 문장을 구사하고, 단락을 배치하고, 편과 장을 형성하는 일반적인 원칙 및 방법에 대해 작법의 관점에서 중점적으로 탐구했다. 유협은 높은 뜻을 지녔다는 전제하에 장구를 정교하게 다듬어야 하며, 후인이 작품 가운데서 문법을 유추하여 자각하고, 경험을 종합하여 문학비평 및 이론에 대한 탐구를 전개할 수 있도록 계도해주어야 한다고 강조한다. 둘째, 고대에 주석체로 쓰여진 저서의 명칭으로, 장을 나누고 구를 분석한다는 뜻이다. 주로 유가 경전의 텍스트를 단락으로 나눠 그 속의 낱말을 해석하고 대체적인 의미를 설명했다. 동한 왕일王逸의 『초사장구楚辭章句』, 남송 주희(1130~1200)의 『대학장구大學章句』, 『중용장구中庸章句』 등이 있다.

예)
헛되이 장구를 붙들고 스승의 말을 외우기만 하니, 실제로 세상일을 처리하려면 거의 하나도 쓸모가 없다.

空守章句, 但誦師言, 施之世務, 殆無一可. (안지추顔之推『안씨가훈顔氏家訓 · 면학勉學』)

사람이 글을 쓸 때에는 낱말로 인해 구절이 생기고, 구절이 모여 단락이 되며, 단락이 모여 편이 된다. 한 편의 글이 찬란히 빛나게 하려면 단락에 흠이 없어야 하고, 단락이 명확하고 세밀하려면 구절에 흠결이 없어야 하며, 구절이 참신하고 아름다우려면 낱말을 함부로 써서는 안 된다. 나무의 뿌리가 흔들리면 나뭇잎도 반드시 따라 흔들리는 법이다. 이러한 기본 도리를 안다면 좋은 글을 써낼 수 있다.

夫人之立言, 因字而生句, 積句而成章, 積章而成篇. 篇之彪炳, 章無疵也. 章之明靡, 句無玷也. 句之淸英, 字不妄也. 振本而末從, 知一而萬畢矣. (유협『문심조룡 · 장구』)

| 장부어민藏富於民

부를 민중의 손안에 쥐어 주다. 이는 고대로부터 있었던 정치경제 사상이다. 선진先秦 시기 유가, 묵가, 도가, 법가, 병가 등 각 유파에서 일제히 이에 대해 명확히 서술하고 있다. 통치자는 근검절약하여 백성과 이익을 다투지 않고, 백성의 재물을 수탈하지 않아야 한다. 또 한편으로는 백성에게 관대한 정책을 실행하고, 백성이 합리적으로 이익을 추구하여 부유해지도록 허락하고 격려해야 한다. 그 가운데에는 민부民富와 국부國富의 동일성에 대한 인식이 숨겨져 있다. 민부는 국부의 기초이며, 국가가 민심을 얻는 토대이기도 하다. 또한, 국부의 근본은 재물에만 있지 않으며 더 중요한 것은 민심이다. 장부어민은 민본民本 사상의 연장된 개념으로, 오늘날에 이르러서는 이미 현대문명의 근본적 특징 중 하나가 되었다.

예)

국가를 치리하는 데 능한 사람은 반드시 먼저 백성을 부유하게 하고, 그 후에야 어떻게 백성을 다스릴지 생각한다.

善爲國者, 必先富民, 然後治之. (『관자管子 · 치국治國』)

백성에게 세를 거두는 데 한도가 있고 씀씀이를 절제하면, 나라가 작더라도 반드시 안정된다. 백성에게 세를 거두는 데 한도가 없고 쓰는 것도 절제하지 않는다면, 나라가 비록 크더라도 반드시 위태로워진다.

取于民有度, 用之有止, 國雖小必安; 取于民無度, 用之不止, 國雖大必危. (『관자 · 권수權修』)

나라를 잘 다스리는 자는 백성이 부를 쌓을 수 있도록 한다.

善爲國者, 藏之於民. (『삼국지三國志 · 위서魏書 · 조엄전趙儼傳』)

| 장성長城

'만리장성'이라고도 부름. 성벽, 망루, 관문, 봉화대 등 여러 종류의 건축물로 구성된 통합적인 방어체계이다. 기원전 3세기에 진 왕조가 중국을 통일한 후, 흉노의 남침을 방어하기 위해 전국시기 연, 조, 진 등의 제후국이 수축한 장성을 하나로 연결하고 견고히 하여 연장했다. 서쪽으로는 임치(현 감숙성 민현岷縣)부터 동쪽으로는 요동(현 요녕성)까지 구불구불 1만여 리의 장성을 건설했다. 그 후로 양한, 북조, 수 등 각대가 모두 북방 유목민족과의 접경지대에 장성을 수축했다. 명 대는 장성을 크게 수리한 마지막 조대로, 홍무부터 만력 연간에 앞뒤로 장성을 18번 수축했다. 오늘날 사람들이 볼 수 있는 장성은 대부분이 명 대의 장성으로, 명나라의 장성은 서쪽의 가욕관부터 동쪽의 산해관까지 총 길이가 8851.8Km에 달한다. 장성은 중국 고대에 가장 위대한 군사방어 공정으로 후세 사람들은 종종 '장성' 또는 '만리장성'으로 국가의 중임을 담당하는 사람을 비유했고, 장성은 중화민족이 한마음으로 단결하고 뜻을 모아 일을 이루며 견고하여 무너뜨릴 수 없음의 문화적 상징이 되었다.

예)
진시황은 몽염을 북방으로 파견하여 장성을 수축하고 변경을 지키게 하여 흉노적을 700여리나 후퇴시키고 오랑캐가 중원에 남하하여 마을 치지 못하게 했다......
乃使蒙恬北築長城而守藩籬, 卻匈奴七百餘里, 胡人不敢南下而牧馬...... (가의賈誼, 『과진론過秦論』)

탄규가 죽었다. 국가의 동량이 무너졌고 나라 안의 정예가 없어졌으니, 어쩌면 좋은가?
呑珪既喪, 壞了萬里長城, 國中精銳已盡, 如何是好? (진침陳忱,『수호후전水滸後傳』제12회)

| 장주몽접莊周夢蝶

장자莊子(B.C. 369?~B.C. 286)가 자신이 나비가 된 꿈을 꾸다. '장주 몽접' 일화는『장자 · 제물론齊物論』에 보인다. 장자가 자신이 나비가 된 꿈을 꾸었다가 잠에서 깬 후에야 자신이 장자인 것을 알아차렸다. 장자 는 심지어 장자가 꿈에서 나비가 된 것인지 나비가 꿈에서 장자가 된 것인지 구별할 수 없었다. 장자는 이 꿈 경험을 빌려 자신과 타인, 꿈과 깨어남 그리고 모든 사물 사이의 경계과 구별이 서로 상대적이며 허물 어질 수 있다는 사실을 사람들에게 일깨웠다. 사물은 변화하고 흘러가 는 상태에 놓여있는데 장자는 이를 '물화物化'라고 불렀다.

예)

예전에 장주가 자신이 나비가 된 꿈을 꾸었다. 훨훨 날아다니는 한 마리의 나비는 여 러 곳을 노닐며 유유자적했으며 자신이 장주라는 것을 몰랐다. 문득 잠에서 깨어나니 자신은 분명히 장주였다. 장주가 나비가 된 꿈을 꾼 걸까 아니면 나비가 장주가 된 꿈을 꾸는 걸까? 장주와 나비는 반드시 구별이 된다. 이를 물화라고 이른다.

昔者莊周夢爲胡蝶, 栩栩然胡蝶也, 自喩適志與! 不知周也. 俄然覺, 則蘧蘧然周也. 不知周之 夢爲胡蝶與?胡蝶之夢爲周與?周與胡蝶, 則必有分矣. 此之謂物化. (『상사 · 제물론』)

| 장표章表

고대 문체의 명칭으로, 신하가 황제의 은총에 감사하거나 황제에게 청이 있을 때 쓰던 문서이다. '장'은 사은, '표'는 청원의 용도로 쓰였다. 양자는 문체상 차이가 크지 않다. 남조 유협(465?~520)은『문심조룡』 에서 장표를 쓸 때의 이상적인 기준을 제시했는데, 전달하려는 뜻이 명 확하되 천박하지 않고, 서술과 분석이 정밀하고 충실하며, 예의와 어문 규범에 부합해야 한다고 하였다.

예)

진나라 초에 제도를 정했고 상소를 '주'라고 고쳐 불렀다. 한대에 예의를 정하여 4품이 생겼고 장章, 주奏, 표表, 의議라고 하였다. 장은 은혜에 감사하고, 주는 고발하고 탄핵하며, 표는 청원을 진술하고, 의는 다른 의견을 내기 위한 것이다.

秦初定制, 改書曰奏. 漢定禮儀, 則有四品. 一曰章, 二曰奏, 三曰表, 四曰議. 章以謝恩, 奏以按劾, 表以陳請, 議以執異. (유협『문심조룡 · 장표』)

장표의 기능은 조정의 은덕을 보답하고 찬양하기 위한 것으로 자신의 심정을 상세히 드러내 보인다. 자신의 수양을 보이는 한편 국가의 영예를 보여주어야 한다. 장은 조정으로 보내지는 것으로, 풍격과 규범이 모두 명확해야 하고, 표도 황궁으로 올려지는 것이니 형식과 수사가 모두 뛰어나야 한다. 장표의 이름을 따라 그 실질을 고찰하면, 문장의 아름다움이 그 요지이다.

原夫章表之爲用也, 所以對揚王庭, 昭明心曲. 旣其身文, 且亦國華. 章以造闕, 風矩應明, 表以致禁, 骨采宜耀. 循名課實, 以文爲本者也. (유협『문심조룡 · 장표』)

| 재才

사람의 재능, 자질. 구체적으로 말하면 '재才'에는 서로 다른 두 가지 함의가 있다. 첫째로는 사람을 응대하고 사무를 처리하는 재능, 수완을 가리킨다. 이 의미에서의 '재'는 사람에 따라 다르다. 사람마다 재능이 있을 수도 없을 수도 있고, 여러 가지 재능이 있거나 한 가지 재능만 가졌을 수도 있다. 둘째, 사람이 천부적으로 가진 자질로 '재材'와 통하며 '본성性'의 개념과 비슷하거나 같다. '본성'에 대한 해석이 그러하듯 '재'의 좋고 나쁨에 대해서도 다양한 견해가 있다.

예)

중궁仲弓이 계씨의 집사를 맡게 되어 공자에게 다스림에 관해 물었다. 공자가 대답했다. "정무를 먼저 아래 관원들에게 분배하고, 그들의 사소한 잘못은 너그럽게 용서하며, 어질고 재능 있는 인재를 등용한다."

仲弓爲季氏宰, 問政. 子曰: "先有司, 赦小過, 擧賢才." (『논어論語 · 자로子路』)

맹자가 말했다. "풍년에는 젊은이들의 행실이 대부분 착하지만, 흉년에는 젊은이들이 포악해진다. 하늘이 내린 자질에 차이가 있는 것이 아니라 열악한 환경이 그들로 하여금 선한 마음을 잃게 하기 때문이다."

孟子曰: "富歲, 子弟多賴; 凶歲, 子弟多暴. 非天之降才爾殊也, 其所以陷溺其心者然也." (『맹자 · 고자상告子上』)

재주복주載舟覆舟

물은 배를 띄워 운항하게 하고 배를 전복시키기도 한다. 물은 백성에 대한 비유이고 배는 통치자에 대한 비유이다. '재주복주'는 민심의 지지와 반대의 중요성을 나타낸다. 백성이야말로 정권의 존망과 나라의 흥망을 결정하는 힘의 근간이다. '민유방본民惟邦本'(백성이 나라의 근본이다), '순천응인順天應人'(하늘을 따르고 민심에 응답한다)이라는 정치사상과 서로 통한다. 예로부터 이 용어는 집정자가 항상 경각심을 가지고 민심을 존중하고 백성을 위해 집정하도록 일깨우는 역할을 했다.

예)
군자는 배고 백성은 물이다. 물이 배를 띄우기도 하고 배를 가라앉히기도 한다고 했는데 이를 말한 것이다.

君者, 舟也, 庶人者, 水也. 水則載舟, 水則覆舟, 此之謂也. (『순자荀子 · 왕제王制』)

적선성덕積善成德

선행을 쌓음으로서 덕성을 기르다. '적선성덕'은 순자가 제시한 덕성을 기르는 방법이다. 순자는 사람의 본성에만 의지해서는 외부 사물에 대한 쟁론만 쉼없이 일어나고, 집단은 무질서의 혼란에 빠질 뿐이라고 생각했다. 그에 따르면 사람의 도덕성은 후천적인 교화에 의해 확립된다. 사람은 언행의 표현에서 예법의 기준에 부합해야 하며, 이를 오랫동안 축적하여 차츰 도덕과 예법에 대한 인식을 형성하고 내재하는 도덕의식을 확립하게 된다.

예)

흙더미를 쌓으면 산이 만들어지고, 비바람이 여기에서 생겨난다. 물을 모으면 깊은 못이 되고, 이무기가 이곳에서 자란다. 선행을 쌓아 덕성을 기르면 저절로 지혜를 얻게 되고, 성인의 마음을 갖추게 된다.

積土成山, 風雨興焉. 積水成淵, 蛟龍生焉. 積善成德, 而神明自得, 聖心備焉. (『순자 · 권학勸學』)

적자지심赤子之心

본의는 어린아이의 세상에 물들지 않은 순수한 마음이다. 어른이 되어서도 여전히 가지고 있는 어린아이와 같은 참된 마음에서 우러나오는 정성과 진심을 가리키기도 하는데, 이러한 마음은 공리功利 세계에서 여전히 지켜나갈 수 있는 초심이다. 정치 윤리 영역에서 이는 사람의 선량한 진심의 본성을 가리키며 주로 입장을 바꿔 생각하는 측은지심 혹은 진실을 향한 어린아이와 같은 품격을 가리킨다. 문예 창작과 심미 영역에서 주로 감정이 풍부하고 아름다우며 순진한 이상이 있는 동심을 가리키며 모든 공리심, 세상에 둔 마음 그리고 지나치게 이성적이고 심미적 정취가 결핍된 심리상태를 초월하였다. 이는 또한 옛 사람들이 추종하는 이상적인 인격의 표징이며 문예작품의 아름다운 인물 형상을 대표한다.

예)

깊은 덕을 소유한 사람은 갓 태어난 어린아이와도 같다. 독이 있는 곤충과 뱀이 해할 수 없고 맹수도 해할 수 없으며 흉폭한 새와 짐승도 그를 먹잇감으로 노릴 수 없다. 그는 근골이 연약하나 꽉 쥔 주먹은 매우 단단하며 남녀 간의 사귐은 모르지만 생식기는 일어날 수 있는데 이는 정기가 충만하기 때문이다. 그는 하루종일 울부짖으나 목이 쉬지는 않는데, 이는 원기가 순정하고 온화한 까닭이다. 순정하고 온화함의 도리를 이해하면 한결같음을 이해하게 되고 이를 현명함이라 일컬을 수 있다. 욕심대로 행하고 자기 목숨을 아끼는 것은 불행을 일으키며 정기精氣가 욕망에 사로잡히는 것은 위세를 부리는 것과 같다. 지나치게 강성하면 노쇠할 것이며 이는 자연의 이치에 어긋나는 것으로, 그렇게 되면 빠르게 쇠망한다.

含德之厚, 比於赤子. 蜂蠆(chài)虺(huǐ)蛇不螫(shì), 猛獸不據, 攫鳥不搏. 骨弱筋柔而握固, 未知牝牡之合而全作, 精之至也.終日號而不嗄, 和之至也.知和曰常, 知常曰明, 益生曰祥, 心使氣曰強. 物壯則老, 謂之不道, 不道早已. 『노자老子·오십오장五十五章』

덕을 행하는 자는 어린아이와 같은 천진무구한 마음을 지켜갈 수 있는 자이다.

大人者, 不失其赤子之心者也. 『맹자孟子·이루하離婁下』

전기傳奇

문예 용어로서 세 가지 함의를 가진다. 첫째, 당송시기의 단편소설 장르를 가리킨다. 혹자는 육조六朝 시기의 지괴소설에서 유래되어 내용면에서 사회생활과 각종 인정세태에 대한 묘사로 확장되었다고 여긴다. '전傳'은 전해 들은 말이고 '기奇'는 기이함으로, 본래의 의미는 전설 또는 기이한 이야기를 기술하는 것을 가리켰다. 당대唐代 배형裴鉶의 『전기傳奇』라는 책은 아마도 이 용어가 가장 먼저 활용된 것일 것이다. 송대에는 당나라 소설 『앵앵전鶯鶯傳』을 전기라고 보았고, 원대에는 당나라 시대 사람들의 소설을 '당전기唐傳奇'라고 불렀다. 당전기와 비교할 때, 송대의 전기는 더욱 일상생활과 구어에 가깝다. 둘째, 송원 시기의 제궁조諸宮調, 희문戱文, 잡극雜劇 등 희곡 문학 류의 작품을 가리킨다. 이 시기의 설창 문학과 희곡 창작 등은 제재를 주로 당전기에서 가져왔기 때문에 그렇게 불린다. 셋째, 명청 시기의 창남곡唱南曲을 주로 한 장편 희곡을 가리킨다. 남희南戱로부터 발전하여 원대 잡극의 특징을 융합했는데, 예를 들면 양진어梁辰魚(1519~1591)의 『완사기浣紗記』, 공상임孔尚任(1648~1718)의 『도화선桃花扇』, 홍승洪昇(1645~1704)의 『장생전長生殿』 등이다. 각 시기 전기의 개념은 제재의 답습과 확장도 있고 수법의 계승과 창조도 있지만, 공통적인 핵심은 '기이한 일을 전하고, 특이한 사람을 연기한다'는 것이다.

예)
금원金元 시기에 생긴 '잡극'이라 명칭은 명청 초기에는 '전기'로 변했다. 잡극은 북방의 음악이고 전기는 남방의 곡조이다. 잡극은 4절만 있고, 한 사람이 주로 부르지만 전기는 절 수가 많으며 노래도 역할에 따라 균등하게 나누어 부른다. 잡극은 한 사건의 시작과 끝만 취하여 줄거리의 부자연스러움을 피할 수 없으나 전기는 주인공에 관한 이야기를 처음부터 끝까지 자세하게 풀어내어 더 흥미롭다.

.金元創名 "雜劇", 國初演作 "傳奇". 雜劇北音, 傳奇南調. 雜劇折惟四, 唱止一人; 傳奇折數多, 唱必勻派. 雜劇但摭一事顚末, 其境促; 傳奇備述一人始終, 其味長. (여천성呂天成, 『곡품曲品』 상권)

고대 사람들은 극본을 '전기'라고 불렀는데, 기술된 내용이 매우 기괴하여 직접 본 사람은 없으나 세상에 전해졌기에 이런 이름을 얻었다. 기이하고 특이한 일이 아니면 전해지지 않았다고 볼 수 있다. '신新'은 기이하고 특이함의 다른 말이다. 만약 이 줄거리가 이미 극장에서 상영되었으면 수많은 사람들이 모두 함께 봐서 모두가 새롭다고 느끼지 못할 것이니 특별하게 전할 가치가 있겠는가? 따라서 희극 극본을 쓰는 사람은 반드시 '전기'라는 이 두 글자의 의미를 잘 이해해야 한다.

古人呼劇本爲 "傳奇"者, 因其事甚奇特, 未經人見而傳之, 是以得名. 可見非奇不傳. 新, 即奇之別名也. 若此等情節業已見之戲場, 則千人共 見, 萬人共見, 絶無奇矣, 焉用傳之? 是以塡詞之家, 務解 "傳奇"二字. (이어李漁, 『한정우기閑情偶記 · 탈과구脱窠臼』)

전법필본어정승戰法必本於政勝

전쟁에서 승리의 원칙 또는 방법은 정치상의 우세 또는 성공을 기초로 한다. 다르게 말하자면 전쟁의 승패는 근본적으로 정치의 우열에 달렸다. 중국 고대의 병가兵家, 법가는 정치적 각도에서 전쟁을 보았고 전쟁의 본질은 정치라고 여겼고 전쟁은 정치의 연장선으로 정통인화(政通人和, 정치가 잘 이루어져 백성들이 화목함)는 전쟁에서 승리하는 결정적인 요소였다. '전법필본어정승'이란 말은 독일의 군사학자 클라우제비츠 Clausewitz(1780~1831)의 "전쟁은 단지 정치가 다른 수단을 통해 지속된 것에 불과하다"라는 관점(『전쟁론戰爭論』)과 방법은 달라도 효과는 똑같이 절묘하지만, 이천여 년 앞섰다.

예)
전쟁에서 승리의 원칙은 반드시 정치상의 우위를 기초로 하며 이렇게 해야 사람들이 서로 싸우지 않는다. 사람들이 서로 싸우지 않으니 각자 자기의 뜻을 이루려고 하지 않게 되어 모두 함께 군주의 의지에 따르게 된다. 그러므로 왕업을 이룩한 임금의 정치는 백성들을 마을에서 다투는 것을 겁내게 하고 용감하게 적과 싸우게 하는 달려 있다.

凡戰法必本於政勝, 則其民不爭, 不爭則無以私意, 以上爲意. 故王者之政, 使民怯於邑鬥, 而勇於寇戰. (『상군서 · 전법戰法』)

| 전사불망前事不忘, 후사지사後事之師

옛일을 잊지 않고 나중 일의 거울로 삼는다. '전사'는 과거의 일, 역사이다. '후사'는 나중의 일, 즉 현재와 미래이다. '사'는 본받는다, 거울로 삼는다는 뜻이다. 역사로부터 경험과 교훈을 받아들여 나중 일의 참고로 삼으라고 일깨우는 의미가 있다. 고대 중국은 역사를 편찬하는 일을 중시해 사학이 발전했다. 그 목적은 전대에서 보인 치국의 성패와 이해득실을 종합하여 분석하고 역사 인물 특히 제왕과 집정 관리의 언행에 대해 시비와 선악을 서술하여 당대와 후세에 경고하고 귀감이 되는 것이다.

예)

제가 고금으로 일어난 일을 살펴보니 천하의 아름다움은 다 같았으나 신하와 임금의 권세가 동등하면서 아름다운 경우는 없었습니다. 옛일을 잊지 않고 나중 일의 거울로 삼아야 합니다.

臣觀成事, 聞往古, 天下之美同, 臣主之權均之能美, 未之有也. 前事之不忘, 後事之師. (『전국책戰國策 · 조책趙策 일』)

옛일을 잊지 않고 나중 일의 거울로 삼는다 하였습니다. 옛사람은 지금 사람이 따라야 하는 기준이 됩니다. 사람들이 사는 시간은 비록 다르지만 옳고 그름을 따지는 일에는 분명 다름이 없습니다.

又聞前事爲後事之師, 古人是今人之則, 據其年代, 雖即不同, 量彼是非, 必然無異. (조보趙普, 『상태종청반사上太宗請班師』)

│ 전식前識

앞서 얻은 인식. '전식'은 『노자老子』에서 비롯된 말로, 많은 사람이 인식하기 이전에 얻어서 상식보다 우월한 인지를 가리킨다. 전식을 가진 사람은 스스로 선견지명이 있다고 여긴다. 그러나 도가에서 보기에 전식은 단지 개인의 편협한 인식일 뿐 사물의 진실한 자연 상태를 드러낼 수 없다. 만약 통치자가 이런 전식에 따라 나라를 다스리면 백성에게 피해가 가고 나라가 혼란스러워진다.

예)

선견지명이 있다고 하는 사람은 겉만 화려한 도道로 우매함의 시작이다.

前識者, 道之華, 而愚之始. (『노자 · 38장』)

사물과 일의 도리가 나타나기 전에 행동하는 것을 전식이라 한다. 전식은 근거 없이 멋대로 하는 추측이다.

先物行先理動之謂前識. 前識者, 無緣而忘[妄]意度也. (『한비자韓非子 · 해로解老』)

전신사조傳神寫照

문학과 예술작품에서 묘사하거나 그려내는 인물이 실제처럼 생동하여 형태와 정신을 모두 갖춘 것을 말한다. '전신傳神'은 인물에 내재하는 정신세계를 완벽하게 표현해 살아 있는 듯 생생하게 그려내는 것이다. '사조寫照'는 인물의 형상을 눈앞에 있는 것처럼 실제에 가깝게 그리는 것을 말한다. 회화론에서 쓰이던 이 용어는 나중에 문학 영역에서도 사용되었으며, 화가와 문학가가 인물형상 및 예술형상 일체를 창조할 때 추구하는 예술의 경지이다.

예)

인물의 모습이 아름다운지 혹은 추한지는 본디 그림의 오묘함을 드러낼 수 없다. 진정으로 인물의 모습과 정신을 갖추었는지, 생생하게 살아 움직이는지를 보여주는 부분은 바로 눈이다.

四體妍蚩, 本無關於妙處, 傳神寫照, 正在阿堵中. (유의경劉義慶『세설신어世說新語 · 교예巧藝』)

계속 내면의 감정을 표현해야 할 자리에서 의도적으로 내용을 전환하여 의미의 공백을 남기는 것은 사를 짓는 고수의 비결이다. 앞뒤의 감정이 이어져야 하는데, 작가는 일부러 이어 쓰지 않고 오히려 다른 묘사나 서술로 방향을 돌려 버린다. 그 공백을 통해 인물의 내적 변화를 더욱 생생하게 전달하는 한편, 뒤에 이어지는 감정을 더욱 선명하고 생동하게 한다.

空中蕩漾最是詞家妙訣. 上意本可接入下意, 却偏不入. 而於其間傳神寫照, 乃愈使下意, 栩栩慾動. (유희재劉熙載『예개藝概 · 사개詞概』)

작가가 그려낸 노지심은 천년 이후에도 사람들의 눈앞에 살아 있으니, 진정으로 살아 생동하는 인물 묘사의 고수이다.

描畫魯智深, 千古若活, 眞是傳神寫照妙手. (이지李贄『이탁오선생비평충의수호전李卓吾先生批評忠義水滸傳』)

전아典雅

문장이 모범적이고 아정함을 이르는 말이다. 처음에는 글을 쓸 때 경전에 근거를 두어 사상과 내용이 바르고 고상해야 함을 가리키는 말로 경전 특히 유가의 도리를 심미적 규범으로 삼았다. 나중에는 문사와 풍격이 고상하고 우아하며, 가볍거나 속되지 않음을 이르게 되었다. 이후에 '전아'라는 용어는 도가의 자연스럽고 염담恬淡(욕심 없이 평안함)하며 속세를 초월하는 심미적 함의와 융합되었다. 사공도는『이십사시품二十四詩品』에서 "떨어지는 꽃잎은 말이 없고, 사람은 국화처럼 담백하다. 洛花無言, 人淡如菊."라고 '전아'를 표현하였는데, 도가의 자연스럽고 염담한 풍격과 유사하다.

예)
전아란 유가 경전을 본보기로 삼고 유가의 도리와 법도를 따르는 것이다.
典雅者, 熔式經誥, 方軌儒門者也. (유협劉勰, 『문심조룡文心雕龍·체성體性』)

서간이『중론』20편을 지어서 일가언을 이루었는데 문사가 전아하니 후세에 전해질 만하다.
[徐幹]著『中論』二十篇, 成一家之言, 辭義典雅, 足傳於後. (조비曹丕, 『여오질서與吳質書』)

전원시田園詩

전원 풍경과 전원생활을 주요 소재로 삼은 시의 유파이다. 동진시인 도연명이 시효이다. 도연명의 시는 대부분 전원생활을 주제로 했고 언어가 소박하고 화면이 평이하지만 참신하고 자연스러우며 의경이 심원하고 정취가 농후하다. 전원시는 중국 고전시가에 새로운 경지를 열었으며 육조 이후의 시가 발전에 영향을 주었다.

예)

사령운謝靈運의 시는 심오하나 주로 산수에 탐닉하였고, 도연명의 시는 소박하지만 전원생활을 주로 묘사했다.

以康樂之奧博, 多溺于山水. 以淵明之高古, 偏放于田園. (백거이白居易, 『여원구서與元九書』)

전익다사轉益多師

여러 장점을 최대한 널리 취하여 자기의 문예 창작을 풍부하게 한다. '전익轉益'은 자신의 이익을 고려하여 자기의 창작에 유익한 것이라면 모두 학습하여 흡수해야 한다는 뜻이다. '다사多師'는 광범위하게 본받고, 한 사람에게만 집중할 필요가 없음을 말한다. 당대 시인 두보杜甫(712~770)의 『희위육절구戲爲六絶句』에서 유래되었다. 이것은 서로 관련된 두 가지 측면을 포함한다. 첫째, 최대한 광범위하게 배우고 고인 또는 당시의 덕망이 높은 사람의 창작 경험을 본받고 여러 장점을 두루 취하여 전부 받아들인다. 둘째, 모두를 본받으면서도 계승은 비판적이어야 한다. 이렇게 해야만 『시경』의 풍아風雅(국풍, 대아大雅, 소아小雅)의 전통에 부합하거나 가까워질 수 있으며 자기의 예술 풍격을 형성할 수 있다. 후대에 이 술어의 사용범위는 시가 창작에서 문학예술 등 각 영역으로까지 확대되었다.

예)

경박한 무리는 의심할 여지 없이 선현에 못 미친다. 옛날 사람을 대대로 계승하는 데 누가 먼저인지 누가 나중인지 가릴 필요가 있는가? 난잡하고 불순한 시가를 분별하여 제거함으로『시경』의 풍아의 전통을 직접적으로 따르고, 여러 측면에서 본받으며 다양한 장점을 두루 취해야 비로소 그대에게 진정으로 유익한 스승이 될 것이다.

未及前賢更勿疑, 遞相祖述復先誰? 別裁僞體親風雅, 轉益多師是汝師. (두보, 『희위육절구』 6)

과거에 한유가 『진학해進學解』를 지어, 사마상여와 양웅의 작품을 고대의 『상서』와 동급으로 두고 논했다. 두보는 시문 창작을 말하며 노조린盧照鄰, 낙빈왕駱賓王의 작품

창작을 양자강과 황하가 세차게 흐르는 것으로 비유했다. 한유와 두보의 논술 대상은 서로 다르지만, 논리는 일치한다. 모두 여러 장점을 두루 취할 것을 강조하고 다방면으로 본받으라는 것으로 후대 사람들에게 문학 창작의 법칙을 명확하게 알려 주었다. 자신을 가두지 말고 자아를 제한해서는 안 된다는 것이다.

昔昌黎『進學』, 馬, 揚上並『盤』『誥』. 杜陵論文, 盧, 駱譬之江河.   同工異曲, 轉益多師, 明示軌躅, 無區畫畛. (진용陳墉, 『답오자술서答吳子述書』)

절기節氣

24절기의 약칭. 중국 전통 농사력農事曆 특유의 현상이다. 고대 사람들은 더 효율적인 농업 활동을 위해, 장기간의 농사 경험으로부터 농경의 길잡이가 될 보완 역법을 고안해 냈다. 1년간 태양의 황도상 위치 변화 및 그에 상응하는 기후와 물후物候 변화에 근거, 1년을 24분하고 매 부분이 하나의 절기에서 시작하도록 한 뒤 12개월에 나누어 배열한 것이 24절기이다. 24절기는 보통 매달 고르게 분포하는데 월초에는 '절節', 월중에는 '기氣'라고 한다(3년마다 '절'은 있고 '기'가 없거나, '기'는 있고 '절'이 없는 상황이 발생하며 이때는 윤달로 절을 조정한다). 절기의 명칭은 계절, 물후, 기후의 3가지 변화를 반영한다. 계절변화를 반영한 이름은 입춘立春, 춘분春分, 입하立夏, 하지夏至, 입추立秋, 추분秋分, 입동立冬, 동지冬至의 8개 절기가 있다. 물후변화를 반영한 절기는 경칩驚蟄, 청명淸明, 소만小滿, 망종芒種의 4개가 있고, 기후변화를 반영한 절기는 우수雨水, 곡우穀雨, 소서小暑, 대서大暑, 처서處暑, 백로白露, 한로寒露, 상강霜降, 소설小雪, 대설大雪, 소한小寒, 대한大寒의 12개가 있다. 24절기는 진한 시기에 이미 형성되어 2천여 년간 농업을 보조하는 실용적인 역할을 했고, 중국인의 특수한 시간관념을 형성하기도 했다.

예)
보슬비에 뭇 꽃이 새롭게 보이고, 우레소리 한 번에 경칩이 시작되네. 농가의 한가한

날 며칠이나 되겠는가, 밭 갈고 씨 뿌리기 이때부터 시작되네.

微雨衆卉新, 一雷驚蟄始. 田家幾日閑, 耕種從此起. (위응물韋應物『관전가觀田家』)

| 절지천통絕地天通

땅의 일과 하늘의 일이 서로 침범하고 무질서하게 소통하는 것을 끊어내는 것. 상서尙書와 국어國語에서 처음 언급되었다. 절지천통絕地天通은 사람과 신이 뒤섞여 초래되는 혼란스러운 상태를 겨눈 것이다. 하늘과 땅 두 영역의 일은 각 영역에 속한 사람이 나뉘어서 관리하는 것이며 이로써 사람들이 임의로 무질서하게 신과 소통하는 것을 막고 신령의 권위와 그 통섭 하의 인간세계 질서를 보호한다.

예)

전욱顓頊이 제위를 계승하여 남쪽의 통제기관 중重에게 명령하여 하늘의 일을 장관함으로 신령을 모시는 일을 책임지도록 하였고 불의 통제기관 여黎에게 땅의 일을 장관함으로써 백성을 관리하는 일을 책임지도록 하여 옛 상태로 돌아가고 하늘과 땅이 더 이상 서로 반해하지 않도록 하였는데, 이를 절지천통絕地天通이라 일컫는다.

顓頊(zhuānxū)受之, 乃命南正重(chóng)司天以屬神, 命火正黎司地以屬民, 使复旧常, 无相侵渎, 是谓绝地天通. (『국어國語 · 초어하楚語下』)

| 점철성금點鐵成金

훌륭한 작가가 일상적인 문구나 옛사람의 문장을 써서 창의적으로 기이하고 아름다운 함의를 표현해내다. 고수가 문장을 수정할 때 평범한 문자를 훌륭한 글로 다듬는 데 능함을 이르기도 한다. 북송의 황정견이 유협의 '종경宗經'사상을 계승하여, 고전적인 작품의 표현기교를 학습하고 연구하며 옛 사람의 문구를 교묘하게 인용함으로써 평범하고 진부한 것을 기이하게 만드는 것과 자기의 문장의 뜻을 선명하면서

도 화려하게 만드는 것을 강조했다. 이 주장은 송대 및 후대에 시문 창
작 수법에 관한 토론을 촉진시켰다.

예)

고대에 글 짓기에 능한 대가들은 각종 문자와 이미지를 하나로 결합시키는데 대단히
능해서 설령 옛사람의 진부한 문구를 따서 쓰더라도 묘약 한 알을 써서 쇠를 금으로 만
드는 것과 같았다(기묘한 뜻을 표현해낸다).

古之能爲文章者, 眞能陶冶萬物, 雖取古人之陳言入於翰墨, 如靈丹一粒, 點鐵成金也. (황정견
黃庭堅, 『답홍구부서答洪駒父書』)

"(어떤 사람이 술에 취한 후에) 술상을 두드리며 공개적으로 말다툼하여 다른 사람을
화나게 하고 말 끝마다 냉정한 말로 주위 사람들을 격노하게 했다. 잔 속의 술이 그들의
추태를 보고 '나'는 본래 성정이 봄날 같이 온화한 음료이다'라며 가소로워했다." 앞의
두 구절은 원래 매우 저속한 말이나 시구로 다듬어 내었으니 진정 창의적인 점화의 고
수로 "쇠를 만져 금으로 바꿨다"고 말할 수 있다.

"椎牀破面根觸人, 作無義語怒四鄰. 尊中歡伯見爾笑: 我本和氣如三春". 前兩句本粗惡語, 能
煅煉成詩, 眞造化手, 所謂點鐵成金矣. (오가吳可, 『창해시화藏海詩話』)

정겸아원情兼雅怨

시는 시인의 억울하고 힘든 심정을 표현하는 한편, 우아하고 바른 심
미적 기준에 어긋나서는 안 된다. 이는 남조의 저명한 문학이론가 종영
鐘嶸(468?~518)이 제시한 시의 좋고 나쁨을 평가하는 기준 중 하나이
다. 종영은 예술적 관점에서 조식曹植(192~232)의 시가 '정겸아원'하다
고 평가했다. 그 뜻은 시가 시인 마음속의 억울함을 표현해야 하지만,
이러한 감정의 노출은 반드시 적절한 정도여야 하고 우아함과 바름의
기준에 부합해야 함을 강조하고 있다. '아원雅怨'의 구체적인 해석에 대
해서는 여러 가지 관점이 존재한다. 한쪽에서는 '아원'이 곧 '아정지원
雅正之怨'으로 '원'을 중심으로 하며, 조식의 시는 비록 압제받는 원망과

고초를 싣고 있으나 시풍이 부드럽고 평화로워 '아'의 요구에 부합한다고 주장한다. 또 다른 관점에서는 '아', '원'은 병립하는 개념으로, 조식의 시는 고상함과 원망의 정서라는 두 가지 예술적 특징을 동시에 가지고 있다고 본다. 어떤 식으로 이해하든 간에 종영의 '정겸아원'설은 육기(261~303)의 '시원정' 이론을 발전시킨 결과이자, 전통시가 이론의 '발호정, 지호예의'에서 한 단계 더 나아간 이론이다.

예)

위나라 진사왕 조식의 시는 『시경』의 국풍에서 그 원류를 찾을 수 있다. 격조와 기백이 매우 높고 표현이 화려하고 풍성하여, 고상함과 원망하는 정서가 함께 있고 수사와 내용이 어우러지니, 고금에 찬란하여 뭇 사람이 비할 수 없게 뛰어나다.

魏陳思王植詩, 其源出於國風, 骨氣奇高, 詞彩華茂, 情兼雅怨, 體被文質, 粲溢今古, 卓爾不群. (종영 『시품』)

『국풍』은 남녀 간의 애정을 묘사했으나 음란하지 않고, 『소아』는 원망과 비판이 담겼으나 변란을 부채질하지 않는다. 『이소』에 대해서는 이 둘을 겸비했다고 할 수 있다.

『國風』好色而不淫, 『小雅』怨誹而不亂, 若『離騷』者, 可謂兼之矣. (『사기 · 굴원가생열전 屈原賈生列傳』)

정경情景

문학 작품에서 경물景物 묘사와 감정 표현이 서로 유기적으로 결합되는 것을 뜻한다. '정'은 작가의 마음속 감정을, '경'은 외부의 경물을 가리킨다. 정경 이론은 양자의 융합을 강조한다. 정이 없으면 경이 서지 못하고 경이 없으면 정이 아름답지 못하다. 송대 이후 출현한 문학 용어로서 그 전의 정물情物 관념과 비교해 정경 이론은 한층 더 경물 묘사와 감정 표현, 창작과 감상의 상호의존과 일체화를 중시하였다.

예)

경물은 감정이 주입되지 않으면 시 속에 나타날 리 없으며 감정은 경물이 배경으로 없으면 생겨나지 않는다.

景無情不發, 情無景不生. (범희문范晞文, 『대상야어對床夜語』 2권)

정과 경은 이름이 둘이지만 실제로는 분리할 수 없다. 시를 잘 짓는 사람은 둘을 잘 융합해 경계가 보이지 않는다. 구상이 정교하면 정 속에 경이, 경 속에 정이 있다.

情景名爲二, 而實不可離. 神於詩者, 妙合無垠. 巧者卽有情中景, 景中情. (왕부지王夫之, 『강재시화姜齋詩話』 하권)

| 정교情敎

문학작품이 가지고 있는, 감정으로 사람을 움직이는 교육의 기능을 말한다. 문학작품은 남녀간의 애정 및 인간 세상의 진실한 감정을 묘사함으로써 독자를 감화시키고 심령을 정화하며, 마지막에는 사회 풍조에 영향을 주거나 변화를 불러올 수 있다. 명말 시기 저명한 통속문학가인 풍몽룡(1574~1646)이 제시한 개념이다. 풍몽룡은 '정'이 일종의 본능이자 천성으로, 남녀로부터 시작되어 군신, 부자, 형제, 친구 사이로 흘러가며 소설은 진실한 정을 써야 한다고 강조했다. 진실한 감정이 있어야 비로소 사람의 마음을 감동시킬 수 있고, 이로부터 교화의 작용이 일어날 수 있다. 풍몽룡이 '정교'설을 주장한 것은 도덕과 이치의 설파를 포기한 것이 아니라, 다만 감정이 도덕과 이치보다 본질적이고 진실하며 사람의 본성에 더욱 다가서 있다고 생각했기 때문이다. '정교'설은 명 중엽 이래로 감정을 중시하고 진정성을 추구하는 사상으로 발전했으며, 풍몽룡의 문학관과 세계관을 대표한다. 그는 대량의 통속문학 작품을 손보고 정리 및 창작하는 데 평생의 심혈을 기울였는데, 역시 이 사상을 실천한 것이다.

예)

만약 천지간에 정이 없다면 만물이 살 수 없다. 만물에 정이 없다면, 서로 이어지는 삶의 고리가 계속될 수 없다. 만물이 살아 숨쉬며 소멸되지 않는 까닭은 정이 끊이지 않기 때문이다....... 내가 정교를 세우고자 함은 뭇 중생을 가르치려는 것이다.

天地若無情, 不生一切物. 一切物無情, 不能環相生. 生生而不滅, 緣情不滅故......我欲立情敎, 敎誨諸衆生.(풍몽룡『정사情史 · 서叙』)

정은 알지 못하는 사이에 일어나 갈수록 깊어지고, 산 자는 정으로 인해 죽기도 하며 죽은 자는 살기도 한다.

情不知所起, 一往而深, 生者可以死, 死可以生. (탕현조湯顯祖『「모란정기牡丹亭記」 제사題詞』)

정귀유항政貴有恆

국가의 큰 정치는 안정적으로 지속되는 것을 중시한다. '정'은 국가의 근본적인 제도, 법령, 정책을 가리키며, '귀'는 숭상하는 것이고, '유항'은 안정적으로 유지되는 것이다. 한 나라, 특히 큰 나라는 반드시 근본적인 제도와 근본적인 큰 법의 안정성과 지속성을 유지해야 한다. 아침저녁으로 바뀌고 변덕스러우면 정국의 불안정과 사회혼란을 불러온다. 특히 근본적인 문제에는 기존의 것을 뒤집을 만한 큰 변화가 있으면 안 된다. 그러면 회복하고 바로잡기 어렵다. 이 도리는 "큰 나라를 다스리는 것은 작은 생선을 삶는 것과 같아서 무엇이든지 가만히 두면서 지켜보는 것이 가장 좋다"라는 말과 통하는 점이 있다.

예)

국가의 정치는 안정적이고 지속되는 것을 중시한다. 국가의 언어는 확실하고 간단명료한 것을 중시한다. 무조건 혁신만을 추구해서는 안 된다.

政貴有恆, 辭尚體要, 不惟好異. (『상서尙書 · 필명畢命』)

| 정기程器

문인의 그릇과 문학적 능력을 종합적으로 판단하다. 남조 유협劉勰(4 65?~520)이 『문심조룡文心雕龍』에서 제시한 용어이다. '정'은 가늠하다, 판단하다의 의미이다. '기'는 개인의 품행, 치국의 능력 및 문학적 재능 등을 동시에 가리킨다. 유협은 한위漢魏 이래로 어떤 문인들은 품행에 문제가 있거나 국가와 군정 사무를 처리하는 능력이 부족했기에 세인들로부터 비웃음을 샀고, 작품의 명성도 이에 영향을 받았다고 생각했다. 그래서 그는 문인이 창작의 재능뿐 아니라 좋은 품행과 국가를 위해 업적을 쌓는 능력도 갖춰야 한다고 주장했다. 그는 도덕적인 사람은 분명 천하를 마음에 품고 풍부한 견식을 가지며, 여러 재능을 발전시켜 다방면에 능력을 발휘할 것이라고 여겼다. 또한 입덕立德, 입공立功, 입언立言을 통일하여 문인을 전면적으로 평가하는 기본적인 기준으로 삼자고 주장했다.

예)
한무제는 걸출한 인재들을 불러모은 뒤 그 재능을 판단하여, 기다리지 못하겠다는 듯 서둘러 그들을 등용했다.
武帝旣招英俊, 程其器能, 用之如不及. (『한서漢書·동방삭전東方朔傳』)

글쓰는 것은 반드시 군국대사를 계획하듯 해야 하고, 중임을 맡으면 반드시 나라의 동량이 되어야 한다. 뜻을 펴지 못할 때는 홀로 수양하며 글로써 세상에 전하고, 벼슬길이 열렸을 때는 시기를 잡아 공적을 세워야 한다. 이러한 문인은 『상서·재재梓材』에서 말하는 인재에 부합할 것이다.
摛文必在緯軍國, 負重必在任棟梁, 窮則獨善以垂文, 達則奉時以騁績. 若此文人, 應『梓材』之士矣. (유협劉勰『문심조룡文心雕龍·정기程器』)

정기精氣

가장 정교하고 미세한 '기氣'이다. '정기'에 대한 비교적 상세한 해석 중 가장 오래된 것은 『관자管子』이다. 『관자 내업內業』편 등의 토론에서 '정기'는 '기' 중에서 가장 정교하고 미세한 부분을 가리키며 '도'의 구체적인 실현이다. 모든 형체가 있는 사물과 인류는 모두 '정기'로 구성되어 있다. 이밖에 사람의 생명, 정신, 지혜는 모두 '정기'가 작용한 결과로 여겨진다.

예)
모든 사물에 포함된 '정기'는 사물이 생성되는 근거이다. 땅에서는 오곡을 자라게 하고 하늘에서는 뭇 별들을 만든다. '정기'가 천지간에 흐르는 것을 귀신이라 부른다. 가슴에 품으면 성인의 지혜가 된다.

凡物之精, 此則爲生. 下生五穀, 上爲列星. 流於天地之間, 謂之鬼神; 藏於胸中, 謂之聖人.
(『관자管子 · 내업內業』)

사람은 정기에 의해 생존할 수 있으며 사람이 죽으면 정기는 소멸된다.
人之所以生者, 精氣也, 死而精氣滅. (왕충王充, 『논형論衡 · 논사論死』)

정명正名

사물의 호칭, 이름을 고치고 바로잡아 명실상부하게 한다. '명'은 사물의 호칭으로 사물의 속성과 그가 타자와 맺는 관계를 규정한다. '실'은 명이 가리키는 사물, 실체이다. 명이 규정하는 바가 그것이 가리키는 실체와 일치해야 한다. 하지만 현실에서 명과 실은 종종 일치하지 못한다. 이러한 상황에서 사물의 용도에 따른 이름은 사물 자체의 속성을 뛰어넘어서는 안 되고 이름이 가리키는 실체 또한 이름이 규정한 범위를 벗어나면 안 된다. '정명'은 이름으로 세워진 사회질서를 유지하는 중요한 방법이다. 모든 학파가 '정명'이라는 주장에 동의했으나 고쳐야 할 '명'의 구체적 내용에는 차이가 있다.

예)

이름이 바르지 않으면 말이 이치에 맞지 않고, 말이 이치에 맞지 않으면 일이 되지 않고, 일이 되지 않으면 예악이 흥성하지 않으며, 예악이 흥성하지 않으면 형벌이 제대로 시행되지 않고, 형벌이 제대로 시행되지 않으면 백성들이 어찌할 바를 모르게 된다.

名不正, 則言不順, 言不順, 則事不成, 事不成, 則禮樂不興, 禮樂不興, 則刑罰不中, 刑罰不中, 則民無所錯手足. (『논어論語 · 자로子路』)

바로잡고자 하는 바는 이름이 가리키는 실체를 바로 잡는 것이다. 그 실체를 바로잡는 것이 곧 그 이름을 바로잡는 것이다.

其正者, 正其所實也, 正其所實者, 正其名也. (『공손룡자公孫龍子 · 명실론名實論』)

｜ 정문입설程門立雪

눈발을 무릅쓰고 정이程頤(1033~1107) 집의 문 앞에 서서 기다리다. 입설이란 눈밭에 서 있다는 뜻이다. 북송시기 양시楊時(1053~1135)라는 사람이 있었다. 그는 친구 유작游酢(1053~1123)과 함께 저명한 학자인 정이의 집에 가르침을 청하러 갔다. 정이는 낮잠을 자고 있었다. 스승을 깨우지 않기 위해 두 사람은 큰 눈이 내리는데도 공손히 문밖에서 기다렸고, 눈은 쌓여 한 척에 달했다. 정이는 깨어나서 깊이 감동하여 양시를 성심껏 가르쳤고, 양시는 결국 학문에 성취를 이뤘다. 이 이야기는 학생이 마음을 다해 배움을 구하고 스승을 존경하는 본보기가 되었다. 또한 선종 문헌의 기록에 따르면, 이조 혜가慧可(신광神光)가 보리달마의 지도를 구할 때도 큰 눈이 내리는 날 밤 오랫동안 서서 기다렸다고 한다. '입설'은 '스승을 존경하고 도리를 중시한다'는 의미이며, 역시 중국에서 고대로부터 숭상해 온 미덕이다.

예)

어느 날 정이를 만나러 갔는데 정이는 마침 낮잠 중이었다. 양시와 유작은 문밖에 서서 기다렸다. 정이가 깨어나니 문밖에는 눈이 한 척이나 깊이 쌓여 있었다.

一日見頤, 頤偶瞑坐, 時與游酢侍立不去. 頤旣覺, 則門外雪深一尺矣. (『송사宋史 · 양시전楊時傳』)

그래서 신광은 보리달마가 있는 곳으로 가 아침저녁으로 뵙고 모셨다. 보리달마는 늘 단정히 앉아 벽을 바라보고 있어, 신광은 한 번도 그가 가르침이나 격려의 말을 하는 것을 들어본 적이 없었다. 그 해 12월 초아흐레날 밤 하늘에서 큰 눈이 내렸다. 신광은 보리달마 곁에 굳게 서서 움직이지 않았다. 날이 밝은 때쯤에 눈은 이미 무릎을 넘겨 쌓였다.

(神光)乃往彼晨夕參承, 師常端坐面墻, 莫聞誨勵. …… 其年十二月九日夜, 天大雨雪, 光堅立不動, 遲明積雪過膝. (석도원釋道原『경덕전등록景德傳燈錄 · 혜가대사慧可大師』)

정발어성情發於聲

외부 사물의 자극을 받아 마음으로부터 감정이 솟구치고, 시를 통해 이 감정을 표현하며 일정한 음악과 선율로 불러낸다는 것으로『시경』서문에 보인다. 시의 기원에 대한 중국 고대의 한 관점으로,『서경』의 '시언지詩言志(시는 뜻을 말로 나타낸 것)'와 대체로 유사하며 일맥상통한다. 상고시대에 시, 음악, 춤은 한 몸으로 불가분의 관계였고, '정발어성'은 상고시대 시의 주요 특징을 나타내고 있다. 후대에 이르자 시는 점차 단순한 언어예술로 변화되었고 음악 및 춤과는 분리되어, '정발어성'의 관점도 역사의 무대 뒤로 사라졌다.

예)

시는 뜻을 표현하는 것이다. 마음에 있을 때는 뜻이며 말로 나오면 시가 된다. 감정이 마음속에서 움직이면 말로써 표현되고, 말이 부족하면 탄식하게 되고, 탄식으로 부족하면 노래로 읊게 되며, 노래가 부족하면 저도 모르게 손을 흔들고 발을 디디며 춤추게 된다. 감정이 소리가 되어 나오고 소리가 선율이 되면 이를 음이라 한다.

詩者, 志之所之也, 在心爲志, 發言爲詩. 情動於中而形於言, 言之不足, 故嗟嘆之, 嗟嘆之不足, 故詠歌之, 詠歌之不足, 不知手之舞之足之蹈之也. 情發於聲, 聲成文謂之音. (『모시 서』)

보통 사람이 외부 사물의 감응을 받으면 반드시 마음속의 감정이 움직이고, 그런 후 탄식하게 되며, 음악으로 이러한 감정을 읊어내어 노래할 수 있는 시가 생겨난다.

大凡人之感於事, 則必動於情, 然後興於嗟嘆, 發於吟詠, 而形於歌詩矣. (백거이 『책림策林 69 · 채시이보찰시정采詩以補察時政』)

| 정성正聲

원래는 중국 고대 음악의 개념으로 주요한 함의는 두 가지이다. 첫째, 유가와 정부가 주도한 우아하고 순수하고 올바른 음악을 가리킨다. 오정성五正聲, 즉 궁宮, 상商, 각角, 치徵, 우羽 다섯 음을 가리킬 때도 있다. 둘째, 유가는 『시경』의 음악 체제와 사상 내용이 가장 순수하고 올바르며 우아하여 '정성'의 모범이라 여겼고, 그래서 후대 사람들은 '정성'으로 내용과 의경이 순수하고 올바르고 우아하여 모범으로 삼을 만한 시가 작품을 가리켰다. 명대의 고병高棅(1350~1423)이 간추려 편집한 『당시정성唐詩正聲』은 당시의 각 문체의 대표적인 작품을 엄선하여 후대 사람들을 위해 시가 작문의 올바른 표준을 확립하려 시도했다.

예)
무릇 사악한 음악이 사람에게 작용하면 사람이 가진 자신의 옳지 못한 기운이 끓어올라 방탕함과 향락이 생긴다. 모든 순수하고 올바른 음악이 사람에게 작용하면 사람 자체의 온화한 기운을 불러일으켜 조화와 평온함이 생긴다.

凡奸聲感人而逆氣應之, 逆氣成象而淫樂興焉. 正聲感人而順氣應之, 順氣成象, 而和樂興焉. (『예기 · 악기』)

어째서 『시경』같은 우아하고 바른 시풍은 매우 미약하고, 굴원의 작품은 새로운 슬픔과 원망을 드러내는가?

正聲何微茫, 哀怨起騷人. (이백, 『고풍古風』1)

정성鄭聲

아악과 반대되는 민간의 통속음악. 원래 춘추전국 시기 정, 위 지역의 음악을 가리키며, '정위지음鄭衛之音'이라고도 한다. 장중하고 웅장하며 규범적인 아악에 비해, 정성의 곡조는 자유롭고 형식적인 변화가 풍부하며 가사의 내용은 대부분 남녀 간의 사랑에 관한 이야기이다. 공자는 이러한 작품은 개인의 감정을 여과 없이 드러내고 사상이 순수하지 않아서 예악의 교화를 저해하므로 배척해야 한다고 여겼다. 후세 학자들은 '정성'을 저속한 문예 작품을 가리키는 말로 사용했다. 한편 어떤 학자들은 정성이 민가民歌 등 통속문예의 범위에 포함되어야 하며, 예술 창작의 근원이자 고급 예술을 보완하는 존재라고 여기기도 했다.

예)
정나라의 음악을 버리고, 아첨하는 소인을 멀리하라. 정나라의 음악은 음란하고, 아첨하는 소인은 위험하다.
放鄭聲, 遠佞人. 鄭聲淫, 佞人殆. (『논어·위령공』)

요순 시대의 『소』는 따르기 어렵고, 음란한 정성은 유행하기 쉽다. 계찰季札이 어찌 노국의 음악만 들을 뿐이었겠는가? 음악을 통해 예의 흥성과 쇠퇴를 알고자 한 것이다.
『韶』響難追, 鄭聲易啓. 豈惟觀樂? 與焉識禮. (유협 『문심조룡·악부樂府』)

정시체正始体

삼국시대 조위曹魏 후기(서기 240~265년)의 문학 풍격을 가리킨다. 위魏 제왕齊王 조방曹芳 정시正始연간(서기 240~249년)에 시작되어 '정시체'라 불린다. 이 시기의 정치 현실은 매우 잔혹했기 때문에 정시문인들은 철학의 관점으로 더 넓은 인생과 우주의 문제를 생각했다. 깊이 있는 이성적 사고와 강렬한 인생의 슬픔이 정시문학의 가장 기본적인 특징이다. 정시문학의 주요한 특징은 노장을 숭상하여 현리玄理로 시를 지어 철학적 이치의 색채가 농후한 것이다. 당시의 작가들은 주로 두 갈래로 나뉜다. 하나는 하안何晏, 왕필王弼로 대표되며 양진兩晉 '현언시玄言詩'의 문을 열었다. 다른 한 유파는 혜강嵇康, 완적阮籍으로 대표되며 건안문학建安文學의 전통을 계승하여 그 작품에는 심오한 사상감정과 선명한 시대 특색 및 개인의 특징이 담겨서 성취가 더욱 크다.

예)

정시 연간에 이르러 도가사상이 성행하여 시가에는 구선求仙의 내용이 혼합되었다. 하안 등의 작품은 대부분 비교적 경박하다. 혜강의 시는 높고 깊은 정취를 담았고 완적의 시는 멀고 심오한 의지를 표현하여 그들만이 동시대 시인보다 뛰어나다.

及正始明道, 詩雜仙心, 何晏之徒, 率多浮淺. 唯嵇志淸峻, 阮旨遙深, 故能標焉. (유협劉勰, 『문심조룡文心雕龍 · 명시明詩』)

▎ 정심正心

마음을 바르게 함으로써 일상의 윤리 도덕을 실천한다. '정심'은 『대학大學』에서 나온 말로 격물格物, 치지致知, 성의誠意, 수신修身, 제가齊家, 치국治國, 평천하平天下와 함께 '팔조목八條目'으로 불리며 유가에서 제창한 도덕 수양의 주요 단계 중 하나이다. '정심'은 '성의'를 전제로 한다. 진실하게 일상의 윤리 도덕을 실천하는 과정에서 사람의 마음은 분노, 공포, 기쁨, 근심 등의 감정으로 인해 불가피하게 악해질 수 있다. 때문에 늘상 자신의 마음을 바로잡고 마음이 간섭받지 않게 하고 언제나 윤리 도덕을 실천하고자 다잡아야 한다.

예)
성의를 했으나 그 마음에 혹여 치우침이 있다면 그 마음을 바르게 하지 않은 것이므로 마침 정심에 매진해야 한다.

意既誠了, 而其心或有所偏倚, 則不得其正, 故方可做那正心底工夫. (『주자어류朱子語類』 권16)

성실하게 양지를 발휘했는데 조금도 억지, 독단, 고집, 아집이 없다면 그것이 정심이다.

著實致其良知而無一毫意必固我, 便是正心. (『전습록傳習錄』 권중)

정의正義

옛 뜻은 주로 두 가지가 있다. 하나는 '정확한 의미', '본래의 의미'로 고대 전적에 대한 정확한 해석을 가리킨다. 『오경정의五經正義』와 같이 책 제목으로 자주 사용된다. 다른 하나는 '공리公理', '정리正理'로 공인된 정당한 원칙과 도리를 가리킨다. 근대 이후에 학계에서 후자의 의미에 근거해 서구권의 'justice'를 번역하였다.

예)
이익에 부합하면 하는 것을 사업[事]이라고 부르고, 도의에 부합하면 하는 것을 덕행[行]이라고 부른다.

正利而爲謂之事, 正義而爲謂之行. (『순자荀子 · 정명正名』)

정인지도靜因之道

마음을 비우고 그대로 따르는 위정 방식. '정인지도'는 『관자管子』에서 나온 말로 황로黃老 사상의 대표하는 개념으로 여겨진다. 황로학은 노자의 '무위無爲' 사상을 계승하여, 군주가 정치 권력을 사용해 백성의 생활에 간섭해서는 안 되며 마음을 비워 고요한 모습으로 백성들이 스스로 만든 고유한 법칙을 그대로 따라야 한다고 주장했다. 그럼으로써 백성은 자연스러운 방식으로 생존하고 발전할 수 있다. 이렇게 군주가 백성을 대할 때 초연히 따르는 방식을 '정인지도'라 한다.

예)
그러므로 도가 있는 군주는 혼자 있을 때는 지혜가 없는 듯이 보이나 사물을 대할 때면 사물이 지닌 고유한 법칙과 자연스럽게 일치되니 이것이 '정인지도'이다.

是故有道之君, 其處也若無知, 其應物也若偶之, 靜因之道也. (『관자管子 · 심술 상心術上』)

정자정야政者正也

'정치'는 곧 '바르게 한다'라는 뜻이다. '정政'은 정치, 나라를 다스린다는 의미이다. '정正'은 원칙을 지키고 품행이 단정하고 일 처리에 공정함을 이른다. '정자정야'는 두 가지 의미를 지닌다. 하나는 위정자가 정치를 시행할 때 원칙을 지키고 품행이 단정하고 일 처리가 공정해야 함을 강조하는 의미이다. 다른 하나는 도덕적인 차원에서 위정자가 스스로에 대한 요구를 엄격히 하여 자신이 모범이 되어서 아랫사람이나 백성들이 정도를 따르고 사회 규범을 준수하도록 영향을 미쳐야 함을 강조하는 의미이다. 고대의 '인치人治', '덕정德政' 사상이 구체적으로 드러난 것이다.

예)
계강자가 공자에게 정치를 어떻게 해야 하는지 물었고 공자가 대답했다. "정치란 바르게 한다는 말이다. 그대가 모범이 되어 바르게 한다면 누가 감히 바르게 하지 않겠는가?"

季康子問政於孔子, 孔子對曰, "政者, 正也. 子帥以正, 孰敢不正?" (『논어論語 · 안연顏淵』)

공자가 말했다. "윗사람이 자신을 바르게 하면 명령하지 않아도 행해지며 자신을 바르게 하지 않으면 명령을 내려도 따르지 않는다."

子曰, "其身正, 不令而行, 其不正, 雖令不從." (『논어論語 · 자로子路』)

정情

‘정’은 3가지 서로 다른 함의가 있다. 첫째, 인간의 감정과 욕망을 두루 가리킨다. ‘정’은 외부 사물에 자극을 받아 일어나는 인간의 자연적인 본능으로 후천적으로 습득되는 것이 아니다. 둘째, 인간의 특정 감정과 욕망을 가리킨다. 일반적으로 좋아함(好), 싫어함(惡), 기쁨(喜), 분노(怒), 슬픔(哀), 즐거움(樂) 이 6가지나, 즐거움, 분노, 슬픔, 두려움(懼), 사랑(愛), 미움(惡), 욕망(慾) 이 7가지로 규정된다. 전자를 ‘육지六志’ 혹은 ‘육정六情’이라 부르며 후자는 ‘칠정七情’이라 부른다. 셋째, 실제 사정이나 상황을 가리킨다. 앞의 두 가지 의미에 해당되는 ‘정’에 대해 역대 학자들은 다양한 태도를 보였다. 누구는 ‘정’을 억제해야 한다고 주장했으며, 또 누구는 ‘정’의 합리성과 ‘정’을 잘 이끌어야 할 필요성을 인정했다.

예)
사람의 정이란 무엇인가? 기쁨, 분노, 슬픔, 두려움, 사랑, 증오, 욕망이니 이 7가지는 배워서 생기는 게 아니다.
何謂人情? 喜, 怒, 哀, 懼, 愛, 惡, 慾, 七者弗學而能. (『예기 · 예운』)

지위가 높은 사람이 신의를 중시하면 백성은 감히 실제 사정으로 대하지 않을 수 없다.
上好信, 則民莫敢不用情. (『논어 · 자로子路』)

정鼎

고대에 음식을 삶는 용기이면서 중요한 제례용 용기이기도 하다. 전해지는 바에 따르면 하나라 우임금이 아홉 개의 정을 주조하였는데 이는 구주九州를 상징하며 하夏, 상商, 주周 삼대에 전국傳國의 중요한 기물로서 왕위의 합법성, 권위를 나타내는 징표가 되었다. 정은 대부분 청동으로 만들어졌으며 일반적으로 양쪽으로 귀가 있고 세 개 혹은 네 개의 다리가 있다. 세 개의 다리는 '삼공三公'(고대에 중앙에서 나라의 행정, 사법, 군사를 관장하는 최고 권위의 세 관직)을 나타내고, 네 개의 다리는 '사보四輔'(고대에 천자를 가까이서 보좌하는 네 사람)를 나타낸다. 진秦나라 이후에 정은 왕권의 상징이라는 의미는 점차 약해졌지만 '정'이라는 글자는 여전히 왕위 혹은 나라의 정권을 지칭하는 데 사용되었다. '혁혁하다', '성대하다', '존귀하다' 등의 의미도 생겨났다.

예)
정은 종묘에서 왕위를 상징하는 제기이다.
鼎者, 宗廟之寶器也. (『한서漢書 · 오행지五行志』 중지상中之上)

역신을 논하는 일을 '문정'이라고 일렀다.
論逆臣則呼爲問鼎. (유지기劉知幾, 『사통史通 · 서사敍事』)

정치政治

두 가지 주요한 용법이 있다. 첫째, 국가를 다스리기 위해 시행하는 모든 시책을 가리킨다. '정'은 통치자가 규정한 법령, 제도, 질서를 말하며 '치'는 백성을 관리하고 다스리는 것을 말하는데 즉 '정'의 구체적인 시행이다. 둘째, 국가의 통치가 안정되고 양호한 상태에 도달한 것, 즉 정치가 맑고 바르며 경제가 번영하고 천하가 태평한 상태를 가리킨다. 근대 이래 '정치'는 의미가 변화해 정부, 정당, 사회단체 혹은 개인이 국내적 혹은 국제적 사무 중에 취하는 정책이나 조치, 행위 등을 가리키게 되었다.

예)
널리 교화시키고 정치를 맑고 바르게 하여 윤택함이 백성들에게 미치다.

道洽政治, 澤潤生民. (『상서 · 필명畢命』)

법령으로써 백성들을 다스리고 형법으로써 사악함을 바로잡는다.
政以治民, 刑以正邪. (『좌전 · 은공 십일년』)

정토淨土

뭇 부처가 거처하는 번뇌와 멀리 떨어진 곳. 정토의 개념은 '불국佛國'
(buddhakṣetra)에서 나왔다. 도를 이룬 어떤 한 사람이 있는 세계를 가
리킨다. 한 사람의 부처에게 하나의 정토가 있다―佛―化土는 사상은 대
승불교의 중요한 교리이다. 불심은 청정하기에 그가 거처하는 세계 역
시 청정하고 엄숙하며, 범부가 거처하는 번뇌로 오염된 세계와 대비된
다. 정토종의 중요한 법문은 '아미타불'과 같이 정토의 한 부처의 이름
을 암송함으로써, 부처의 서원을 통해 그 나라에 왕생하는 것이다.

예)
만약 내가 부서가 된다면, 내 나리의 보살이 뜻대로 보는 곳곳은 청정한 불토이며 끝
이 없을 것이다. 내가 서원을 이룰 때에는, 밝은 거울로 얼굴을 보듯이 보석으로 된 나
무도 정토를 비춰낼 수 있을 것이다. 만약 그렇지 않다면, 나는 진정으로 깨달음을 얻었
다고 할 수 없다.
設我得佛, 國中菩薩隨意欲見十方無量嚴淨佛土. 應時如愿, 於寶樹中皆悉照見, 猶如明鏡睹其
面像. 若不爾者, 不取正覺. (『불설무량수경佛說無量壽經』1권)

만약 보살의 마음이 깨끗하면, 그 국토는 청정하다. 그렇다면 석가모니가 부처가 되
기 전에는 설마 그의 뜻이 깨끗하지 않아서 불토가 이처럼 오염되었던 것인가? ... 사리
불이여! 이는 중생의 죄업 때문에 불토의 엄숙함과 청정함을 보지 못한 까닭으로, 여래
의 잘못이 아니다. 사리불이여, 나의 국토는 장엄하고 청정하니, 그저 네가 보지 못하는
것뿐이다.
若菩薩心淨, 則佛土淨者, 我世尊本爲菩薩時, 意忌不淨, 而是佛土不淨若此? ...舍利弗! 衆生
罪故, 不見如來佛土嚴淨, 非如來咎. 舍利弗! 我此土淨, 而汝不見. (『유마힐소설경維摩詰所說經

·불국품佛國品 제1』)

정통인화政通人和

어진 정치가 시행되어 사람들이 화목하다. '정통'은 곧 국가의 정책, 법령 등이 전면적으로 철저히 실행되어 정치 사무의 운영이 순조롭고 효과가 있는 것이고, '인화'는 모든 사람이 만족하고 위아래가 한마음으로 단결하여 사이가 좋은 것이다. 건강한 통치 상태로서, 이것은 '국태민안(國泰民安, 나라가 태평하고 백성이 평안함)"과 의미가 비슷하다. 그러나 사람으로 인한 요소를 더 강조하며 '정통'과 '인화'의 상호 전제 또는 인과 관계를 더욱 분명하게 표현한다.

예)
다음 해가 되니 정치가 안정되어 백성이 화목하여 방치된 많은 일이 모두 착수되었다.
越明年, 政通人和, 百廢俱興. (범중엄, 『악양루기』)

제국유상制國有常, 이민위본利民爲本

나라를 다스리는 데 있어 불변의 원칙은 백성을 이롭게 하는 것을 모든 제도의 근본으로 삼는 것이다. '제국制國'은 '치국治國'으로 나라의 제도와 정책을 확립하고 정령政令을 선포하며 나라의 사무를 처리한다는 뜻이다. '상常'은 언제나 변하지 않는 원칙이다. '이민利民'은 '혜민惠民'과 같으며 백성의 이익을 보장하고 백성이 좋은 것을 얻게끔 한다는 뜻이다. '본本'은 근본이다. 백성을 이롭게 하는 것을 나라의 제도·정령의 근본적인 출발점과 귀결점으로 삼는 것은 민본民本, 혜민惠民 사상의 표현이다.

예)

나라를 다스리는 데 있어 변하지 않는 원칙은 백성을 이롭게 하는 것을 모든 제도의 근본으로 삼는 것이다. 정사를 처리하는 데 있어 일정한 법칙은 정령이 순조롭게 시행되는 것을 가장 중요한 일로 삼는 것이다.

夫制國有常, 而利民爲本, 從政有經, 而令行爲上. (『전국책戰國策·조책趙策 2』)

제궁조諸宮調

북송에서 시작되어 금원金元 시기에 유행한 설창 예술. 동일한 궁조宮調의 여러 개의 곡조로 하나의 모음곡으로 구성될 수 있으며, 제궁조는 서로 다른 궁조의 여러 모음곡을 조합한 것이다. 공연 형식은 한 궁조의 모음곡을 다 부르고 나서 바로 운을 바꾸어 다른 궁조의 모음곡을 부르는 것이다. 모음곡과 모음곡의 공연 사이에 공연자는 대사로 줄거리를 서술하여 전후를 연결한다. 모음곡 사이에 어떤 때는 한 곡의 짧은 소령小令(짧은 사詞의 형식)를 끼워 넣기도 한다. 제궁조는 원잡극의 정형화와 발전에 비교적 큰 영향을 끼쳤다. 동해원董解元이 지은『서상기제궁조西廂記諸宮調』는 세상에 전해지는 온전한 제궁조 작품으로 금대 희곡의 최고 수준을 대표한다.

예)

장단구(사詞) 작품 중에 해학적인 우스갯소리를 사용하는 것은 지화至和 연간부터 시작된 것이다. 가우嘉祐 이전에는 아직 흥성하지 않았다. 희녕熙寧, 원풍元丰과 원우元祐 연간에 연주兗州 장산인張山人의 해학 공연은 북경京城에서 비길 자가 없었으며 자주 한두 곡을 지었다. 택주澤州의 공삼전孔三傳이 처음으로 제궁조로 고대 전기의 이야기를 공연하였는데, 사대부들은 모두 읊을 수 있었다.

長短句中, 作滑稽無賴語, 起於至和. 嘉祐之前, 猶未盛也. 熙, 豐, 元祐間, 兗州張山人以詼諧獨步京師, 時出一兩解. 澤州孔三傳者, 首創諸宮調古傳, 士大夫皆能誦之. (왕작王灼, 『벽계만지碧雞漫志』 2권)

제궁조로 설창을 하는 것은 예전에 변경에 공삼전이 있어 여러 전기 이야기와 신령과 귀신과 괴물에 관련 있는 극본을 지어 악곡을 배합하여 말하고 불렀다. 요즘은 항주의 여자 예인 웅보보熊保保와 후배 여자아이가 모두 그를 모방하여 그들의 설창 기예도 매우 능란하다.

說唱諸宮調, 昨汴京有孔三傳, 編成傳奇靈怪, 入曲說唱; 今杭城有女流熊保保, 及後輩女童皆效之, 說唱亦精. (오자목,『몽양록』20권)

제례祭禮

제사의 예. 인류 생활의 중요한 예의이다. 옛 예법의 규정에 따르면 제사의 대상은 천지, 일월, 산천과 앞서간 선인 등을 포함한다. 사람들은 '제례'를 통해 제사 대상에 대한 공경과 두려움을 표현하며, 제사를 받는 대상이 자신의 언행을 용납하기를, 그로부터 보호받고 복을 받기를 바란다. '제례'가 제사하는 사람과 상응하는 예절에 대한 제례의 규정 역시, 그 사람의 인류 생활에서의 신분 및 지위를 드러내 준다. 현대 사회에는 여전히 제사 활동의 일부가 남아 있으나, 그 의식과 의미는 모두 크게 변화되었다.

예)
제사할 때는 그 대상이 눈앞에 있듯이 하고, 각종 신령을 제사할 때는 신령이 눈앞에 있듯이 한다. 공자는 말했다. "나는 만약 제사에 직접 참여하지 못한다면, 제사를 하지 않은 것과 같다."

祭如在, 祭神如神在. 子曰: "吾不與祭, 如不祭." (『논어·팔일八佾』)

제례는 외부의 사물이 사람에게 예를 행하도록 하는 것이 아니라, 안으로부터 마음에서 생겨난다. 마음에 경외함이 있어 예로써 제사하는 것이다. 그래서 오직 현인만이 제례의 뜻을 다할 수 있다.

夫祭者, 非物自外至者也, 自中出生於心也, 心怵而奉之以禮. 是故唯賢者能盡祭之義. (『예기·제통祭統』)

| 제물齊物

사물 간의 차이와 대립을 타파하는 인식, 태도 혹은 생활방식이다. 장자莊子는 「제물론齊物論」에서 세계의 변화무상함을 통해 서로 다르고 대립하는 사물 사이에 내재하는 공통된 부분을 설명한다. 따라서 세계의 서로 공통된 본질에서 출발하여 만물을 같게 보고 자아의 입장에서 판단하는 사물에 대한 분별, 싫고 좋음을 버린다. 마음이 사물에서 떨어져나와 사물의 한계와 영향에서 벗어나게 된다. 그러면 더 이상 사물 간의 차이와 대립의 표상이 마음 나아가 생명의 책임을 구성하지 않는다.

예)
따라서 제물하면 개인의 기호로 인한 폐단이 사라질 것이다.
故齐物而偏尚之累去矣. (곽상郭象, 『장자주庄子注』)

| 제민지산制民之産

백성의 생업을 보장하다. '제민지산'은 맹자(B.C. 372?~B.C. 289)의 말로 정치를 행할 때 요구되는 바이다. 맹자는 백성이 안정된 생업이 없어 자신의 생존이 어려워지면 생계를 유지하기 위해 도덕을 저버린다고 생각했다. 따라서 위정자는 생업에 따른 소득이 일상생활의 필요를 충족할 수 있도록 백성에게 필요한 산업을 우선적으로 만들어 주어야 한다. '제민지산'은 위정자가 도덕 교화를 펼치는 데 기본 전제가 된다.

예)
맹자가 말했다. "일정한 생업이 없으면서도 변함없는 도덕심을 지키는 것은 선비만이 할 수 있습니다. 보통의 백성은 안정된 생업이 없으면 변함없는 도덕심이 사라져 방종하고 법을 어기며 못하는 일이 없어집니다. 그들이 죄를 범하길 기다렸다가 형벌을 가하니 이는 백성을 모해하는 일입니다. 어찌 어진 위정자가 백성을 모해하겠습니까? 따라서 현명한 군주는 백성의 생업을 보장해 반드시 백성이 충분히 부모를 모시고 처자식을 부양하며 풍년에는 배불리 먹고 흉년에는 굶어죽지 않도록 해야 합니다. 그다음에 백성을 선으로 인도하면 백성도 쉽게 따릅니다.

> 曰 "無恒産而有恒心者, 惟士爲能. 若民, 則無恒産, 因無恒心. 苟無恒心, 放辟邪侈, 無不爲已. 及陷於罪, 然後從而刑之, 是罔民也. 焉有仁人在位罔民而可爲也? 是故明君制民之産, 必使仰足以事父母, 俯足以畜妻子, 樂歲終身飽, 凶年免於死亡. 然後驅而之善, 故民之從之也輕." (『맹자 · 양혜왕 상梁惠王上』)

| 제자백가諸子百家

춘추 말기부터 한초까지 각파의 학자들과 그 저작을 말한다. 춘추 시기에 주대의 옛 사회질서와 가치관념은 날로 붕괴되었다. 현실 속의 사회 위기에 맞닥뜨린 당시 학자들은 자유로우면서도 심도 있게 각자의 생각을 발전시켰고, 사회질서와 가치관념을 세워가는 과정에서 다양한 이론과 주장을 제시하였다. 이처럼 활발한 이론의 창립과 학술 토론의 풍조는 서한 초기까지 지속되었다. 후대인은 이 시기에 쏟아져 나온 많은 학자와 그 저작들을 일컬어 '제자'라고 하였고, 이들을 유가, 묵가, 도가, 명가, 법가, 음양가, 농가, 종횡가, 잡가와 소설가 등 10개의 유파로 분류하였다. 그 중 위에 열거한 9개 유파는 학술적 가치가 높아 '구류십가九流十家'라고 한다. 인물과 학설이 많은 까닭에 '제자백가'로 통칭하기도 했다.

예)
제자에는 10개 학파가 있고 그 중 알아볼 가치가 있는 것은 9개 학파 뿐이다. 제자는 모두 왕도가 쇠미한 시대에 일어났는데, 제후들은 무력으로 다스렸으며 당시의 군주는 좋고 나쁨의 차이가 매우 컸다. 그래서 9개 학파의 학설이 벌떼처럼 생겨나 각자 한쪽 관점에서 주장하며 가장 좋다고 생각하는 것을 숭상하였고, 이로써 유세하고 제후들의 인정과 지지를 얻었다.

諸子十家, 其可觀者九家而已. 皆起于王道旣微, 諸侯力政, 時君世主, 好惡殊方, 是以九家之術蜂出幷作, 各引一端, 崇其所善, 以此馳說, 取合諸侯. (『한서·예문지』)

제자학諸子學

제자의 학설 및 이를 연구하는 학문. 춘추 말기부터 서한 초에 이르는 동안, 당시의 학자들은 사회질서와 가치관의 붕괴에 대하여 깊이 사고하고 이를 자유롭게 전개함으로써 다양한 이론과 주장을 내놓았다. 이러한 학설을 통칭 '제자학'이라 한다. 제자학은 후세에 깊은 영향을 주었는데, 각파의 학설은 후세인의 연구 및 풀이를 통해 서로 다른 수준으로 발전하였다. 제자학설을 한 단계 더 발전시키는 경우도 제자학의 영역에 포함된다.

예)
뭇 책을 두루 본 사람은 경학에 통달하고 제자학에도 조예가 있다. 그 장점을 취하되 편협하고 막힌 것은 버리며 도리에 대해 갖추지 않은 것이 없다.

達觀之上, 旣知經學, 兼有諸子之學, 取其所長, 舍其偏滯, 則於理道無不該矣. (두우杜佑 『통전通典·선거選擧 5·잡론의중雜論議中』)

제悌

아우가 형에게 순종하고 경애敬愛하다. '제弟'라고도 한다. 언행에서 '제'는 나이 어린 사람이 손윗사람의 가르침과 명령에 순종하고 따를 것을 요구한다. '제'는 윗사람에 대한 애정과 공경에 뿌리를 두어야 한다. 유가는 종종 '제'와 '효'를 병기했으며, '효제孝悌'를 개인적인 덕행 양성의 기초라고 여기며 이것으로 가정윤리를 유지하고 강화시키고 더 나아가 정치 질서의 근본으로 삼았다.

예)

유자가 말했다. "한 사람의 됨됨이와 처세가 부모에게 효도하고 윗사람을 공경하면서 웃어른에게 대들기를 좋아하는 사람은 드물다. 윗사람에게 대들기를 좋아하지 않으면서 말썽을 부리기를 좋아하는 사람은 예로부터 없었다. 군자는 사람 됨됨이와 처세의 근본에 노력한다. 근본이 서면 도의에 부합하는 언행이 생긴다. 효제는 곧 인덕仁德의 근본이다.

有子曰: "其爲人也孝弟, 而好犯上者, 鮮矣; 不好犯上, 而好作亂者, 未之有也. 君子務本, 本立而道生. 孝弟也者, 其爲仁之本與!"(『논어論語·학이學而』)

효성으로 군주를 섬길 수 있고, 공경함으로 윗사람을 모실 수 있고, 인자함으로 백성을 부릴 수 있다.

孝者, 所以事君也; 弟者, 所以事長也; 慈者, 所以使衆也. (『예기禮記·대학大學』)

| 조진궁장鳥盡弓藏

새 사냥이 끝나면 활을 다시 거둬야 한다. 이 표현은 전쟁이 끝나면 참전한 문신文臣 무장武將의 전쟁 시의 권력이 회수되거나 줄어듦을 비유한다. 고대 중국에서는 이러한 현상이 전시戰時 상황에서 평화로운 상태로 전환하는 시기에 많이 발생했고 일정한 정도로 중앙정권과 문신 문장의 안전을 보장했으며 국가의 평상시 상태로 회복하고 오랫동안 안전하게 다스리는 데에 유익이 있다. 이후에는 일이 성사된 후 힘을 다해 공을 세운 사람이 버림을 받는 것을 비유할 때 쓰이게 되었다.

예)

높이 나는 새가 죽으면 좋은 활은 다시 거둬들여야 한다. 적국이 멸하면 획책을 내놓던 공신도 제거된다. 소위 제거된다는 것은 그들의 목숨을 거둔다는 것이 아니라 그들의 위세가 없어지며 그들이 권력이 사라짐을 의미한다.

夫高鳥死, 良弓藏; 敵國滅, 謀臣亡.亡者, 非喪其身也, 謂奪其威, 廢其權也. (『황석공삼략黃石公三略』권중卷中)

조책詔策

고대 문체의 명칭. 제왕이 신하에게 뜻을 선포하던 문서이다. '조'는 조서로, 황제가 반포한 훈계나 명령이다. '책'은 책서로, 제왕이 신하에게 상을 주거나 관작에 임면하는 문서이다. 남조 유협(465?~520)은 『문심조룡 · 조책』에서 제왕이 신하에게, 상급자가 하급자에게 사용하는 각종 문체에 대해 논술했다. 유협은 이러한 공문은 권위성과 영향력, 모본으로서의 기능이 가장 크다고 하였다. 또한 포상이나 표창하는 문서는 별과 달이 빛나듯 영예로운 공적을 표현하고 비나 이슬에 촉촉이 젖듯이 제왕의 은사가 느껴져야 하며, 훈계와 질책의 문서는 서슬푸른 위엄과 추상같은 준엄함이 보여야 한다고 주장했다. 이러한 문서를 작성할 때는 입장이 명확하고 내용이 충실하며, 제도와 이치, 사실 및 어문 규범에 부합해야 한다. 언어의 선택에 있어서는 고상하고 장중하며 적절함을 추구해야 한다.

예)
왕이 조서와 책봉을 받았고 유가의 경술에 통달했으며, 제후의 명분으로 국경을 떠나서는 안 된다는 것을 알았다.

王幸受詔策, 通經術, 知諸侯名譽不當出竟. (『한서 · 회양헌왕류흠전淮陽憲王劉欽傳』)

황제가 천하를 통치하니 그 말은 신성하다. 제왕이 위엄있게 옥좌에 앉아 그 호령이 사방에 미치니, 오로지 조책으로만 가능하다.

皇帝御宇, 其言也神. 淵嘿黼展, 而響盈四表, 唯詔策乎! (유협 『문심조룡 · 조책』)

존덕성尊德性

천부적인 도덕 본성을 숭상하다. '존덕성'은 『중용中庸』에서 나온 말이다. '도문학道問學'과 함께 도덕 수양의 요구를 이룬다. 중용에 따르면 인간에게는 천부적인 도덕적 본성이 있다. 후세 유학자들은『중용』의 사상을 발전시켜 천부적인 도덕 본성은 천리天理가 인성 속에 체현된 것이라고 생각했다. 인간은 마땅히 이 내재된 도덕 본성을 충분히 존중하고 발휘해 천리의 법칙에 부합하고 나아가 자신의 미덕을 완성해야 한다.

예)

그러므로 군자는 덕성을 숭상하고[존덕성尊德性] 학문을 추구하며, 자신의 인식을 넓혀 그 정미한 부분까지 이를 수 있으며, 지극히 고명하여 중용의 길을 따를 수 있다. 옛 지식을 배우고 새로운 이해를 얻으며, 사람됨이 돈후하고 예법을 숭상한다.

故君子尊德性而道問學, 致廣大而盡精微, 極高明而道中庸. 溫故而知新, 敦厚以崇禮. (『예기 禮記 · 중용』)

존비폄첩尊碑貶帖

비석에 새긴 서예를 추존하며 단순히 대가의 서첩을 모방하는 것을 폄하함. 이것은 일종의 서예의 사조思潮이자 자연의 변화 무쌍함을 추구하고 개성과 혁신을 숭상하는 서예 이론의 주장이다. 완원阮元(1762~1849)은 이왕二王(진晉나라 왕희지와 왕헌지王獻之 부자)만을 높이고, 서첩으로 법을 삼는 오래된 전통에 반대하여, 첩서帖書와 비석에 새긴 서체가 각자 가진 장점이 있음을 지적했다. 포세신包世臣(1775~1855)은 비석에 새겨진 서체의 특징을 자세하게 설명하여, 그 장점으로써 첩서의 부족한 점을 보완하려는 뜻이 있었다.

강유위康有爲(1858~1927)는 첩서가 여러 손을 거쳐 전해지며 원래의 모습을 잃어버렸다는 것은 비석에 새긴 서체를 추종해야 할 객관적인 원인이며 비각으로 서체의 단계적인 변화와 역사적 다양성을 드러낼 수 있음을 주장했다. 강유위는 서예가 "성인의 도를 드러낼 수 있고,

왕의 제도를 펼칠 수 있으며, 사람의 이치를 통찰할 수 있고, 사물의 변화를 궁구할 수 있다"라고 말했고, 마땅히 현재 상황에 입각하여 역사를 고찰하고, 막다른 길에 몰리면 변혁을 생각해야 한다고 여겼다. 그의 유신변법維新變法 사상의 실마리가 여기서 처음으로 드러났다.

예)
이 때문에 짧은 편지이건 긴 두루마리건 상관없이 마음대로 붓과 먹을 휘갈기는 것이 첩서의 장점이고, 엄격하며 무겁고 힘있게 붓을 대는 것은 비석에 새긴 것의 장점이다.

是故短箋長卷, 意態揮灑, 則帖擅其長; 界格方嚴, 法書深刻, 則碑據其勝. (완원阮元, 『북비남첩론北碑南帖論』)

요즘 사람들은 첩학帖学을 추종하나 서첩은 여러 사람의 손을 거치며 원래의 모습을 많이 훼손되었으므로 방향을 바꾸어 비석에 새긴 서예를 추존할 수밖에 없다.

今日欲尊帖學, 則翻之已壞, 不得不尊碑. (강유위, 『광예주쌍집廣藝舟雙楫 · 존비尊碑』)

존사중도尊師重道

스승을 존경하고 도의를 중시하다. '도'는 우주의 보편적인 법칙이자 세간의 진리 및 도의 등을 뜻한다. 스승에 대한 존경은 중국의 전통적인 미덕이고, 도에 대한 숭상은 중국 전통문화의 중요한 특징이다. '사'는 '도'를 담고 있는 사람이자 전파자이다. 그래서 존사와 중도는 동전의 양면과도 같다. 이 개념은 예부터 국가 흥왕과 발전의 중요한 전제로 여겨져 왔고, 정치가 올바른지 가늠하는 중요한 지표이기도 했다.

예)
국가가 흥하려 하면 반드시 스승을 존경하고 중히 여긴다......국가가 쇠퇴하려 하면 반드시 스승을 천대하고 경시한다.

國將興, 必貴師而重傅......國將衰, 必賤師而輕傅. (『순자 · 대략大略』)

훌륭한 성군은 스승을 존경하고 도를 귀히 여기지 않은 사람이 없었다.

明王聖主, 莫不尊師貴道. (『후한서 · 공희전孔僖傳』)

| 존생尊生

　자신의 생명을 존중하고 타인의 생명도 존중함. 중생重生이라고도 표현한다. 생명은 모든 사람들에게 단 한 번만 속하는 것이어서 누구라도 생명을 가벼이 포기할 수 없으며 더욱이 마음대로 타인의 생명을 앗아가도록 허락할 수 없다. 집정자들은 백성의 생명을 중히 여겨 가능한 한 백성들의 정당한 생존의 필요를 만족시켜야 하며 백성의 생명과 건강에 위해를 가하는 어떤 일도 행해서는 안 된다. 당연히 도의에 어긋나게 죽지 못해 살아가는 것 또한 허락할 수 없는 일이다.

　예)
　나는 이러한 말도 들었다. 양육자의 물건을 쟁탈하기 위해 양육해야 하는 사람을 해쳐서는 안 된다. 태왕단부太王亶父는 이처럼 생명을 존중하는 사람이다! 생명을 존중할 수 있는 사람은 부귀하다고 하더라도 욕심내고 누리려는 마음 때문에 몸을 상하게 하지 않으며 욕심을 부리더라도 이익과 관록을 추구하기 위해 몸을 괴롭게 하지 않는다.

　"且吾聞之, 不以所用養害所養."……夫大(tài)王亶(dǎn)父可謂能尊生矣! 能尊生者, 雖貴富, 不以養傷身; 雖貧賤, 不以利累形. (『장자莊子 · 양왕讓王』)

　성인聖人은 천하의 일을 깊이 생각하여 생명보다 고귀한 것이 세상에 없다고 여긴다. 천하가 가장 중요한 것이며 성인은 이로 인해 자신의 생명을 해할 수 없을 터인데 하물며 다른 것은 어떻겠는가? 천하를 얻기 위해 자신의 생명을 해치지 않는 사람이어야 천하를 맡길 수 있다.

　聖人深慮天下, 莫貴於生. ……天下, 重物也, 而不以害其生, 又況於他物乎?惟不以天下害其生者也, 可以托天下. (『여씨춘추呂氏春秋 · 귀생貴生』)

　따라서 소위 생명을 존중한다는 것은 생명을 보전한다는 것이다. 소위 생명을 보전한다는 것은 사람의 각종 기본적인 욕망을 모두 적당히 만족시킬 수 있다는 것이다.

故所謂尊生者, 全生之謂; 所謂全生者, 六欲皆得其宜也. (『여씨춘추呂氏春秋 · 귀생貴生』)

종교宗敎

'종교'라는 단어는 불교 서적에서 최초로 등장한다. 부처의 말씀을 '교'라고 하며, 실제 부처가 행한 가르침, 보편적인 교화라는 의미가 있다. 부처의 제자들이 말한 것은 '종'이라고 하며 '교'에서 분화된 가지와 같다. 개인의 주관적 신념이라는 뜻이 있다. '종교'라는 합성어는 두 가지 의미가 있는데 하나는 불문의 종지와 교리를 가리키며 범위는 불교 전체를 포함한다. 다른 하나는 어떤 불교 종파의 교의 및 같은 교의를 따르는 지파를 말한다. 후대에 도교에서도 이 단어를 사용하기 시작했다. 근대 이후의 '종교'는 religion의 번역어로써, 사람이 경건한 신앙을 통해 초월적이고 무한한 절대적 주재와 하나로 결합하고 이상적인 경지에 도달하여 영원한 행복을 얻는다는 뜻으로 그 기본 의미가 변화되었다.

예)
석가모니가 세상을 떠날 때 의발을 가섭에게 전하였고 이로부터 불교의 교리는 한 사람에게로 이어져 내려왔다. 오늘날 사람들이 불교의 교주에 대해 논하는 것도 나라에 두 주인이 없는 것과 같다.

(佛)滅度後, 委付迦叶, 展轉相承一人者. 此亦蓋論當代爲宗敎主, 如土無二王. (석도원釋道原 『경덕전등록景德傳燈錄 · 규봉종밀선사圭峰宗密禪師』)

종묘宗廟

조상을 모시고 제사하기 위한 전용 사당. 자기 조상의 망령이 기거하도록 짓는 장소이다. 선조의 명휘가 적힌 신주(위패)를 안에 놓고 공양과 제사를 드린다. 고대 중국의 종묘 제도에서 종묘는 주로 천자와 제후 등이 선조를 제사하기 위한 전용 사당이다. 주대 예의제도의 규정에 따르면 천자는 7묘, 제후는 5묘, 대신은 3묘를 지을 수 있었고 선비에 게는 1묘까지만 허용되었다. 일반 백성들은 묘 건립이 허가되지 않았 다. 한 국가나 정권이 멸망하면 보통 종묘 역시 그에 따라 훼파되었다. 그래서 '종묘'는 '강산', '사직'과 같이 왕실, 조정 또는 국가정권의 대명 사로 쓰인다. 종묘는 조상숭배의 연장이자, 가족과 국가를 같은 구조로 여기는 '가국동구家國同構'의 제도가 구현된 사례이다.

예)
천자가 존경받지 못하면, 종묘사직이 안정되지 못한다.
天子不尊, 宗廟不安. (『사기·원앙조착열전袁盎晁錯列傳』)

종법宗法

고대 중국에서 가문을 중심으로 혈통과 적서嫡庶에 따라 가문, 국가, 사회를 조직하고 다스렸던 원칙과 방법. 종법은 부계 씨족의 가장家長 제도에서 진화했으며 서주 시대에 완성되어 봉건제 등과 표리 관계를 이뤘다. 종법은 가와 국, 두 차원으로 나뉘었는데 가의 차원에서는 종 족의 적장자嫡長子가 가문의 계승자로서 가문의 최고 권력을 갖고 가문 의 나머지 구성원들은 친소親疏와 혈통에 따라 각자 가문 안에서의 지 위와 권력이 정해졌다. 그리고 제왕과 공후公侯 또는 명문세가의 종족 등급제도가 국가 차원까지 확장되어, 왕위 계승과 국가 정치에서 결정 적인 작용을 했다. 종법제도는 수천 년간 중국인의 생활방식과 사고방 식에 깊은 영향을 끼쳤다.

예) 이른바 종법은 국가가 백성을 양육하고 교화하는 것을 돕는 근원적인 기초이다.
宗法者, 佐國家養民敎民之原本也. (풍계분馮桂芬, 『복종법의復宗法議』)

| 좌망坐忘

도가에서 자기와 사물 간의 구별과 대립을 부수는 방법을 가리킨다. '좌망'설은『장자莊子 · 대종사大宗師』에 나오며, 공자와 안회顏回의 대화를 빌려 '좌망'의 의미를 설명한다. 장자는 인간세상의 각종 명분과 규범은 자아와 사물 간의 분별과 대립을 조성하고 사람을 속박한다고 여겼다. 사람은 마땅히 자기의 명분과 규범을 잊어야 하며 더 나아가 자기 형체의 존재와 지성의 사용을 잊고 피아 간의 경계를 무너뜨리며 이로써 바깥 사물의 제약과 영향을 벗어나야 한다고 여겼는데, 이것이 바로 '좌망'이다.

예)
안회가 말했다. "저는 좌망했습니다." 공자가 놀라며 물었다. "좌망이 무엇인가?" 안회가 대답했다. "자기의 몸에 집착하지 않으며 자기가 본 것과 들은 것을 버리고 형체를 벗어나 마음의 생각을 차단하여 만물과 더불어 하나가 되는 것, 이것이 바로 '좌망'입니다."

曰: "回坐忘矣." 仲尼蹴然曰: "何謂坐忘?" 顏回曰: "墮肢體, 黜聰明, 離形去智, 同於大通, 此謂坐忘."（『장자莊子 · 대종사大宗師』)

| 주계奏啓

고대 문체의 명칭. 신하가 제왕에게 간언하고 의견을 제시하는 문서이다. '주'는 '진언하다'의 뜻이다. 신하가 황제에게 정사를 논하고, 실무적인 상황을 보고하며 명확하게 건의하는 글이다. '계'는 '열다, 털어놓다'의 뜻으로 황제에게 솔직하게 의견을 제시한다. '주'는 명확한 변별력과 통찰력이 있어야 하고, 언어는 담백 솔직함을 추구한다. '계'는 주와 표의 두 가지 문체를 병용하며 편폭이 짧고 약간의 수사를 사용한다. 남조의 유협(465?~520)에 따르면 주계는 구두로 진언하기 위해 준비한 원고로써 주로 황제에게 긴급한 사건 보고나 잘못에 대한 탄핵,

정사 논의와 정치적 의견 제시를 위해 사용되었다. 그래서 주계는 장표에 비해 더욱 객관적으로 엄밀하게 서술해야 하며, 문체는 간단명료하게 하고 주관적 정서를 배제해야 한다. 이러한 관점은 오늘날의 공문 작성법에도 여전히 시사점을 준다.

예)

'주'의 문체를 창작할 때는 명확하고 믿을 만하며 진정성이 있는 것을 기본으로 하고, 변별하여 분석하고 사리에 통하게 하는 것을 으뜸으로 둔다. 강한 의지가 있어야만 일을 성사시킬 수 있고, 넓은 견식을 갖춰야만 이치를 다할 수 있다. 고대의 역사적 경험을 빌려 현재의 문제를 해결하고, 번잡한 여러 일을 다스려 그 요점을 총괄하는 것, 이것이 바로 주서를 쓰는 요체이다.

夫奏之爲筆, 固以明允篤誠爲本, 辯析疏通爲首. 强志足以成務, 博見足以窮理. 酌古御今, 治繁總要, 此其體也. (유협『문심조룡 · 주계』)

진대 이래로 계의 문체가 성행하였는데, 계는 표와 주의 기능을 겸한다. 정치적 견해를 밝히고 국사를 논의한다는 측면에서는 주의 한 갈래이고, 봉작을 사양하고 은혜에 감사한다는 측면에서는 표의 한 갈래이다. 계는 치밀하게 법도에 맞아야 하며, 음절은 짧고 급하게 하고, 요점을 변별하여 가볍고 명확해야 하며, 수사적 표현을 쓰지만 너무 화려해서는 안 된다. 이것이 또한 계의 기본 요건이다.

自晉來盛啓, 用兼表奏. 陳政言事, 旣奏之異條. 讓爵謝恩, 亦表之別幹. 必斂飭入規, 促其音節, 辨要輕淸, 文而不侈, 亦啓之大略也. (유협『문심조룡 · 주계』)

주문이휼간主文而譎諫

시가詩歌는 노래로 불리는 동시에 함축적이고 완곡한 방식으로 집정자를 풍자해야 한다. 문文은 문학적 재능이 있는 가창을 가리킨다. 휼譎은 복잡한 변화라는 뜻을 가지고 있는데, 이는 집정자의 과실을 곧이곧대로 진술해서는 안 된다는 것이다. 간諫은 권고함, 간언하고 경고함을 뜻한다. 이 표현은 모시서毛詩序에서 나온 표현이다. 최초로 유가儒家가

시경詩經의 표현 방법을 총괄하여 정리할 때 제시되었으며, 이후에 모든 문예작품이 지켜야 할 표준이 되었다. 핵심사상은 시가는 집정자에게 권하고 간언하며 풍자를 해야 하지만 함축적이고 완곡한 언사 및 비흥이라는 방식으로 집정자에 대한 비평과 현실에 대한 불만을 위탁해야 한다. 이 명제는 유가 정치 논리의 문학 비평 영역에서의 구체적인 표현이다.

예)

집정자는 풍風으로 백성을 교화하며 백성 또한 풍으로 위정자를 풍자해야 하고 문학적 재능이 풍부한 시가를 통해 집정자에게 함축적이고 완곡하게 권하고 풍자해야 한다. 또한 노래 부르는 사람은 이로 인해 실례가 되지 않으며 시가를 듣는 사람들은 경계를 할 수 있어서 이러한 시를 풍風이라고 부른다.

上以風化下, 下以風刺上. 主文而譎諫, 言之者無罪, 聞之者足以戒, 故曰風. (『모시서毛詩序』)

| 중국中國

고대 화하족이 황하 중하류 유역을 중심으로 생활하고 활동하던 지역. '중국'은 최초에는 지역과 문화의 개념이었다. 화하족은 대부분 황하 유역 일대에 나라를 세우고 천하의 한가운데에 거주했으므로 그곳을 '중국'이라 불렀다(상대되는 말은 '사방四方'이다). 그러다가 나중에 중원 지역과 중원 지역에 세워진 정권과 국가를 두루 가리키게 되었다. 청나라 이후 '중국'은 국가의 영토 전체와 주권을 가리키기 시작했고 지금은 '중화인민공화국'의 약칭이 되었다.

예)

도읍의 백성에게 은혜를 베풀고, 사방의 제후를 위로하네.

惠此中國, 以綏四方. (『시경 · 대아 · 민로民勞』)

강동江東의 병력으로 중원에 맞설 수 있다면 일찌감치 그들과 교류를 끊는 편이 낫다.

若能以吳越之衆與中國抗衡, 不如早與之絕. (『삼국지 · 촉서 · 제갈량전』)

중도中道

올바르고 치우치지 않은 일 처리의 법칙. '중도'는 불공평에 상대되는 말이다. 옛사람들은 천지만물의 존재와 변화가 기본 법칙을 따른다고 생각했다. 이 법칙이 사람이 일을 처리하는 데서 체현된 것이 곧 '중도'이다. 사람의 언행은 반드시 '중도'에 부합해야 한다. 유가에서는 '중도'를 따름으로써 과도하거나 부족한 언행을 피하고 완벽한 도덕을 실현할 수 있다고 주장했다. 불교에서는 '중도'를 실천해 사물의 참된 형태를 인식함으로써 해탈을 이룬다고 주장했다. 학파, 교파에 따라 '중도'의 구체적인 내용에 대한 이해에서 차이를 보인다.

예)

맹자가 말했다. "공자께서 '중도를 따르는 자와 사귀지 못한다면 적어도 광자狂者나 견자狷者를 택하겠다. 광자는 진취적이고 견자는 (도의에 어긋나는 일을) 하지 않는 것이 있다.'라고 하셨다. 공자께서 어찌 중도를 행하는 사람을 원하지 않으셨겠는가? 반드시 만나는 것은 아니기에 그 다음의 인물을 생각하신 것이다."

孟子曰 "孔子'不得中道而與之, 必也狂狷乎! 狂者進取, 狷者有所不爲也'. 孔子豈不欲中道哉? 不可必得, 故思其次也."(『맹자 · 진심 하盡心下』)

감각적인 만족을 추구하지 마라. 감각적인 만족은 너무 저열하고 그것을 추구하는 것이 보통 사람의 행동이다. 스스로 고행으로 몰아붙이지도 마라. 극단적인 고통은 성인의 행동이 아니며 원하는 결과를 가져올 수 없다. 이 두 극단을 멀리하고 중도를 얻어야 정확한 안목과 정확한 지혜를 이루어 지혜와 깨달음으로 나아가며 열반으로 나아간다.

莫求欲樂, 極下賤業, 爲凡夫行. 亦莫求自身苦行, 至苦非聖行, 無義相應. 離此二邊, 則有中道, 成眼成智, 自在成定, 趣智趣覺, 趣於涅槃. (『중아함경中阿含經』, 권43)

중용中庸

공자와 유가가 긍정한 최고의 덕행이다. '중'은 언행이 지나치거나 모자람이 없는 상태 또는 기준을 가리킨다. 모든 일에는 어떤 한도가 있고 그 한도를 넘거나 채우지 못하면 안 좋다. 그리고 '용'은 두 가지 관련 함의가 있다. 첫째, 평범하고 일상적인 것을 가리키고 둘째, 변치 않는 것을 가리킨다. '중'은 평범하고 일상적인 데에서만 변치 않을 수 있다. 결국 '중용'은 인륜적인 일상성 속에서 지나치거나 모자람이 없는 기준을 항상 맞추고 따르는 것을 가리킨다.

예)
중용은 일종의 덕으로서 가장 높은 준칙이다!
中庸之爲德也, 其至矣乎! (『논어 · 옹야雍也』)

중용은 편파적이지 않으며 지나치거나 모자라지 않는 일상적 이치이다.
中庸者, 不偏不倚, 無過不及而平常之理. (주희, 『중용장구中庸章句』)

중지성성眾志成城

원래 표현은 '중심성성眾心成城'이며 여러 사람이 힘을 합치면 성벽처럼 견고해진다는 뜻이다. '지志' 의지, 염원이다. '성城'은 고대의 방어 시설인 성벽을 가리킨다. 여러 사람이 하나로 뭉치면 큰 힘을 만들어 모든 어려움을 극복할 수 있다는 것을 비유한 말이다. 여기에는 사람, 사람의 정신력, 성심성의의 단결이라는 세 가지 중요한 요소가 함축되어 있다.

예)
여러 사람이 한마음으로 단결하면 성벽처럼 견고해지고, 여러 사람이 한목소리를 내면 금속도 녹일 수 있다.

眾心成城, 眾口鑠金. (『국어國語 · 주어 하周語下』)

여러 사람이 한뜻으로 단결하면 성벽처럼 견고해지고 천하가 태평해진다.
眾志成城, 天下治理. (하광원何光遠, 『감계록鑑誡錄 · 배신간陪臣諫』)

중화中和

    사람의 마음이 도달한 공정하고 조화로운 상태. 사람의 희로애락 등 감정의 활동 및 그것이 말과 행동으로 표현되었을 때 예에 요구에 부합하며 편파적이지 않고 나아가 어떤 조화로운 상태에 도달하는 것이 '중화'이다. 통치자가 만약 이것을 이해하고 '중화'의 상태에 도달하여 이것으로 천하를 다스리면, 세상의 모든 사물이 바르고 적당한 위치에 놓이게 되어 조화롭고 질서가 있어 상호 간의 번영과 발전을 실현할 수 있다.

    예)
    희노애락이 아직 사물에 의해 발현되기 전의 상태를 '중中'이라 한다. 희로애락이 말과 행동으로 표현되어도 규범에 부합하는 것을 '화和'라고 한다. '중'은 천하의 근본이고, '화'는 천하의 가장 보편적인 법칙이다. 통치자가 '중화'에 도달할 수 있으면, 천지가 바른 위치를 찾고 만물이 생장하고 번식한다.
    喜怒哀樂之未發, 謂之中; 發而皆中節, 謂之和. 中也者, 天下之大本也; 和也者, 天下之達道也. 致中和, 天地位焉, 萬物育焉. (『예기禮記 · 중용中庸』)

    '중화'로 천하를 다스릴 수 있는 사람은 덕정이 크게 흥성할 것이다. '중화'로 자신을 수양할 수 있는 사람은 수명이 매우 길 것이다.
    能以中和理天下者, 其德大盛. 能以中和養其身者, 其壽極命. (동중서董仲舒, 『춘추번로春秋繁露 · 순천지도循天之道』)

중화中華

'중화'는 '중국'과 '화하'를 결합한 약칭이다. '화華'는 '화花'와 같고 문화의 찬란함을 비유적으로 가리킨다. 화하의 선조는 황하 중하류에 나라를 세우고 스스로 천하의 한가운데에서 발달된 문화를 누리며 살아간다고 생각했다. 그래서 스스로 '중화'라고 칭했다. 나중에 화하족 중심의 다민족국가가 부단히 확장되면서 관할 영토를 다 '중화'라고 부르게 되었다. 그리고 근현대 역사에서 '중화'는 중국, 중국인, 중국 문화를 가리키는 일종의 기호이다.

예)

중화는 곧 중국이다. 직접 왕도의 교화를 받아 자연스레 중국에 속하게 되었는데 복장은 엄숙하고, 풍속은 효도와 우애를 중시하고, 처세는 예의를 추구하니, 그래서 중화라고 부른다.

中華者, 中國也. 親被王教, 自屬中國, 衣冠威儀, 習俗孝悌, 居身禮義, 故謂之中華. (『당률명례소의석의唐律名例疏議釋義』)

지과위무止戈爲武

전쟁을 제지하고 전란을 가라앉히는 것이야말로 진정한 무공이라는 뜻. 이것은 춘추시대의 초장왕楚莊王이 '무武'라는 글자의 형태에 근거해 제시한 유명한 군사 사상이다. '지'는 그친다는 뜻이며 '과'는 무기, 즉 전쟁을 뜻한다. '무'를 전쟁을 그친다는 뜻으로 해석하는 것은 형상으로 뜻을 나타내는 한자 문화의 특징에 부합하는 것일 뿐만 아니라 무력으로써 흉포함을 금한다는 군사 정치 관념 및 평화를 숭상하고 전쟁을 반대하는 중국인의 문명정신을 표현한 것이다.

예)

창힐은 글자를 만들 때 '지' 자와 '과' 자를 합해 '무' 자를 만들었다. 성인은 무력으로써 잔학함을 금지하고 동란을 평정하며 전쟁을 그치게 하였지 [상대방을] 학살하고 섬멸하기 위해 무력을 남용하지 않았다.

倉頡作書, '止' '戈' 爲 '武'. 聖人以武禁暴整亂, 止息干戈, 非以爲殘而興縱之也. (『한서 · 무오자전찬武五子傳贊』)

지락무락至樂無樂

극도의 쾌락은 마음 속이 상서롭고 화목하여 락樂과 불락不樂의 판단을 초월한 것이다. 장자莊子(기원전 369?~기원전 286?)는 쾌락은 반드시 자신의 본심을 따라야 하며, 만약 세속 관념을 판단의 근거로 삼는다면 생명의 본질을 등지고 떠날 수 있다고 생각하였다. 만약 감정과 욕망으로 인해 마음이 동한다면 그에 따라 길을 잃고 해를 입을 수 있다. 쾌락 여부의 판단은 실제로는 이해득실의 판단으로부터 오는 것이며 이해득실은 상대적이고 가변적이기 때문에 이해득실을 망각하고 쾌락에 관한 생각이 없어야 지락至樂의 경지에 도달할 수 있다. 지락무락至樂無樂은 중국 고대 문인학사가 통달한 인성人性과 자유롭고 다원적인 가치관을 구현하였다는 것을 반영하며 그들의 성찰, 판단 그리고 초월한 정신을 촉발시켰다.

예)

이 세상에는 과연 즐거움이 존재하는 것일까, 그렇지 않은 것일까? 나는 즐거움이 없는 것과 즐겁지 않은 것에 대한 의식이 없어야 진정한 쾌락이라고 생각하며 이는 또한 세상 사람들이 괴로워하고 번뇌하는 일이기도 하다. 따라서 사람들은 다음과 같이 이야기한다. 극도의 쾌락은 쾌락을 느낄 필요가 없는 것이며, 가장 높은 영예는 사람들의 찬미를 받을 필요가 없는 것이다.

果有樂無有哉?吾以無爲誠樂矣, 又俗之所大苦也. 故曰: "至樂無樂, 至譽無譽." (『장자莊子 · 전자방田子方』)

지리地理

대지, 산천의 분포와 운행 및 그 규칙. '지리'는『주역周易』에서 유래
되었다. 지형의 높고 낮음과 뒤섞여 엇갈림, 산천의 분포와 흐름은 어
떤 불변하는 법칙을 드러내는데 이것이 바로 '지리'이다. 옛날 사람들
은 인류 생활과 천지 만물은 서로 통하는 법칙을 따른다고 여겼다. 그
러므로 사람들은 '지리'에 대한 관찰과 모방을 통해 인류 생활의 질서
를 확립할 수 있다. 후대 사람들은 자연환경에 상응하는 물산, 교통, 거
주 등 경제생활 및 자연환경의 영향을 받는 규율을 '지리'의 범주에 포
함했다.

예)
『주역』은 하늘, 땅에 대등하므로, 천지의 법칙을 대부분 담을 수 있다. 올려보며 천문
을 관찰하고 내려보며 지리를 관찰하면 감춰지거나 드러난 사물의 이치를 알 수 있다.
『易』與天地準, 故能彌綸天地之道. 仰以觀於天文, 俯以察於地理, 是故知幽明之故. (『주역 ·
계사상繫辭上』)

해, 달, 별의 운행 법칙이 천문이고, 산과 강의 분포와 흐름이 지리이다.
三光, 天文也; 山川, 地理也. (『한서漢書 · 교사지하郊祀志下』)

지상달변知常達變

사물의 기본적인 규칙을 파악하고, 융통성 있게 구체적인 상황이나
문제에 대응하는 법을 알다. 원칙을 준수하면서도 상황에 따라 임기응
변할 수 있음을 뜻한다. '상' 과 '변'은 중국 고대 철학에서 서로 대응되
는 범주이다. 사물의 본질 규정성, 기본 규칙, 일반원칙 등 비교적 안정
성을 지닌 것들은 '상'으로 일컫는다. 구체적인 사물 및 구체적인 대응
방법은 다양성을 지니며 때때로 바뀌기에 '변'이라 칭한다. '변'에 대비

하여 말하자면 '상'은 '변' 가운데에 존재하는 상도常道를 뜻한다. '상'은
근본이고 '변'은 파생되어 나오는 것이다. 그래서 사물의 기본적인 규
칙과 일반원칙을 파악하면서도 객관적인 형세 변화에 근거하여 유연
하게 이러한 상도를 운용해야 한다. '지상달변'은 보편성과 특수성, 원
칙성과 유연성 변증의 통일에 대한 고대 사람들의 인식론 및 방법론을
반영하고 있다.

예)
근원으로 돌아가는 것을 '정'이라 하고, '정'은 곧 사물의 본래 상태를 회복하는 것이다.
사물의 본래 상태를 회복하는 것은 곧 '상'이고, '상'을 알면 밝은 깨달음에 도달케 된다.
　歸根曰靜, 靜曰復命. 復命曰常, 知常曰明. (『노자 16장』)

　대개 일을 처리할 때 귀한 것은 시기에 따라 유연하게 변화하는 데에 있다. 가장 좋
은 방법은 바로 (타국의 통상을) 본보기로 삼아 자강自强하는 것이다.
　蓋事貴因時而達變, 道在取法以自强. (왕도王韜『월남통상어모설越南通商御侮說』)

▎지선행후知先行後

　'지'와 '행'의 관계에 대한 인식 중 하나이다. 정이程頤, 주희朱熹 등 학
자들은 '지'와 '행'의 관계라는 문제에 대해 '지선행후'를 주장했다. 이
들은 일상의 윤리 도덕에 대한 이해와 실천 사이의 관련성을 부정하지
는 않는다. 둘 중 어느 한쪽도 소홀해서는 안 된다. 하지만 선후 관계를
말하자면, '지'를 우선으로 두어야 한다. '지'는 '행'의 기초이며 '행'은
'지'의 지도에 따라 실현된다. 일상의 윤리 도덕을 알아야 만이 자신의
언행이 도에 부합하게 만들 수 있다.

예)
인식이 행동 이전에 있어야 한다. 길을 걸을 때 반드시 밝은 빛이 필요한 것과 같다.

須是識在所行之先, 譬如行路須得光照. (『이정유서二程遺書』권3)

지와 행은 항상 상호의존적이다. 눈이 발 없이 앞으로 나갈 수 없고 발이 눈 없이 갈 길을 보지 못하는 것과 같다. 선후를 논한다면 지가 먼저이다. 경중을 논한다면 행이 더 중요하다.

知行常相須, 如目無足不行, 足無目不見. 論先後, 知爲先. 論輕重, 行爲重. (『주자어류朱子語類』권9)

지원행방智圓行方

사고 능력이 원만하고 행동이 단정하다. 지원智圓은 모르는 것이 없다, 즉 지식이 완비되어 있으며 생각이 빈틈없고 융통성 있으며 막힘없이 통한다는 뜻이다. 행방行方은 품행이 단정하고 일을 규율에 따라 처리하고 대충 하지 않는다는 뜻이다. 이는 고대 중국인이 추구한 사람됨과 처세의 이상적인 상태로 앎과 행동, 재능과 덕, 융통성과 원칙성의 변증법적 통일이다.

예)
대체로 사람됨의 기본 원칙은 생각은 섬세하고 포부는 원대하며 사고는 원만하고[지원智圓] 행동은 단정한[행방行方] 것이다. ...... '지원'이란 모르는 것이 없다는 뜻이다. '행방'이란 하지 않는 일이 있다(역자주: 행동을 가려서 한다)는 뜻이다.

凡人之道, 心欲小, 志欲大, 智欲圓, 行欲方. ......智圓者, 無不知也, 行方者, 有不爲也. (『문자文子 · 미명微明』)

지음知音

문예 작품의 의미와, 작가의 생각과 감정을 체험하고 이해하는 것. 본래는 음악 감상을 할 때의 지기知己를 가리켰지만 나중에 위진남북조 시대 문예 비평가들을 통하여 문예 감상 중에 서로 마음이 통하고 이해하는 것을 가리키게 되었다. '지음'은 문학 비평의 핵심 개념으로서 문예 창작과 감상에서의 개인적 차이와 공통점 같은 문제들과 관련해 풍부한 정신적 함의를 갖고 있다. 서양의 독자반응비평, 수용미학, 해석학 등의 기본 사상과 일치하는 점이 있기도 하다.

예)

소리를 모르는 사람과는 음률을 얘기할 수 없고 음률을 모르는 사람과는 음악을 얘기할 수 없는데 음악을 아는 사람은 거의 예를 이해한다.

是故不知聲者不可與言音, 不知音者不可與言樂, 知樂則幾於禮矣. (『예기 · 악기樂記』)

음악을 아는 것은 얼마나 어려운가! 음악은 실로 알기 어려워서 음악을 아는 사람과 만나는 것도 어렵다. 음악을 아는 사람과 만나는 것은 천 년에 한 번이나 있을 수 있는 일이다!

知音其難哉! 音實難知, 知實難逢, 逢其知音, 千載其一乎! (유협, 『문심조룡 · 지음』)

지智

'지'의 기본 의미는 총명함, 지혜이고, 본래는 '지知'로 썼다. '지'의 의미는 주로 시비, 이해에 대해 명확하게 분석하는 인지 및 판단능력에서 드러난다. 외재하는 사람과 사물에 대한 인식과 함께 자기 자신에 대한 반성도 포함하는 개념이다. 유가에서는 '지'의 기능을 적절하게 발휘하여 사람들로 하여금 복잡한 현실 요소에 미혹되지 않고 도덕과 예법에 부합하는 선택을 하도록 해야 한다고 주장했다. 한편 '지'에 과도하게 의존할 경우, 기교와 속임수를 수단으로 삼는 경향을 유발할 수도 있다. 도가에서는 그래서 지에 대해 경계하며 비평하는 태도를 견지했다.

예)

측은지심은 인의 시작이요, 수오지심은 의의 시작이요, 사양지심은 예의 시작이요, 시비지심은 지의 시작이다.

惻隱之心, 仁之端也; 羞惡之心, 義之端也; 辭讓之心, 禮之端也; 是非之心, 智之端也. (『맹자 ·
공손축 상』)

그래서 지혜로 나라를 다스리는 것은 국가의 우환이요, 지혜로 나라를 다스리지 않
는 것은 국가의 복이다.

故以智治國, 國之賊; 不以智治國, 國之福. (『노자 · 65장』)

지척유만리지세咫尺有萬里之勢

저명한 산수화의 대가는 지척에서 사각의 화폭 위에 멀고 광대한 경
치를 그려낼 수 있다. 이러한 예술적 묘사 방식은 경중을 가리지 않고
그대로 베껴오는 것이 아니라, 창작자의 예술적 소양을 융합하여 그의
정신과 포부를 펼쳐낸다. 대상에 대해 번잡한 것은 생략하고 간단하게
하되, 간략함에서 방대함을 풀어내고 가까운 곳에서 먼 곳까지 펼쳐 보
인다. '지척유만리지세'는 이후 시의 비평에도 사용되었다. 이 술어에
서 가장 중요한 글자는 '세'이다. 시와 회화 등의 창작에서 정련된 의도
및 구상이 중요한 한편, 작품에 예술적 장력과 강한 표현력을 부여함으
로써 전체적인 기세가 사람을 감동시키고 일점일획에 제약되지 않아
야 함을 보여주고 있다. 이러한 예술적 경지에 이르려면 모사와 모방에
만 의지해서는 안 되며, 직접 경험하고 시야를 넓혀서 자연의 신비를
느끼고 세속을 초월해야 한다.

예)
소분蕭賁의 그림은 고상하고 세밀하여 후대인이 비하기 어렵다. 붓을 물고 명주천을
펼쳐 그릴 때에 일필 일획이 필시 현실의 모습과 같았다. 그가 일찍이 부채 위에 산수를
그렸는데 한 척 방형의 화폭에 만 리나 먼 경치가 보였으며, 일 촌 크기의 화면에서 몇
천 길 높이의 험산을 구별할 수 있었다.

(蕭賁)雅性精密, 後來難尙. 含毫命素, 動必依眞, 嘗畫團扇, 上爲山川, 咫尺之內, 而瞻萬里之
遙. 方寸之中, 乃辨千尋之峻. (요최姚最『속화품續畫品』)

그림을 논하는 사람은 말하기를 "작은 화폭에 만 리의 기세가 있다"고 한다. 그 중 '세' 자를 주목해야 한다. 만약 '세'를 말하지 않으면, 만리 강산을 한 척 안에 줄여 넣는 것인데, 『광여기廣輿記』 앞부분의 한 장 천하지도에 지나지 않는다. 오언절구는 이를 작품 구상의 첫째 요소로 삼는다. 오직 성당 시기의 시인이 그 오묘함을 알았다. '당신의 집은 어디신지요? 저는 횡당橫塘에 살고 있습니다. 배를 멈추고 잠시 물으니, 혹 동향일까 합니다.'라는 구절과 같이, 필묵의 기세가 발산되어 사방에 끝없이 미치니, 글자가 없는 곳이라도 그 정서로 가득하다.

論畫者曰 "咫尺有萬里之勢", 一'勢'字宜着眼. 若不論勢, 則縮萬里于咫尺, 直是『廣輿記』前一天下圖耳. 五言絶句, 以此爲落想時第一義. 唯盛唐人能得其妙. 如 "君家住何處? 妾住在橫塘. 停船暫借問, 或恐是同鄕." 墨氣所射, 四表無窮, 無字處皆其意也.(왕부지 『강재시화』 2권)

지치이후용知恥而後勇

부끄러움을 안 이후에 용기가 생긴다. '지치근호용知恥近乎勇'(부끄러움을 아는 것은 용감함에 가깝다)이라는 말에서 유래한다. '지치'는 수오지심羞惡之心(자신의 잘못을 부끄러워하고 다른 사람의 악한 행동을 미워함)이 있는 것으로 맹자는 이것이 사람이 사람다울 수 있는 기준 혹은 밑바탕 중 하나라고 보았다. '용'은 용기, 용감함이다. 유가에서 '용'은 '지知'(지혜), '인仁'(인애)와 함께 '삼달덕三達德'(세 가지 보편적인 덕행)을 이룬다. '지치'와 '용'을 연결함으로써 사람들이 자신의 부족함을 마주할 용기를 가지고 분발하여 완전한 경지에 도달하기 위해 노력하도록 격려한다. 개인, 기업, 조직, 민족, 국가 등의 스스로 독려하고 자신을 강하게 하려는 정신을 드러낸다.

예)
지, 인, 용 세 가지는 천하의 공통된 덕입니다.
知仁勇三者, 天下之達德也. (『예기禮記 · 중용中庸』)

배움을 좋아하는 것은 지에 가깝고 힘써 행하는 것은 인에 가깝고 부끄러움을 아는 것은 용에 가깝다.

好學近乎知, 力行近乎仁, 知恥近乎勇. (『예기禮記 · 중용中庸』)

지행知行

'지'는 일상적인 인륜지도에 대한 인지 및 체험과 관찰을 말하며 '행'은 일상적인 인륜지도를 실행하는 것을 말한다. 고대 중국에서 토론해온 '지행'은 일반적인 의미에서의 외부 사물에 대한 인지 및 이를 이용하고 개조하려는 행위가 아니라 일상적인 인륜지도에 대한 깊은 이해와 실행을 뜻한다. 사람은 눈으로 보고 귀로 듣거나 혹은 마음으로 느껴 깨닫는 등 여러 가지 다른 방식을 통해 '지'를 실현한다. '지'와 '행'의 어렵고 쉬움에 대해서는 혹자는 '지'는 어렵고 '행'은 쉽다고 생각하고, 혹자는 '지'는 쉽고 '행'은 어렵다고 생각하며, 혹자는 '지'와 '행'이 모두 어렵다고 생각한다. 또한 '지'와 '행'의 관계에 있어 혹자는 지행합일知行合一을 주장하지만 혹자는 지행은 유별有別하다고 여기기도 한다. '지행'에 대한 이러한 이해들은 서로 다른 도덕적 수양과 인륜 교화 방식을 결정한다.

예)
어려움은 '지'가 아닌 '행'에 있다.

非知之實難, 將在行之. (『좌전 · 소공 십년』)

듣지 않는 것은 듣는 것만 못하고, 듣는 것은 직접 보는 것만 못하고, 보는 것은 알고 이해하는 것만 못하고, 알고 이해하는 것은 실행하는 것만 못하니, 학문이란 실행에 와야만 극치에 이른다.

不聞不若聞之, 聞之不若見之, 見之不若知之, 知之不若行之, 學至於行之而止矣. (『순자 · 유효儒效』)

지행합일知行合一

'지'와 '행'의 관계에 대한 인식 중 하나이다. 왕수인王守仁이 심학을 기반으로 '심외무리心外無理'라는 주장을 펼치면서 '지행합일' 설을 제시했다. 그는 일상의 윤리 도덕에 대한 이해와 실천이 동떨어질 수 없고 양자는 한 본체의 두 측면이라고 여겼다. 마음속의 '지(앎)'는 필연적으로 행동을 끌어낸다. '행(실천)'은 '지'의 자연스러운 결과이다. 만약 '행'하지 않는다면 진정한 '지'가 아니다. 다르게 생각하면 '행' 또한 필연적으로 깊고 진실한 앎을 동반한다. 만약 '지'가 없이, 자각하지 못하거나 억지로 실천한다면 올바른 '행'을 실현할 수 없다.

예)
마음 밖에서 이치를 구하는 것은 지와 행이 두 가지 별개의 일로 나뉘게 되는 원인이다. 내 마음속에서 이치를 구하는 것은 성인의 문하에서 이루어지는 지행합일의 교법이다.
外心以求理, 此知行之所以二也. 求理於吾心, 此聖門知行合一之教. (『전습록傳習錄』권중)

앎이 진실하고 독실한 경지에 이르면 곧 '행'이 된다. 실천이 뚜렷한 자각과 정밀한 실천에 이르면 곧 '지'가 된다. 지와 행을 위한 노력은 본디 분리될 수 없는 것인데, 후세의 학자들이 양자를 두 가지를 나누어서 따로 공부하니 '지'와 '행'의 원래 모습에서 멀어졌다. 따라서 둘을 결합하여 동시에 진행해야 한다는 주장이 나오게 되었다.
知之真切篤實處, 即是行. 行之明覺精察處, 即是知. 知行工夫本不可離, 只爲後世學者分作兩截用功, 失卻知行本體, 故有合一並進之說. (『전습록傳習錄』권중)

직심直尋

시인이 즉흥적으로 느끼고 곧장 글을 쓰는 것. 이것은 남조 시기의 종영이 『시품』에서, 전고를 지나치게 많이 사용하는 현상을 겨냥해 제시한 주장이다. 그는 도가의 자연 사상을 흡수한 상태에서 과거 시인들의 우수한 시들을 고찰하여 새로운 시 창작 방법인 '직심'을 고안하였다. 이것은 감지한 사물을 직접 묘사하고, 또 마음속 감정도 직접 토로하여 정경情景이 결합된 심미적 이미지를 창출하는 것이다. 명청 시대 시학의 '성령설'이 그 영향을 받았다.

예)
고금의 명시들을 보니 대부분 옛 사람의 시구를 빌려오거나 전고를 쓰지 않고 자신의 체험에서 직접 찾아 얻은 작품이었다.
觀古今勝語, 多非補假, 皆由直尋. (종영鍾嶸, 『시품서詩品序』)

내 글로 내가 말하고 싶은 생각을 표현해야지 어찌 옛날 글의 내용과 형식에 속박을 받겠는가?
我手寫我口, 古豈能拘牽? (황준헌黃遵憲, 「잡감오수雜感五首」 중 제2수)

직直

'직'의 기본적인 뜻은 정직이다. 구체적으로 말하자면 '직'에 대해 서로 다른 두 가지 이해가 있다. 첫째, 인행이 도덕 혹은 예법에 부합하고 개인의 이익을 좇기 위해 도덕에 반하거나 위법하는 일을 저지르지 않는 것이 '직'이다. 다만 도덕과 예법에 대한 이해가 서로 달라서 '직'의 구체적인 실현에 대해서는 인식의 차이가 발생하며 심지어 모순이 존재하기도 한다. 둘째, 실제 상황에 근거해 행동하며 타인의 기대나 요구에 영합하여 진상을 숨기지 않는 것 또한 '직'이다.

예)
공자가 말했다. "누가 미생고를 정직하다 하는가? 어떤 사람이 식초를 얻으러 왔을 때 (자기한테 없다고 말하지 않고) 이웃집에서 빌려다 주는 사람이다."
子曰, "孰謂微生高直? 或乞醯焉, 乞諸其鄰而與之." (『논어論語 · 공야장公冶長』)

노나라 애공이 물었다. "어떻게 하면 백성들이 믿고 따릅니까?" 공자가 대답했다. "정직한 사람을 등용하고 교활한 사람을 버리면 백성들이 따르고, 교활한 사람을 등용하고 정직한 사람을 버리면 백성들이 따르지 않을 것입니다."

哀公問曰, "何爲則民服?" 孔子對曰, "擧直錯諸枉, 則民服. 擧枉錯諸直, 則民不服." (『논어論語 · 위정爲政』)

▎진시전의陳詩展義

시인의 시 창작은 내면의 감정과 품은 뜻을 펼치기 위함이다. 이는 남조의 시론가 종영鍾嶸(468?~518)이 『시품詩品』 서문에서 제시한 시 창작 동기에 관한 중요한 주장이다. 종영은 사계절의 변화와 사회적 관계에서의 기회가 시인의 창작에 미치는 영향을 강조했고, 시인은 시를 통해 내면의 감정 활동과 뜻을 드러낸다고 생각했다. 종영의 시 미학은 외부세계가 시인의 창작 동기를 격발한다는 데 주목하는 한편, 감정이 시에 대하여 가지는 독립적인 심미적 가치를 강조하기도 했다. 이는 의심할 여지 없이 한대 유가의 '시교詩敎'설에 비해 매우 발전한 이론이었다.

예)

봄바람과 봄의 새들, 가을 달과 가을 매미, 여름 구름과 여름 비, 겨울 달과 혹한, 이러한 사계절의 기후가 시인을 감동시켜 시로 창작된다. 아름다운 모임에서 시를 통해 친근함을 나타내고, 무리를 떠나 시에 의지하여 원망을 드러낸다. 초나라 굴원은 수도를 떠나고 한대의 왕소군은 궁정을 작별하며, 어떤 이는 시신이 북방의 황야에 엎드려졌고 어떤 이의 혼백은 바람에 날리는 망초를 따라 떠돈다...... 이러한 여러 정경이 심령을 감동시킨다. 시를 짓지 않는다면 어찌 그 뜻을 펼치겠는가? 길게 노래하지 않는다면 어찌 그 감정을 풀어놓겠는가?

若乃春風春鳥, 秋月秋蟬, 夏雲暑雨, 冬月祁寒, 斯四候之感諸詩者也. 嘉會寄詩以親, 離群托詩以怨. 至於楚臣去境, 漢妾辭宮, 或骨橫朔野, 或魂逐飛蓬...... 凡斯种种, 感蕩心靈, 非陳詩何以展其義? 非長歌何以騁其情? (종영鍾嶸 『시품 서詩品序』)

진심盡心

마음속 타고난 선단善端(사단四端, 인의예지仁義禮智)을 충분히 인식하고 발휘하는 것이다. '진심'(마음을 다하다)은 맹자가 제시한 일종의 도덕 수양의 방법이다. '진심'을 위해서는 마음이 갖춘 사고 능력을 발휘하여 마음이 원래 지닌 선단을 발견하고 동시에 그것을 사람을 사람답게 하는 본질적 특징으로 삼아 더욱 함양하고 마음속 선단을 발휘하여 궁극적으로는 인, 의, 예, 지의 덕행을 실현해야 한다. 마음속 선단은 인간에게 천부적으로 주어진 본성이어서 '진심'의 과정을 거치면 인간의 본성을 이해할 수 있으며 하늘에까지 통할 수 있다.

예)
맹자가 말하였다. "마음을 다하면 본성을 알게 된다. 본성을 알면 하늘을 알게 된다. 마음을 보존하고 본성을 함양하는 것은 하늘(천명)을 섬기는 방법이다."
孟子曰, "盡其心者, 知其性也. 知其性, 則知天矣. 存其心, 養其性, 所以事天也." (『맹자孟子 · 진심盡心 상』)

진심은 사물의 이치를 아는 데 있어서 조금도 미진함이 없는 것을 이른다.
盡心, 謂事物之理皆知之而無不盡. (『주자어류朱子語類』 권60)

진언무거陳言務去

주로 두 층위의 의미를 내포하고 있다. 첫째, 글을 쓸 때 많이 사용된 진부한 표현이 없어야 한다는 뜻이다. 둘째, 글을 구상할 때 남의 주장을 따라 말하는 용렬한 의견을 버려야 함을 가리킨다. 이 말은 당대의 저명한 문학가 한유(768~824)가 특히 산문 창작에 대해 제시한 관점이다. 한유는 글을 쓸 때 변혁과 창조적 혁신을 강조했고, 일체의 고루한 표현과 논점을 배재하고 낡은 것을 답습하지 않으려 노력했다. 이러한 견해와, 한유가 이끈 '고문운동古文運動'에서 주장한 '문이명도文以明道'는 고문을 제창하고 변문을 반대하는 등 그 관점이 일맥상통한다.

예)
마음의 생각을 취해 손으로 써낼 때 반드시 진부한 말과 논점을 버려야 한다. 이 얼마나 힘들고 어려운 일인가!
当其取于心而注于手也, 惟陈言之务去, 戛戛乎其难哉! (한유韓愈『답이상서答李翊书』)

진부한 표현을 없앴다는 점에서 두보의 시와 한유의 글은 일치한다. 황정견과 진사도 등 여러 사람이 두보 시에서 배운 것이 바로 이 부분이다.
陳言務去, 杜詩與韓文同. 黃山谷, 陳後山諸公學杜在此. (류희재劉熙載『예개藝槪 · 시개詩槪』)

진震

'진'은 팔괘八卦 중 하나로 ☳로 표기한다. 또한 육십사괘六十四卦 중 하나로 삼획의 '진' 두 개로 구성되며 ䷲로 표기한다. '팔괘'라는 체계 안에서 '손'괘가 기본적으로 상징하는 의미는 천둥[雷]이다. 천둥이 치면 만물이 흔들리므로 '흔들다, 움직임을 일으키다'라는 뜻을 가진다. '진'괘는 하나의 양효陽爻와 두 개의 음효陰爻로 이루어지고 양괘陽卦에 속하며 인륜의 영역에서 남성을 상징한다. 또한 '진'괘에서 양효가 아래에 위치하기 때문에 양괘의 장長이므로 가족 중 장남을 상징한다.

예)
진震은 '움직임을 일으키다'라는 뜻이다.
震, 動也. (『주역周易 · 설괘說卦』)

잇따라 나는 천둥소리가 진이다. 군자는 이로 인해 두려움에 떨며 수신修身하고 자성自省한다.

洊雷, 震. 君子以恐懼修省. (『주역 · 상하象下』)

진충보국盡忠報國

충성을 다해 국가의 은혜에 보답하다. '정충보국精忠報國'이라고도 한다. 당초唐初에 편찬된 『주서周書』, 『북사北史』에 이미 '진충보국'이란 단어가 보인다. 이 용어는 또한 남송南宋 시기 금나라에 항거한 명장 악비岳飛(1103~1142)와도 관련이 있다. 원나라 사람이 쓴 『송사宋史』에서는 악비가 등뒤에 '진충보국' 네 글자를 새겨넣었다고 기록했으나, 누가 새긴 것인지에 대해서는 언급이 없다. 청대淸代에 악비의 어머니가 글자를 새겼다는 설이 제기되었고, 이는 악비가 어머니의 뜻을 따라 진충보국을 실천하여 죽기까지 어기지 않았다는 이야기로 발전했다. 이 용어는 충효忠孝가 하나라는 유가의 이념을 내포하고 있으며, 오늘날에도 중국인의 애국정신을 형용하는 대표적인 표현이다.

예)
그대들은 조정의 은혜를 받았으니 진충보국할 생각을 하는 것이 마땅한데, 어떻게 하루아침에 제위를 다른 사람에게 주어버리고자 하는가!
公等備受朝恩, 當思盡忠報國, 奈何一旦欲以神器假人! (『주서 · 안지의전顔之儀傳』)

악비가 등을 드러내 보여주자, 등에는 이전에 새긴 '진충보국' 네 개의 큰 글자가 피부 깊숙이 파고들어 있었다.
飛袒而示之背, 背有舊涅 "盡忠報國" 四大字, 深入膚理. (『송사 · 하주전何鑄傳』)

집사광익集思廣益

뭇사람의 생각과 지혜를 모으고 유익한 의견을 널리 받아들여 더 좋은 효과를 내다. 삼국三國 시기 제갈량諸葛亮(181~234)이 제시하였으며, 지도자는 반드시 언로를 넓게 터서 허심탄회하게 각 사람의 의견을 들어야 함을 강조하고 있다. 특히 자신의 정치적 의견에 부합하지 않는 견해도 종합적으로 고려하여 올바르게 정책을 결정해야 하며, 절대 자만하거나 독단적으로 판단해서는 안 된다. 이는 지혜를 수렴하는 과정일 뿐 아니라, 사람들의 적극성을 일깨우고 합의된 행동을 도출하는 과정이기도 하다.

예)
무릇 관에 몸담은 사람이라면 뭇사람의 생각과 지혜를 수렴하여 널리 충직하고 유익한 의견을 받아들여야 한다.
夫參署者, 集衆思廣忠益也. (제갈량『여군하교與群下教』)

그러므로 사람들의 힘을 모아 들면, 무엇이든 들지 못할 것이 없다. 뭇 사람의 지혜를 모아 일을 한다면, 무엇이든 이루지 못할 것이 없다.
故積力之所擧, 則無不勝也. 衆智之所爲, 則無不成也. (『회남자 · 주술훈主術訓』)

징회미상澄懷味像

마음을 가라앉히고 일체의 세속적 간섭과 공리심을 버린 채, 고요하고 텅 빈 심경 가운데 '도'에서 피어나는 물상을 감상하고 음미하다. '징회'는 '미상'의 전제이다. 객관의 속박과 세속의 영향을 받지 않은 심미관이야말로 '도'에 가장 가까울 수 있다. 이때 사물과 나의 경계가 사라지고 감상하는 사람은 산수를 통해 '도'와 통할 수 있게 되며, 정신적으로 진정한 자유와 초월을 느끼게 된다. '징회미상'은 중국 고대 산수화 이론의 중요한 용어이자 예술 직관주의에 속한다. 이 말은 노자 사상의 '척제현람滌除玄覽'을 계승하고 발전시킨 것으로, 서법과 문학 등 다른 영역의 창작 이론에도 영감을 주었다.

예)

성인은 내면에 '도'를 함양하고 있어 만물을 밝게 비출 수 있고, 덕 있는 사람은 마음을 가라앉히고 '도'가 나타내는 물상을 음미한다.

聖人含道映物, 賢者澄懷味像. (종병宗炳 『화산수 서畵山水序』)

종병은 병이 든 후 강릉으로 돌아갔다. 탄식하며 말하기를 "늙고 병들었으니 명산을 두루 유람하기 어렵겠구나. 그저 마음을 비운 채 '도'가 보여주는 물상을 음미하며, 누워서 산수화를 보고 거기서 노니는 셈 칠 수밖에 없다."

(宗炳)有疾還江陵. 嘆曰, "老疾俱至, 名山恐難遍睹, 唯當澄懷觀道, 臥以遊之." (『송서宋書 · 은일전隱逸傳 · 종병宗炳』)

ㅊ

착벽차광鑿壁借光

벽을 뚫고 이웃의 불빛을 빌려 책을 읽다. 서한西漢 시기의 대문학가 광형匡衡은 어렸을 때 집이 가난했다. 독서를 매우 좋아했으나 집에 초가 없어 밤에 책을 읽지 못하자, 그는 벽에 구멍을 뚫고 이웃집의 촛불 빛을 빌려 독서를 계속했고 결국 시대를 대표하는 학자가 되었다. 의지 력에 대한 중국 고대의 유명한 일화로, 구체적인 행동의 차원을 넘어 어려움에도 열심히 학업에 정진하는 정신에 그 의미가 있다.

예)
광형의 자는 치규로, 부지런히 공부했지만 집에 초가 없었다. 이웃집에는 초가 있었 지만 불빛이 그의 집까지 미치지 않았다. 광형은 벽에 구멍을 뚫고 그 빛이 들어오도록 하여 빛을 빌려서 책을 읽었다.

匡衡字稚圭, 勤學而無燭. 隣舍有燭而不逮, 衡乃穿壁引其光, 以書映光而讀之. (『서경잡기西 京雜記』 2권)

착채누금錯彩鏤金

색을 입히고 금은을 조각한다는 뜻으로 예술 작품의 꾸밈이 화려함 을 형용하는 말이다. 문학 작품을 비평할 때 사용되며 주로 시에서 화 려한 어휘를 사용하거나 기교가 많은 경우를 가리킨다. 심미의 경지를 말할 때 '착채누금'은 '부용출수芙蓉出水'(수면 위로 막 피어난 연꽃)보다 낮은 경지이다. '착채누금'은 외면의 형태를 중시해 심미적 형식 단계에 머무른다. '부용출수'의 경우에 형식을 뛰어넘어 실체에 직접 도달하여 심미적 의미가 자연스럽게 드러난다.

예)

안연지가 포조에게 자신의 작품과 사령운의 작품 중에 어느 것이 더 뛰어난지 물어본 적이 있다. 포조가 말하길 "사령운의 오언시는 연꽃이 막 수면 위로 피어오른 것처럼 있는 그대로 사랑스럽다. 그대의 시는 비단을 펼쳐놓은 것과 같이 꾸밈이 가득하다."

延之嘗問鮑照己與靈運優劣, 照曰: "謝五言如初發芙蓉, 自然可愛, 君詩若鋪錦列繡, 亦雕繢滿眼." (『남사南史 · 안연지전顏延之傳』)

붉은 칠은 무늬가 필요 없고, 순백의 옥은 조각이 필요 없고, 진귀한 진주는 장식이 필요 없다. 왜 그러한가? 그 자체로 충분히 아름다워 꾸밀 필요가 없기 때문이다.

丹漆不文, 白玉不雕, 寶珠不飾, 何也? 質有餘也, 不受飾也. (유향劉向, 『설원說苑 · 반질反質』)

참험參驗

관찰과 비교를 통해 검증하는 것으로 인식과 의견이 정확한지 점검하는 방법이다. '참험'의 방법은 선진先秦 시기에 이미 여러 차례 제기되었는데 한비자韓非子는 이 방법에 대해 비교적 심도 있는 해석을 내놓았다. 한비자는 어떤 인식이나 의견의 정확성을 판단하려면 하늘, 땅, 사물, 사람 등의 다방면에서 비교하고 점검해야 한다고 여겼는데, 이것이 '참험'이다. '참험'은 인식 혹은 의견의 실제적인 기능을 중시한다. 비교와 검증을 통해 실제적인 기능을 발휘할 수 있다고 증명된 인식이나 의견이어야 정확하다. '참험'을 거치지 않고 맹목적으로 동의해 버리는 것은 어리석은 행동이다.

예)

이름과 실체가 일치하는지에 따라 시비를 확정한다. 참험의 결과에 근거하여 언사가 정확한지 자세히 살핀다.

循名實而定是非, 因參驗而審言辭. (『한비자韓非子 · 간겁살신奸劫弑臣』)

창름실이지예절倉廩實而知禮節

곳간이 가득 차야 사람들이 예절을 알게 된다. 『관자管子 · 목민牧民』
에 나온 "곳간이 가득 차야 예절을 알고, 입고 먹는 것이 충족되어야 영
예와 치욕을 안다"가 출처이다. '창름'은 고대에 곡식을 저장하는 장소
및 시설이다. '창름실倉廩實', '의식족'은 저장된 양식이 충분하여 백성
이 먹고 입는 걱정을 하지 않음을 가리키고, 사람들의 생산 및 생활에
필요한 물질적 조건이 매우 충분함, 즉 물질 문명이 어느 정도 수준까
지 발전했음을 의미한다. '예절', '영욕'은 사회의 예의규범과 내면의 도
덕관념을 가리키며 제도문명과 정신문명을 포함한다. 이 말은 물질문
명과 제도문명, 정신문명 사이의 관계를 드러낸다. 곧 물질문명이 제도
문명과 정신문명 발생의 기초이자 조건이며, 제도문명과 정신문명은
물질문명의 발전이 일정한 단계에까지 이르렀을 때의 산물이다. 만약
백성의 기본 생활조건이 보장되지 못한다면, 양호한 제도가 있다 하더
라도 사람들이 따르기 어렵고, 사람들의 정신적 품격 또한 제고되지 못
할 것이다. 어떤 시대라도 물질 문명의 건설은 국정의 기본적인 주요
업무가 되어야 한다. 이것은 매우 실천적인 통치이념이다.

예)
그래서 관중이 말했다. "곳간이 가득 차야 사람들은 비로소 예절을 알게 되고, 입고
먹는 것이 풍족해야 영예와 치욕을 분별할 수 있게 된다." 예절이란 예절은 생활조건이
풍족하면 세워지며, 생활조건이 결핍되면 폐지된다. 그래서 지위가 높은 사람이 부유해
지면 도덕을 널리 퍼뜨리게 되며 평민이 부유해지면 자기의 역량에 따라 도덕을 지키게
된다. 물이 깊으면 저절로 물고기가 살게 되고 산이 깊으면 저절로 들짐승들이 몰리며,
사람이 부유하게 되면 저절로 인의가 생겨난다.

故曰: "倉廩實而知禮節, 衣食足而知榮辱." 禮生於有而廢於無. 故君子富, 好行其德; 小人富, 以適其力. 淵深而魚生之, 山深而獸往之, 人富而 仁義附焉.(『사기史記 · 화식열전貨殖列傳』)

　관중이 말했다. "곳간이 가득 차야 사람들이 예절을 알게 된다." 백성의 기본적인 생활조건이 부족한데 나라를 잘 다스렸다는 것은 옛날부터 지금까지 들어본 적이 없다. ⋯⋯ 재물 축적과 양식 저장은 국가 경제와 국민 생활에 관계된 중요한 일이다. 만약 양식이 넉넉하고 자산이 충분하면 어떤 일을 하든 성공하지 못하겠는가? 이를 공격하는 데 쓰면 진격하여 얻지 못함이 없고, 방어하는데 쓰면 난공불락이고, 전쟁하는데 쓰면 가는 곳마다 승리한다. 적이나 먼 곳의 사람을 불러 귀순시키면 누구인들 오지 않겠는가?

　管子曰: "倉廩實而知禮節". 民不足而可治者, 自古及今, 未之嘗聞. ⋯⋯ 夫積貯者, 天下之大命也. 苟粟多而財有餘, 何爲而不成? 以攻則取; 以守則固; 以戰則勝. 懷敵附遠, 何招而不至? (가의 賈誼,『논식저소論積貯疏』,『한서漢書 · 식화지食貨志』참고)

창생대의蒼生大醫

　백성들이 우러러보는 위대한 의사는 백성들에게 좋은 의사이다. 이는 당나라의 저명한 의사 손사막孫思邈(581~682)이『천금방千金方』에서 서술한 이상적인 의사의 모습이다. 창생蒼生은 중생으로 주로 백성을 일컫는다. 대의大醫는 평범함을 넘어선, 위대한, 사람들로부터 존경받는 의사이다. 이러한 의사는 세 가지 기본 품격 혹은 정신을 지닌다. 첫째는 평등이다. 환자의 빈부귀천, 친소親疏와 선악善惡, 동족 여부를 막론하고 모두를 똑같이 어질게 대한다. 둘째는 인애仁愛이다. 환자를 자기 가족처럼 여기고 심히 불쌍히 여기며 공감해 준다. 셋째는 자신을 내세우지 않음이다. 개인의 안위와 유익을 고려하지 않고 오로지 병을 고치고 사람을 구하는 것에만 집중한다. 이는 대의정성大醫精誠 이론의 중요한 요소이며 의자인심醫者仁心이라는 중국 의학의 인도정신의 궁극적인 발현이다.

예)

만약 고통스러워하는 병자가 의사를 찾아온다면 신분의 귀천, 집의 빈부, 나이의 많고 적음, 외모의 잘생기고 추함, 품행의 선악을 논하지 않아야 하고 친한 친구이든 원수지간이든, 한족漢族이든 다른 민족이든 그리고 지식이 많든 적든 따지지 않고 모두를 인자함으로 대함이 자기 가족을 대함과 같아야 한다. 또한 앞뒤를 가리거나 개인의 안위와 득실을 고려하거나 자신의 생명을 앞세워서는 안 되며 병자의 고통을 자신의 고통과 동일하게 여기고 불쌍히 여기는 마음을 지니며 길의 험난함을 피하지 않고 밤낮이나 더위나 추위를 가리지 않고 배고픔과 피로를 두려워하지 않으며 오로지 병자를 구하고 돕는 것만을 생각해야 하고 공을 들여 어떻게 이름을 높일까 생각해서는 안 된다. 이러해야만 천하의 백성들이 우러러보는 의사가 될 수 있으며 이와 반대로 행하는 자는 백성에게 있어 큰 화이자 해로움이다.

若有疾厄來求救者, 不得問其貴賤貧富, 長幼姸媸(chī), 怨親善友, 華夷愚智, 普同一等, 皆如至親之想.亦不得瞻前顧後, 自慮吉凶, 護惜身命, 見彼苦惱, 若己有之, 深心淒愴, 勿避險巇(xī), 晝夜寒暑, 飢渴疲勞, 一心赴救, 無作工夫形蹟之心.如此可爲蒼生大醫, 反此則是含靈巨賊. (손사막孫思邈『千金方·論大醫精誠』)

│ **창신**暢神

정신과 자연이 하나될 때 도달하는 자유롭고 상쾌한 심미적 상태. 산수화, 산수시를 감상할 때 정신이 자연 및 사물에 이입된 심미적 반응이다. 종병이 『화산수서畵山水序』에서 말하길, 산수화를 감상하면 고대 성현들이 산수 중에 기탁한 철학적 이치와 즐거움을 깨달을 수 있고, 일체의 바깥 사물과 잡념을 차단한 절대적으로 공허한 경지, 즉, 온 몸과 마음이 극도로 즐겁고 정신적으로 최고로 자유로운 상태에 들어갈 수 있다고 하였다. 그가 제시한 이 용어는 산수화, 산수시 및 자연미의 특수한 심미적 기능을 드러냈으며 또한 전통 문학예술의 자연과 사람의 조화, 마음과 영혼의 조화라는 가치에 대한 전통 문학예술의 추구를 반영했다.

예)

고대의 성현이 이미 상상과 사색을 통해 자연 산수 중의 여러 취지와 흥취를 깨닫고 하나로 녹여 놓았는데, 내가 무엇을 더 해야 하는가? 그저 창신이 가져다 주는 즐거움을 체득하기만 하면 된다.

聖賢映於絕代, 萬趣融其神思, 餘復何爲哉? 暢神而已. (종병宗炳, 『화산수서畫山水序』)

천경지의天經地義

천지의 규칙과 질서이다. 『좌전左傳』의 기록에 의하면 자산子産이 '천경지의'를 제시하여 예의 본질 및 근거를 해석했다. 자산이 볼 때 천지의 운행은 영원한 규칙을 따르며 안정적인 질서를 드러내며 가장 합리적이다. 사람은 천지를 본받아야 하는데, '천경지의'에 부합하는 언행과 질서는 합리적이고 정당하다. 예는 사람의 언행 및 인륜질서의 규정이고 '천경지의'의 구현이다. '천경지의'는 후대에 각종 사물의 정당성 및 의심할 수 없는 도리를 묘사하는 말로 널리 응용되었다.

예)

예는 천지가 운행하는 법칙이고 백성의 행위의 규범이다.

夫禮, 天之經也, 地之義也, 民之行也. (『좌전左傳 · 소공 25년昭公二十五年』)

천도天道

천지 만물이 존재하고 변화하는 기본 법칙으로 '인도人道'와 상대되는 말이다. 고대에 '천도'에 대한 서로 다른 이해가 있었다. 첫째는 '천도' 특히 일월성신의 운행과 관련된 천문 현상은 인간의 길흉과 성패를 암시하거나 결정한다는 생각이다. 고대에는 전문적으로 천문 현상을 관찰하여 사람의 일을 예측하는 관직이 있었다. 둘째는 '천도'는 인간의 도덕과 인륜 질서의 근원 혹은 근거라는 생각이다. 사람의 언행과 인륜 질서는 '천도'를 본받거나 '천天'이 부여한 심성을 깨닫고 발휘하여 '천도'에 도달해야 한다. 셋째는 '천도'와 인간 사회의 도덕, 질서 내지는 인사의 길흉화복 간에는 필연적 관계가 없다는 생각이다.

예)
하늘의 도를 세워 음과 양이라 하고 땅의 도를 세워 유와 강이라 하며 사람의 도를 세워 인과 의라 한다.
是以立天之道曰陰與陽, 立地之道曰柔與剛, 立人之道曰仁與義. (『주역周易 · 설괘說卦』)

진실함은 하늘의 도이고 진실하게 하는 것은 사람의 도이다.
誠者, 天之道也, 誠之者, 人之道也. (『예기禮記 · 중용中庸』)

하늘의 도는 멀고 사람의 도는 가깝다.
天道遠, 人道邇. (『좌전左傳 · 소공昭公 18년』)

천뢰天籟

천지 만물이 자연적으로 내는 소리. 장자(B.C. 369?~B.C. 286)는 소리를 '인뢰人籟', '지뢰地籟'와 '천뢰'의 세 가지로 구분했다. '인뢰'는 사람이 대나무 피리를 불 때 나는 소리이다. '지뢰'는 바람이 불어올 때 대지의 구멍에서 나는 소리이다. '천뢰'는 앞선 두 가지와 종류가 다른 소리가 아니라 천지 만물 자체에서 나는 천차만별의 소리로, 타자가 일부러 소리를 내는 것이 아니다. 장자가 '천뢰'를 긍정한 것은, 주관적인 노력의 영향을 없애 버리고 만물의 진실하고 자연적인 상태를 발견 및 존중하고자 하는 의미가 있었다. 후대 사람들은 시문이 짜임새 있게 구성되어 자연스러운 멋을 보여주는 심미적 경지를 '천뢰'라고 표현했고, 자연이 내는 아름다운 소리를 '천뢰지음'이라고 불렀다.

예)

자유가 말했다. "지뢰는 바람이 불어 땅의 뭇 구멍에서 나는 소리고, 인뢰는 사람이 대나무피리를 불 때 나는 소리입니다. 감히 여쭙는데 천뢰는 무엇입니까?" 남곽자기가 말했다. "바람이 불면 만물이 제각기 다른 소리를 내는데, 이 소리는 모두 각 구멍이 자연적인 상태에서 스스로 만들어낸 것이다. 뭇 구멍들을 부추겨 소리를 내도록 하는 자가 달리 누가 있겠는가!"

子游曰: "地籟則衆竅是已, 人籟則比竹是已. 敢問天籟." 子綦曰: "夫吹萬不同, 而使其自己也, 咸其自取, 怒者其誰邪!" (『장자 · 제물론齊物論』)

▎ 천리지제千里之提, 궤우의혈潰於蟻穴

천리 길이의 댐과 둑이 아주 작은 개미굴 때문에 무너질 수 있다. 아주 작은 잠복해 있는 폐해도 매우 큰 재해로 전개될 수 있음을 비유하는 표현이다. 한비자韓非子에서 처음 쓰였다. 모든 사물은 작은 것이 커지고 아주 적다가 많아지는 과정을 거치는데 만약 사물이 좋은 방향으로 발전하기를 원한다면 잠복해 있는 각종 폐해와 불리한 요소를 반드시 제거해야 하며 그것이 극히 작다고 하여 그 존재를 경시하면 안 되고 조기에 발견하여 억제해야 한다. 이 표현은 비유라는 방식을 통해 반면反面의 사례로써 미연에 방지하는 것의 중요성을 서술한다.

예)

형태가 있는 사물은 반드시 작았다가 큰 것으로 변한다. 시간이 흐른 지 오래된 사물은 반드시 적은 것이 쌓여 많아진다. 따라서 "천하의 큰 일은 반드시 미천한 것으로부터 시작된 것이다"라고 하는 것이다. 이에 사물을 제어하려면 반드시 작을 대부터 손을 대야 한다. 따라서 "어려운 일을 도모하고 계획하려면 간단하고 쉬운 것부터 손을 대야 하며 큰 일을 하려면 작은 일부터 손을 대야 한다"고 하는 것이다. 천 척에 이르는 댐과 둑이 개미굴로 인해 무너질 수 있으며 백 척에 이르는 건물도 굴뚝의 틈에서 나오는 불씨 때문에 잿더미가 될 수 있다.

有形之類, 大必起於小; 行久之物, 族必起於少. 故曰: "天下之難事必作於易, 天下之大事必作於細." 是以欲制物者於其細也. 故曰: "圖難於其易也, 爲大於其細也." 千丈之堤, 以螻蟻之穴潰; 百

尺之室, 以突隙之煙焚. (『한비자韓非子 · 유로喻老』)

　　따라서 팔백 척에 이르는 건물도 위로 뻗어나가는 굴뚝에서 나오는 불씨 때문에 잿더미가 될 수 있다. 천리에 이르는 댐과 둑은 작은 개미굴 때문에 무너질 수 있다. 옛사람들은 좋지 않은 일이 아주 미미한 단계에 있을 때 방비하여 초기 단계에서 억제하였는데, 이는 가장 중요한 것을 보전하기 위함이었다.

　　故百尋之屋, 突直而焚燎; 千里之堤, 蟻垤(dié)而穿敗. 古人防小以全大, 慎微以杜萌. (『진서晉書 · 진군전陳頵傳』)

천리지행千里之行, 시어족하始於足下

　　천릿길은 한 발을 내딛는 것부터 시작한다. 원대한 목표를 이루려면 작은 것, 기초적인 일부터 시작해야 함을 비유한다. 족하足下는 발로 서 있는 지면을 뜻한다. 이 용어는 『노자』에서 나왔다. 노자는 큰 나무, 높은 대, 천릿길을 예시로, 문제나 어려움이 발생하기 전에 꼭 미리 방비하거나 적절히 조치하여 양적 변화가 질적 변화를 일으키지 않도록 해야 함을 설명했다. 또 한편으로는 어떤 일이든 처음부터 시작해야 함을 설명했다. 좋은 시작은 종종 일의 성패를 가르는 관건이 되며, 원대한 이상과 포부는 현실에 기반하여 착실하게 이뤄가야만 구체적인 목표 하나하나를 실현하는 가운데 불가능해 보였던 일을 성취할 수 있다.

　　예)
　　여러 명이 둘러싸야 안을 수 있는 큰 나무는 아주 작은 새싹에서부터 자라난다. 9층의 높은 대는 흙덩어리를 쌓는 것부터 시작한다. 천 리만큼 먼 길은 한 걸음을 떼는 것에서부터 시작한다.

　　合抱之木, 生於毫末, 九層之臺, 起於壘土, 千里之行, 始於足下. (『노자 · 64장』)

| 천리天理

천지 만물과 인간 사회가 따르고 있는 보편 법칙. 송·명 시기 유학자는 '천'의 본질적 의미가 '천리'이며 '천리'를 궁극의 의미로서 최고 범주로 삼았다. '천리'는 사물의 본체 혹은 본질로서 인간과 사물의 본성을 결정하는 자연 법칙과 인륜 도덕의 근거이다. '천리'는 형태를 갖춘 사물을 초월하지만 동시에 모든 사물에 내포되어 있다. 인성에서 '천리'는 사람이 천성적으로 부여받은 지극한 선이라는 본성을 나타내며 종종 '인욕'과 상대되는 말로 나온다.

예)
만물은 모두 단지 하나의 천리가 실현된 것이다.
萬物皆只是一個天理. (『이정유서二程遺書』 권2 상)

본성이 곧 천리이니 선하지 않을 수 없다.
性即天理, 未有不善者也. (주희朱熹, 『맹자집주孟子集注』)

| 천명미상天命靡常

하늘의 명령을 항상 변함없이 받는 사람은 없다. '천명미상'이란 말은 『시경·대아大雅·문왕文王』에서 유래되었다. 옛사람들은 하늘의 명령이 인간 세상의 지고무상한 왕권의 소유권을 결정짓는다고 믿었다. 그러나 천명을 부여받은 왕권은 영원불변하는 것이 아니다. 은나라와 주나라의 교체는 바로 천명에 변화가 생겼기 때문이다. 천명의 변화는 고정적인 법칙을 따르는데 군주가 덕이 있으면 명을 부여하고 덕을 잃으면 천명을 박탈한다. 그래서 '천명미상'의 관념은 통치자가 언제나 자신의 덕행을 수행하여 천명을 지키도록 일깨운다.

예)

그래서 은나라 사람은 주나라를 신하의 예절로 섬겼다. 천명을 영원불변하게 받는 사람은 없다. 귀순한 은나라 사람들은 우아하고 민첩하여 수도에 가서 제사를 도울 때 그들은 오래된 예복을 입고 오래된 관을 썼다. 요즘 주왕에 의해 신하로 임용되니 마땅히 조상의 덕행을 감사하여 마음에 새겨야 할 것이 아닌가?

侯服於周, 天命靡常. 殷士膚敏, 祼將於京. 厥作祼將, 常服黼冔. 王之藎臣, 無念爾祖. (『시경 · 대아 · 문왕』)

천명지성天命之性

하늘이 인간에게 부여한 도덕적 본성으로 '천지지성天地之性'이라고도 하며 '기질지성氣質之性'과 상대된다. 선진先秦 시기에 사람의 도덕 본성은 하늘에서 비롯한다는 생각을 제시한 유학자가 있었다. 송대 유가에서 이 생각을 이어받아 '천명지성'이라는 개념을 제시하여 모든 사람에게 있는 하늘로부터 받은 도덕 본성을 지칭했다. '천명지성'은 순수한 선으로 인간의 도덕적 행동에 내재한 근거이다. 하지만 인간 본성이 다른 요인으로부터 영향을 받아 '천명지성'이 가려질 수 있다.

예)

형태가 만들어진 이후에 기질지성이 생기니 이를 잘 되돌리면 천지지성을 보존할 수 있다.

形而後有氣質之性, 善反之則天地之性存焉. (장재張載, 『정몽正蒙 · 성명誠明』)

천명지성은 천리를 가리켜서 하는 말이다. 솔성지도는 인간의 행위를 가리켜서 하는 말이다.

天命之性, 指理言, 率性之道, 指人物所行言. (『주자어류朱子語類』 권62)

| 천명天命

하늘의 명령과 하늘로부터 받은 것. '천명'은 크게 세 가지 다른 의미를 포함한다. 첫째는 하늘이 인간에게 내린 명령을 가리킨다. 명령의 내용은 처음에는 왕권의 교체가 주를 이루었다. 즉 덕이 있는 자가 하늘의 명령을 받아 덕을 잃은 군주를 대신하여 가장 높은 권력과 복록을 누린다. 둘째는 운명을 가리키며 저항할 수 없다는 의미가 있고 인간의 한계를 나타낸다. 셋째는 하늘로부터 부여받은 품성이다. 『중용中庸』에서 "천명을 성이라 한다(천명지위성天命之謂性)"라고 했다. 송대 유학에서 이 사상을 발전시켜 '천명지성'으로 인간이 하늘로부터 받은 순수한 본성을 지칭했다.

예)
천명은 일정하지 않다.
天命靡常. (『시경詩經 · 대아大雅 · 문왕文王』)

하지 않았는데도 저절로 되는 것이 천이고, 오게 하지 않았는데도 저절로 오는 것이 명이다.
莫之爲而爲者天也, 莫之致而至者命也. (『맹자孟子 · 만장萬章 상』)

| 천문天文

천체, 날씨의 운행 변화 및 그 규칙. '천문'이라는 말은 『주역』에서 유래되었다. 해와 달과 별의 운행과 사계절과 밤낮의 교체 겨울과 여름, 바람과 비의 변화가 모두 어떤 불변의 법칙을 드러내는데 이것이 곧 '천문'이다. 옛사람들은 인류 생활과 천지 만물이 같은 법칙을 따른다고 여겼다. 그러므로 사람들은 '천문'에 대한 관찰과 모방을 통해 사회 질서를 확립할 수 있다.

예)

『주역』은 천지와 같다. 그래서 보편적으로 천지의 법칙을 포함할 수 있다. 올려다보며 천문을 관찰하고, 내려다보며 지리를 관찰하면 감춰지고 드러난 사물의 이치를 알 수 있다.

『易』與天地準, 故能彌綸天地之道. 仰以觀於天文, 俯以察於地理, 是故知幽明之故. (『주역·계사상繫辭上』)

단단함과 부드러움이 서로 섞인 것이 하늘의 법칙이다. 예의의 발전에는 제약이 있는데 그것은 인류의 법칙이다. 해와 달과 별의 운행하는 상태를 관찰하면 사계절의 변화를 알 수 있고, 시와 서와 예악의 발전하는 상황을 고찰하면 천하의 백성을 교화하고 문치의 번영을 실현하는데 쓸 수 있다.

剛柔交錯, 天文也. 文明以止, 人文也. 觀乎天文, 以察時變; 觀乎人文, 以化成天下. (『주역·단상象上』)

천상묘득遷想妙得

화가가 예술적 구상과 창작의 과정에서 연상되는 각종 형상과 소재를 화가의 감정 활동을 통해 새롭게 조직 및 구성하여, 마치 명인이 우연히 그린 것처럼 형태와 의미가 모두 훌륭한 작품을 그리는 것이다. '천상'은 상상, 선택과 구상에 중점이 있다. 창작의 제재 및 소재는 현실에서 오지만, 작품이 현실의 완벽한 복사판은 아니다. '천상'은 화가의 사상과 감정을 작품의 형상 속에 녹여내는 것이다. '묘득'은 정묘한 것을 얻는다는 뜻이다. '천상'의 최종 결과로, 작품의 심미적 효과에 중점이 있다. '묘득'은 사물의 형상을 '득'할 뿐 아니라, 사물의 의미도 '득'해야 한다. 그래야만 '묘'하다 할 수 있다. 그래서 '묘득'에는 절묘하게 영감을 얻는다는 뜻도 있다. '천상'과 '묘득'은 연관된 예술창작의 과정이며 서로 떨어질 수 없다. 이 용어는 예술 구상과 심미 활동의 특징에 대해 가장 이른 시기에 개괄된 개념으로, 후대에는 중국회화이론의 중요한 원칙으로 자리매김했다.

예)

대체로 그림을 그릴 때 사람이 가장 그리기 어렵다. 그 다음은 산수를 그리는 것이고, 그 다음이 개나 말 같은 동물이다. 정자나 누각은 고정된 기물로 그리기 어렵지만, 잘 그리기는 쉽고 '천상묘득'할 필요가 없다.

凡畵, 人最難, 次山水, 次狗馬, 臺榭一定器耳, 難成而易好, 不待遷想妙得也. (고개지顧愷之『논화論畵』)

고 공(고개지)은 심사가 깊고 세밀하여 그의 포부와 생각을 예측하기 어렵고, 비록 필묵에 의탁하여 표현하고자 했어도 그의 정신과 기운은 구름 위에서 높이 날고 있으니 화폭 위에서만 찾을 수 없다.

顧公運思精微, 襟靈莫測, 雖寄迹翰墨, 其神氣飄然在煙霄之上, 不可以圖畵間求. (장회관張懷瓘『화단畵斷』)

천시지리인화天時地利人和

'천시天時'란 본래 전쟁하기에 유리한 기후를 가리키나, 넓게는 날씨, 시기, 기회 등을 포함한 시간 상의 각종 유리한 조건을 뜻한다. '지리地利'는 본래 전쟁에 유리한 지형을 가리키나, 넓게는 지형, 지세, 구역 등 공간 상의 각종 유리한 조건을 의미한다. '인화'는 본래 사람들의 지지를 얻고 위아래사람이 한마음으로 단결함을 가리키나, 넓게는 인력적인 우세를 지칭한다. 옛사람들은 이것들이 성공과 실패를 결정짓는 매우 중요한 3가지 요소라고 생각했고, "천시는 지리만 못하며 지리는 인화만 못하다"고 하였고, 그중에서 결정적인 작용을 하는 것은 '인화'라고 생각했다. 이것은 중국인이 문제를 고려하는데 있어 가장 기본적인 지침인 시간(시기), 공간(환경)과 사람을 반영하였고 "사람이 근본이다(以人爲本)"라는 기본이념을 구현했다.

예)

유리한 기후 조건, 유리한 지리조건, 사람의 전적인 협력 이 세가지가 갖춰지지 않는다면 전쟁에서 승리한다 해도 자신 또한 손해를 입는다.

天時, 地利, 人和, 三者不得, 雖勝有殃. (『손빈병법孫臏兵法·월전月戰』)

유리한 기후 조건은 유리한 지리조건만 못하고, 유리한 지리조건은 사람의 전력적인 협력만 못하다.

天時不如地利, 地利不如人和. (『맹자孟子·공손추하公孫丑下』)

천인감응天人感應

하늘과 사람 사이의 상호 감응. '천인감응'이란 말은 동중서(기원전 1 79~기원전 104)가 명확하게 제기한 것이다. 그는 이전 사람들의 사상을 계승하여 같은 사물 사이에서는 서로 감응할 수 있다고 생각했다. 사람은 하늘의 복사본으로서 서로 간에 감응이 존재한다. 하늘의 변화는 사람과 사람의 일에 영향을 주고 사람의 언행과 인간사의 혼란을 수습할 때 천문 현상이 반영된다. 통치자들에게 질서를 어지럽히는 언행이 있다면 곧 자연재해가 유발된다. 동중서는 '천인감응'의 기초에서 자연재해 현상을 이용하여 통치자들에게 덕德으로 다스릴 것을 권장하고자 했다.

예)

하늘에는 음양이 있고 사람에게도 역시 음양이 있다. 하늘과 땅의 음기가 일어나면 사람의 음기도 그에 따라 일어난다. 사람의 음기가 일어나면 천지의 음기도 역시 그에 반응해 일어나게 되니, 그 중의 이치는 같은 것이다.

天有陰陽, 人亦有陰陽. 天地之陰氣起, 而人之陰氣應之而起. 人之陰氣起, 天地之陰氣亦宜應之而起, 其道一也. (동중서, 『춘추번로·동류상동同類相動』)

천인지분天人之分

하늘과 사람이 서로 구별된다고 보는 세계관 및 사유방식을 말한다.

이러한 설은 순자가 처음으로 제시했는데 그는 인간 세상의 도덕과 질서의 기원 혹은 근거를 하늘에서 찾는 것에 반대했다. 순자는 하늘과 사람은 각자의 직분을 가지고 있어 서로 뒤섞이면 안 된다고 보았다. 천지 일월의 운행과 덥고 추움, 홍수와 가뭄의 출현은 모두 하늘의 직분의 영역에 속한 것이므로 그 나름의 상도常道가 있어 인간사와 무관하며 사람의 힘이 미치는 바가 아니다. 그리고 사람의 도덕과 인간 세상의 혼란을 다스리는 것은 사람의 직분의 범위에 속하는 것으로 사람은 응당 도덕의 양성과 사회의 관리에 책임을 져야 한다. '천인지분'을 명확히 알아야만 사람은 하늘이 부여하고 확립해 준 것을 기초로 하여 능력을 발휘하면서도 사람이 힘쓸 수 없는 영역까지 주제넘게 관여하지 않을 수 있다.

예)
하늘의 운행은 그 상도가 있는 것이니 요 임금이 자리에 있다고 존재하는 것도 아니요 걸 임금이 자리에 있다고 사라지는 것도 아니다. ......농사에 힘쓰고 절약하면 하늘이라 해도 그를 가난하게 할 수 없고, 충분히 보양하고 때맞춰 움직이면 하늘이라 해도 그를 병들게 할 수 없으며, 정도에 따르며 확고부동하면 하늘이라 해도 재앙을 내릴 수 없다. ......그러므로 하늘과 사람에 구별이 있음을 명확히 안다면 가장 고명한 사람이라 할 수 있다.

天行有常, 不爲堯存, 不爲桀亡. ......彊本而節用, 則天不能貧; 養備而動時, 則天不能病; 修道而不貳, 則天不能禍. ......故明於天人之分, 則可謂至人矣. (『순자·천론天論』)

| 천인합일天人合一

하늘과 땅과 사람이 서로 통한다고 보는 세계관 및 사유방식을 말한다. 이러한 세계관의 목적은 하늘과 땅과 사람 사이의 일체성과 내재적 관계를 강조하는 데 있는데, 이를 통해 하늘의 사람 혹은 인간사에 대한 근원적 의의를 뚜렷이 드러내어 하늘과의 관계성 속에서 생명과 질

서 및 가치의 기초를 추구하고자 하는 사람의 노력을 표현한다. '천인
합일'은 역사 속에서 다른 방식으로 표현되어 왔는데 하늘과 땅이 동류
라고 보거나 동지라고 보거나 혹은 이치가 같다고 보는 것 등이다. 맹
자는 마음의 반성을 통해 지성知性하고 지천知天할 수 있다고 보았으며
심, 성과 하늘 사이의 통일을 강조하였다. 송나라 때의 유학자들은 하
늘의 도리와 인간의 품성 및 인간의 마음이 서로 통할 것을 추구하였
다. 노자는 "사람은 땅을 본받고 땅은 하늘을 본받고 하늘은 도를 본받
는다人法地, 地法天, 天法道"고 주장하였다. 하늘과 사람에 대한 이해가 서
로 다름에 따라 '천인합일'도 서로 다른 의의를 지닐 수 있다.

예)
유사하여 서로 합치되는 면에서 보면 하늘과 사람은 하나이다.
以類合之, 天人一也. (동중서董仲舒『춘추번로春秋繁露 · 음양의陰陽義』)

유학자는 인륜을 바르게 살핌으로써 천리의 정성에 통달하고, 천리의 정성에 통달함
으로써 세상사를 통찰하니 즉 하늘과 사람은 하나이다. 학문을 통해 성인이 될 수 있으
며 천리를 파악하면서도 인륜에 대한 통찰을 잃지 않는다.
儒者則因明致誠, 因誠致明, 故天人合一, 致學而可以成聖, 得天而未始遺人. (장재『정몽正蒙
· 건칭편乾稱篇』)

천자天子

'하늘'의 아들, 즉 제국이나 왕국의 최고 통치자인 제왕과 군주를 뜻
한다. 옛사람들은 제왕과 군주가 하늘의 뜻을 주관하여 천하를 통치하
는 것이며 그 권력은 하늘에서 받은 것이라고 보았기 때문에 제왕과 군
주를 천자라고 칭했다. 이 명칭은 제왕과 군주의 권력이 하늘로부터 받
은 것이라는 정당성과 신성성을 긍정하는 동시에 이에 대해 일정한 예
속을 형성하기도 한다. 이는 서양의 '군권신수설'과 유사하지만 근본적

인 차이가 있다. 중국의 '하늘'은 서양의 '신'과 다르며 '천인감응天人感應' 사상, 즉 '하늘'의 뜻은 인심 및 민의와 서로 통한다는 사상을 내포하고 있다.

예)
근면한 주나라 천자님, 그 아름다운 명성이 그치지 않네.
明明天子, 令聞不已. (『시경 · 대아 · 강한江漢』)

따라서 도덕이 천지와 같은 사람이 황제가 되면 하늘이 그를 보우하여 아들과 같이 여기므로 '천자'라 칭한다.
故德侔天地者稱皇帝, 天祐而子之, 號稱天子. (동중서 『춘추번로 · 삼대개제질문三代改制質文』)

천天

'천'은 중국 고대 사상에서 신성성과 궁극적 의미를 지닌 개념이다. 주로 3가지 다른 의미가 있다. 첫째, 자연적인 의미의 하늘, 혹은 인간 세상 밖의 자연계 전체로서 그 운행은 일정한 규칙과 질서를 드러낸다. 둘째, 만물을 주재하는, 인격적 의지를 지닌 신령을 가리킨다. 셋째, 모든 사물과 사건이 따르는 보편적인 법칙인 동시에 인간의 심성, 도덕 그리고 사회와 정치 질서의 근거이다.

예)
하늘의 운행에는 변치 않는 도가 있어서 요가 있어 존재하지도, 걸이 있어 사라지지도 않는다.
天行有常, 不爲堯存, 不爲桀亡. (『순자荀子 · 천론天論』)

하늘은 백성을 믿고 보우한다.
上天孚佑下民. (『상서 · 탕고湯誥』)

하늘은 우주의 보편적인 법칙이다.

天者, 理也. (『이정유서』 11권)

┃ **천하내천하지천하**天下乃天下之天下

천하는 천하의 모든 백성의 천하이고 국가는 전국 모든 사람의 국가이다. 처음과 마지막의 두 '천하'는 국가 또는 국가의 최고 통치권으로 이해될 수 있다. 중간의 '천하'는 천하의 모든 사람을 가리킨다. 옛사람들은 천하는 어떤 한 사람에게 고정적으로 속하거나 어떤 한 가문의 소유가 아니며 천하의 모든 사람에게 속한다고 여겼다. 어떤 사람이 도의에 부합하고 천하의 백성에게 이로우면 그 사람은 천하를 가지거나 천하를 다스릴 자격을 갖는다. 이 중에는 천부인권(天賦人權, 하늘이 사람에게 권력을 내린다), 정이도립(政以道立, 다스림은 도로써 세워진다)이라는 개념을 포함하고 있다. 현대의 언어 환경에서 이 말은 세계는 전 세계 사람들의 세계 즉, 모든 국가와 모든 사람은 정치에 참여할 권리가 있다고도 이해될 수 있다.

예)

천하는 한 사람의 천하가 아니고 천하 모든 사람의 천하이다. 천하 사람들의 이익과 일치된 사람은 천하를 다스릴 권력을 얻을 수 있다. 천하 사람들의 이익을 자신의 이익으로 차지하는 사람은 반드시 천하를 다스릴 권력을 잃게 된다.

天下非一人之天下, 乃天下之天下也. 同天下之利者, 則得天下; 擅天下之利者, 則失天下. (『육도六韜 · 문도文韜 · 문사文師』)

┃ **천하위공**天下爲公

천하는 민중의 것이다. 천하는 천하사람들의 공공의 소유이다. '천하'의 본래 의미는 '하늘 아래'이나 군주의 자리, 국가 정권 또는 국가 전체를 비유하고 나중에는 전세계를 가리키게 되었다. '공'은 모두, 민중이다. 좁은 의미로는 현자, 덕과 재능을 겸비한 사람을 가리키고, 넓은 의미로는 국민 전체 혹은 천하의 모든 사람을 가리킨다. '천하위공'은 주로 두 가지 의미가 있다. 첫째, 군주의 자리는 한 사람 한 성씨의 소유물이 아니라 능력과 덕이 있는 사람의 공유물이며, 즉 현자에게 전하고 자식에게 물려주지 않는다. 둘째, 국가는 한 사람 한 성씨의 소유물이 아니며 민중이 공유한다. 그중에서 왕위 세습 반대를 포함하여 능력 있고 어진 사람을 추천하여 정권을 잡자고 주장하는 것이 '상현尚賢'과 '민본民本' 사상이다. 옛사람들은 '천하위공'이 '대동大同'사회와 민생 행복을 실현하는 정치적 전제이자 보장이라고 믿었다. 근대에 이르러 '천하위공'은 또 변하여 독재정치를 뒤집고 민주를 실현하는 상징적인 중요 단어가 되었고 나중에는 아름다운 사회 정치적 이상이 되었다.

예)

큰 도가 행해지는 시대에는 천하가 만인의 것으로 품성이 고상하고 재능이 출중한 사람이 선발되어 사회를 관리하고, 사람과 사람 간에 성실과 화목을 중시한다.

大道之行也, 天下爲公. 選賢與能, 講信修睦. (『예기禮記 · 예운禮運』)

천하天下

옛날에는 대부분 천자가 통치하는 범위의 토지 전체와 통치권을 가리켰다. 옛날 사람들은 대부의 통치 범위는 '가家', 제후의 통치 범위는 '국國', 천자의 통치 범위는 '천하'라고 생각했다. '천하'의 글자 그대로의 의미는 '하늘 아래'(普天之下)이지만 실질적인 의미는 천자가 통치하거나 천자의 이름 아래 있는 '가국家國'의 전체 강역이었고 여기에 천하의 모든 사람과 국가의 통치권까지 포함되었다. 나중에 민족 전체 혹은 세상 전체를 가리키는 말로 바뀌었다.

예)

하늘 아래 천자의 것이 아닌 땅이 없고, 모든 곳에 천자의 신민이 아닌 사람이 없다.

溥天之下, 莫非王土; 率土之濱, 莫非王臣. (『시경·소아·북산北山』)

옹호하는 사람이 아주 적으면 친척조차 그를 배반하고, 옹호하는 사람이 아주 많으면 천하 백성이 다 그를 따른다.

寡助之至, 親戚畔之, 多助之至, 天下順之. (『맹자·공손추하公孫丑下』)

천하의 흥망은 누구에게나 책임이 있다.

天下興亡, 匹夫有責. (량치차오, 『음빙실문집飮冰室文集』33권 "통정죄언痛定罪言" 삼인三引)

천하흥망天下興亡, 필부유책匹夫有責

천하가 흥성하거나 쇠망하는 일에는 보통의 백성에게도 책임이 있다. 명말 청초의 저명한 사상가인 고염무顧炎武가 한 말 "나라를 보존하는 일은 군주와 그 신하 그리고 나라의 녹을 먹는 자들이 도모하는 것이지만, 천하를 보존하는 일에는 필부와 같이 비천한 자에게도 책임이 있다.保國者, 其君其臣, 肉食者謀之. 保天下者, 匹夫之賤, 與有責焉耳矣."에서 유래하였다. 고대에 '천하'는 보통 천자의 통치 아래에 있는 중국 전역을 가리키는 말이었지만 고염무가 사용한 '천하'와 '나라'는 완전히 다른 개념이다. '나라'는 제왕의 일가를 대표할 뿐이다. 반면 '천하'가 대표하는 것은 중화민족 및 중화 문명의 계통 전체를 대표한다. 근대 사상가 양계초梁啓超 등이 이러한 고염무의 사상을 이어받아 '천하흥망, 필부유책'으로 개괄하면서 의미가 더 분명해지고 어세가 더 강해졌다. 이후에 많은 정치가와 사상가들이 이 말을 인용하면서 누구나 아는 명언이 되었다. 근대 이래로 이 표현은 애국주의를 자극하고 사람들이 민족과 국가의 안위를 마음에 두면서 세상에서 일어나는 일에 자기 책임을 느끼도록 환기하는 역할을 했다.

예)

임금의 성이 달라지고 연호가 바뀌는 일을 두고 나라가 망했다고 한다. 인의가 막혀 짐승을 몰아 사람을 잡아먹게 하고 사람이 서로 잡아먹게 되는 일을 두고 천하가 망했다고 한다. ...... 나라를 보존하는 일은 군주와 그 신하 그리고 나라의 녹을 먹는 자들이 도모하는 것이지만, 천하를 보존하는 일에는 필부와 같이 비천한 자에게도 책임이 있다.

易姓改號, 謂之亡國. 仁義充塞, 而至於率獸食人, 人將相食, 謂之亡天下......保國者, 其君其臣, 肉食者謀之. 保天下者, 匹夫之賤, 與有責焉耳矣. (고염무顧炎武, 『일지록日知錄』 권13)

고염무가 이러한 말을 했다. 천하의 흥망에는 필부와 같은 비천한 자에게도 책임이 있다.

顧炎武之言曰, 天下興亡, 匹夫之賤與有責焉. (맥화麥華, 『논금일강신지책임論今日疆臣之責任』)

지금 나라의 치욕을 씻어내고자 하니 이는 우리가 스스로 새롭게 하는 일에 달렸다. ...... 우리는 사람 수가 많은데 모든 사람이 스스로 새롭게 하는 것은 어떻게 하면 가능한가? 다른 사람에게 묻지 않고 자신에게 물어보기만 하면 된다. 고염무가 말한 "천하흥망, 필부유책"과 아주 비슷한 문제다.

今欲國恥之一灑, 其在我輩之自新......夫我輩則多矣, 欲盡人而自新, 雲胡可致? 我勿問他人, 問我而已. 斯乃真顧亭林所謂 "天下興亡, 匹夫有責"也. (양계초梁啟超, 『음빙실문집飲冰室文集』 권33에 인용된 "통정죄언痛定罪言" 3)

청명淸明

중화민족의 4대 전통 명절(춘절, 청명절, 단오절端午節, 중추절中秋節) 중 하나이다. 중국 전통 세시체계 중 유일하게 절기와 합쳐진 명절로, 보통 4월 4일~6일이다. 당唐 이전에 청명절은 주로 24절기의 하나로써 자연의 시간 변화를 나타내는 기능을 했으며 농사와 밀접하게 관련되어 있었다. 당송唐宋 이후, 청명절은 한식절을 대체하여 명절이 되었고 한식절이 본래 갖고 있던 제사와 성묘, 찬 음식을 먹는 풍습 등이 청명절의 습속으로 자리잡았다. 이 시기에 만물에는 생기가 왕성하고, 사람들은 계절의 변화에 따라 답청踏靑(봄에 난 파란 풀을 밟으며 나들이함)하거나 집 주위에 버들가지를 꽂고, 연을 날리거나 그네를 타는 등의 활동을 한다. 오늘날에도 청명절은 여전히 중국인의 생활에서 특별한 의미를 가진 명절이다. 2006년 5월 20일, 청명절은 국무원의 비준을 거쳐 최초로 제정된 중국 국가급 무형문화유산 목록에 포함되었다.

예)
청명절에 보슬보슬 비가 내리는데 길 가던 사람은 슬픔에 넋을 잃었네.
주가酒家가 어디인가 주변에 물어보니 목동은 멀리 행화촌을 가리키네.
淸明時節雨紛紛, 路上行人欲斷魂.
借問酒家何處有? 牧童遙指杏花村. (두목杜牧 『청명淸明』)

비둘기 날아올 때는 춘사春社(주로 춘분 전후에 토지신에게 제사를 드리는 민속 명절)이고, 배꽃 떨어지고 나면 청명이로구나.
燕子來時新社, 梨花落後淸明.(안수晏殊 『파진자破陣子』)

청사여구淸詞麗句

뜻이 참신하고 정감이 진실되며 이미지가 선명하고 언어가 맑고 새로우며 아름다운 시구를 가리킨다. '청淸'은 주로 미사여구나 전고에 대해서 하는 말로, 문장이 참신하고 자연스러운 것만 가리키는 것이 아니라 격조가 고상하고 의경이 우아하며 그윽함도 가리킨다. '려麗' 또한 단어 자체의 화려함만을 가리키는 것이 아니라 속됨을 완전히 벗겨내고 이미지가 선명하며 진짜 같은 것을 의미한다. 시학용어로서 이것은 실제적으로는 언어 풍격을 포함한 시가의 총체적인 풍격을 가리킨다.

예)

시를 배우려면 고대의 대가를 본 받아야 하지만 당대의 재인도 소홀히 해선 안 된다. 참신하고 자연스러우며 선명하고 감동적인 모든 작품을 가까이하여 연구해야 한다.

不薄今人愛古人, 淸詞麗句必爲鄰. (두보杜甫, 『희위육절구戲爲六絶句』의 다섯 번째)

청이물천情以物遷, 사이정발辭以情發

감정은 자연 풍경에 따라 변하고 문장은 마음 속의 감정에 따라 생겨난다. 자연의 형상과 사회생활하는 모습은 주체적인 감정을 일으켜 글로 호소하도록 한다. 남조南朝 시대 유협劉勰(465?~520)은 문심조룡文心雕龍 물색物色편에서 이같이 말했다. 이 전문용어術語는 문학을 구상할 시 주관적 감정이 자연풍경과 사회생활 하는 모습을 따라 변하는 특징을 보여준다. 유협은 정情, 물物, 사辭 이 셋의 관계는 언어학에서의 언言, 의意, 상象 관계에서의 명제에서 나오지만 이 관계는 특수한 의미를 지닌다. 학술적인 글과 실용문을 지을 시에는 먼저 심중에서 의미가 형성되고 적합한 언어로 의미가 표현되는데, 어떤 물상 혹은 정경을 포함하며 문장으로 설명을 하더라도 목적은 설명하는 것이며 주지하는 바가 있으므로 일반적으로 의미가 사물 혹은 정경에 따라 변하는 일은 거의 없다. 문학 창작은 주관적 감정을 표현하는 과정이므로 언제든 외부의 물질 혹은 장면에 따라 문장이 표현된다. 유협의 이 논술은 문학이 창출되는 원리를 드러냈으며 문학 구상의 특징을 해석해 주었다. 또한 육조六朝 문학의 창작은 문심조룡文心雕龍으로부터 이론 상의 자각을 얻기 시작했음을 알려준다.

예)

1년 4계절 동안 각각 다른 풍경이 펼쳐지고 각 풍경마다 서로 다른 모습을 하고 있다. 사람의 감정은 풍경에 따라 변하며 문장은 심중의 감정에서 만들어진다.

歲有其物, 物有其容; 情以物遷, 辭以情發. (유협劉勰『문심조롱文心雕龍 · 물색物色』)

사람은 희喜, 노怒, 애哀, 구懼, 애愛, 악惡, 욕慾 등의 일곱 감정을 가지고 있는데 외부의 자극을 받으면 마음이 그 감정을 느끼며 마음이 느끼는 감정은 정서를 읊으며 모든 시가는 자연스러운 감정으로부터 나온다.

人稟七情, 應物斯感.感物吟志, 莫非自然. (유협劉勰『문심조롱文心雕龍 · 명시明詩』)

┃ 체성體性

작품 풍격과 작가 개성의 통일과 결합을 뜻한다. 문학 풍격에 관한 중요한 용어이다. '체'는 글의 풍격을 가리키고 '성'은 작가의 개성적 요소를 가리킨다.

예)
감정이 움직이면 말이 형성되고 이치가 표현되면 글로 구현된다. 다시 말해 마음속에 숨겨진 감정과 이치가 점차 드러나 안에서 밖으로 이르는 과정이다. 하지만 사람의 재능은 평범하고 출중한 구분이 있고, 천성은 강하고 부드러운 구별이 있고, 학식은 얕고 깊은 차별이 있고, 습성은 올바르고 저속한 차이가 있다. 이것들은 다 사람의 선천적인 본성에서 기인하고 후천적인 훈도와 축적으로 형성된다. 그래서 사람의 창작은 기묘하고 변화무쌍하며 치는 파도처럼 종잡을 수 없다.

夫情動而言形, 理發而文見. 蓋沿隱以至顯, 因內而符外者也. 然才有庸俊, 氣有剛柔, 學有淺深, 習有雅鄭; 幷情性所鑠, 陶染所凝, 是以筆區云譎, 文苑波詭者矣. (유협, 『문심조롱 · 체성』)

그래서 성격이 밝고 투명한 사람이 쓴 시는 음률이 자연히 유창하고, 성격이 느긋한 사람이 쓴 시는 음률이 자연히 여유롭고, 성격이 활달한 사람이 쓴 시는 음률이 자연히 호탕하고, 성격이 씩씩한 사람이 쓴 시는 음률이 자연히 장렬하고, 성격이 침울한 사람이 쓴 시는 음률이 자연히 처량하고, 성격이 괴팍한 사람이 쓴 시는 음률이 자연히 기이하다. 성격에 따라 음률이 달라지니 이것은 모두 개성적인 기질에 의해 자연스레 결정된다. 감정 없는 사람이 없고 개성 없는 사람도 없는데 어떻게 한 가지 표준을 모든 시에 요구하겠는가?

故性格淸徹者音調自然宣暢, 性格舒徐者音調自然疏緩, 曠達者自然浩蕩, 雄邁者自然壯烈, 沈

鬱者自然悲酸, 古怪者自然奇絕. 有是格, 便有是調, 皆情性自然之謂也. 莫不有情, 莫不有性, 而可以一律求之哉? (이지李贄, 『독률부설讀律膚說』)

체용體用

'체용'에는 3가지 함의가 있다. 첫째, 형체, 실체가 '체'이고 실체의 기능, 작용이 '용'이다. 둘째, 사물의 본체가 '체'이고 본체의 현현, 운용이 '용'이다. 셋째, 행위의 근본 원칙이 '체'이고 근본 원칙의 구체적인 활용이 '용'이다. 또한 서로의 관계에 있어서 '체'는 바탕이고 '용'은 '체'에 의존하는 것이다.

예)
'천'은 실체를 확정하는 명칭이고 '건乾'은 실체의 기능을 표현하는 명칭이다.
天者定體之名, 乾者體用之稱. (『주역 · 건乾』 공영달 정의)

가장 은밀한 것은 '리'이고 가장 뚜렷한 것은 '상象'이다. 본체로서의 '리'와 현상으로서의 '상'은 같은 근원에서 비롯되므로 뚜렷함과 은밀함 사이에는 차별이 없다.
至微者理也, 至著者象也. 體用一源, 顯微無間. (정이程頤, 『정씨역전程氏易傳』)

체體

'체'는 문예학 및 미학의 범주에서 주로 세 가지 함의를 가지고 있다. 첫째, 문학예술의 부문(장르), 유파, 형식 및 작품이 여타 문학예술 부문, 유파, 형식과 구별되게 하는 전체적인 특징을 말한다. '체'는 문학예술의 형식, 내용, 언어, 풍격 등의 제반 요소를 포함하여 표현된 총체적인 형태와 예술적 특징을 가리킨다. 둘째, 문학예술 작품의 풍격을 말하는데 이 경우 형식 등 방면의 내용은 포함하지 않는다. 셋째, 문학작품의 기본 양식, 즉 문체 혹은 문학 체제 등을 말한다. 역대 문학이론가

들의 문체에 대한 분류가 모두 같지는 않은데 가령 남조南朝 때 소통蕭
統의 『문선文選』에서는 문체를 38종으로 분류했다. 중국 고대문학의 문
체는 풍부하고 다양하며 각기 기본적인 양식과 창작에 대한 요구를 가
지고 있다. 풍격이란 작가의 예술적 개성이 작품 속에 표현된 것으로
간혹 어느 시대 혹은 어느 유파의 문학적 특징으로서 표현되기도 한다.
이 술어는 종종 인명 혹은 시대명 등과 결합되는데 가령 소체騷體, 도체
陶體, 건안체建安體 등으로 쓰여 작품의 풍격과 관련된 예술적 특징을 가
리키며 문예비평 및 감상 영역에 광범위하게 사용된다.

예)

사람이란 늘 자신의 장점을 보는 법이다. 그러나 문장의 문체는 한 가지가 아니며 모
든 문체를 전부 잘 쓸 수 있는 사람은 아주 적다. 따라서 사람들은 늘 각자 자기가 잘 쓰
는 문체로 글을 쓰면서 남이 잘 쓰지 못하는 문체를 무시한다.

夫人善於自見, 而文非一體, 鮮能備善, 是以各以所長, 相輕所短. (조비曹丕 『전론典論 · 논문
論文』)

한나라 때부터 위나라 때까지 사백여 년 동안 시문을 쓰는 재능 있는 사람[이 많았으
며] 시문의 체제와 풍격도 세 차례의 큰 변화를 거쳤다.

自漢至魏, 四百余年, 辭人才子, 文體三變. (『송서宋書 · 사령운전론謝靈運傳論』)

초사楚辭

초사는 굴원이 창작한 시의 문체인데 나중에 중국 고대 남방 문화를
대표하는 최고의 시 총집이 되었다. 초사는 초나라 지역(지금의 후난,
후베이 일대)의 문학 형식과 방언 음운을 사용했으며 초나라 땅의 산천
과 인물 및 역사적 풍치를 서술해 농후한 지역적 특색을 가지고 있으므
로 이런 제목이 붙었다. '초사'라는 제목은 서한 초기에 이미 있었는데,
나중에 유향劉向이 전국시대 초나라 사람인 굴원과 송옥 및 한나라 때

의 회남소산淮南小山, 동방삭東方朔, 엄기嚴忌, 왕포王褒, 유향 등의 작품 1
6편을 모아 문집으로 엮었으며 이후에 왕일王逸이 『초사장구楚辭章句』
를 엮을 때 본인의 글 한 편을 더해 모두 17편이 되었다. 초사는 독특한
문체와 문화적 함의를 통해 남방의 초나라 문화의 특색을 반영했는데
서정적 색채가 농후하고 상상력이 풍부하다. 초사에는 상고 시대의 신
화 이야기가 다수 보존되어 있는데 『시경』의 전통과는 다른 참신한 문
학정신과 문학형식을 뚜렷하게 드러내 『시경』과 어깨를 나란히 할 만
한 문학 형태를 형성했다. 후세에 이러한 문체를 '초사체' 혹은 '소체騷
體'라 부르게 되었으며 『초사』를 연구하는 학문은 '초사학'이라 부르게
되었다.

예)
초사는 삼대 성현의 책을 본받았으나 전국시대의 풍조를 혼합시켰으므로 『시경』에
비하면 다소 뒤떨어지기는 하나 사부詞賦 중의 수작이라 할 만하다.
固知楚辭者, 體憲於三代, 而風雜於戰國, 乃雅頌之博徒, 而詞賦之英傑也. (유협 『문심조룡 ·
변소辨騷』)

대체로 굴원과 송옥의 수많은 소체 작품은 모두 초나라 방언과 초나라 음악을 사용
해 초나라의 지리를 묘사하고 초나라 풍물을 일컬었으므로 이를 '초사'라 부를 수 있다.
盖屈宋諸騷, 皆書楚語, 作楚聲, 紀楚地, 名楚物, 故可謂之'楚辭'. (황백사黃伯思 『교정초사
서校定楚辭序』)

초서草書

한자의 변천 과정에서 나타난 서체의 일종. 발전 단계에 따라 초예草
隸, 장초章草, 금초今草, 광초狂草 등으로 나뉜다. 한대漢代에 시작되었으
며 간편함과 효율을 위해 사용되었다. 당시 통용된 것은 초예로 후대
서예가들이 필법을 수정해가면서 점차 장초로 발전했다. 한대 말기에

이르러 장지張芝(?~192?)가 장초에 남아있던 예서의 흔적에서 벗어나, 위 아래 글자 사이의 필세를 연결하고 편방을 줄여 서로 빌려 쓰게 하여 금초(지금 초서라고 불리는 서체)가 만들어졌다고 전해진다. 초서의 발전은 당대唐代까지 이어져 장욱張旭, 회소懷素(725~785 혹은 737~799) 등 초서 대가들이 잇따라 등장했다. 이들은 감정을 표현하며 초서를 더욱 자유롭게 썼다. 필세가 끊임없이 이어지고 장법에 변화가 풍부하며 결자結字가 대담하고 형태가 변덕스러워 '광초'라는 초서체가 만들어졌다. 후세에 광초를 '대초大草'라고 부르고 금초를 '소초小草'라고 부르기도 하였다.

예)
장욱은 전부터 초서를 잘 써 다른 기예에 마음이 없었다. 기쁨과 분노, 궁핍과 곤궁, 근심, 비분, 즐거움, 원망, 사모, 취함, 무료함, 불공평에 대한 불만 등으로 마음이 동요할 때면 반드시 초서를 통해 발산했다.

往時張旭善草書, 不治他技. 喜怒, 窘窮, 憂悲, 愉佚, 怨恨, 思慕, 酣醉, 無聊, 不平, 有動於心, 必於草書焉發之. (한유韓愈, 「송고한상인서(送高閑上人序)」)

장 승상(장상영張商英)은 초서 쓰기를 좋아하지만 정통하지 않았다. 당시 사람들이 모두 그를 비웃었으나 승상은 신경 쓰지 않았다. 어느 날 그가 문득 글귀가 생각나 다급히 붓을 구해 휘갈기었는데 용과 뱀이 날아오르는 듯한 글자가 종이에 가득하였다. 그가 조카에게 베껴 쓰도록 했는데, 조카가 필획이 이상한 부분에 이르자 의문이 들어 붓을 놓고 승상에게 그 부분을 보이며 무슨 글자인지 여쭈었다. 승상은 한참 살펴보았는데도 스스로 자기 글씨를 알아볼 수 없자 조카를 질책하며 말했다. "내가 잊어버리기 전에 좀 더 일찍 물어보지 그랬느냐!"

張丞相好草書而不工. 當時流輩皆譏笑之, 丞相自若也. 一日得句, 索筆疾書, 滿紙龍蛇飛動, 使侄錄之. 當波險處, 侄罔然而止, 執所書問曰, "此何字也?" 丞相熟視久之, 亦自不識, 詬其侄曰, "胡不早問? 致予忘之!" (석혜홍釋惠洪, 『냉재야화冷齋夜話』권9)

| 총집總集

　　여러 사람의 시문 작품을 모은 시문집(어느 한 작가의 시문 작품을 모은 '별집別集'과 구별된다). 현재 전해지고 있는 최초의 총집은 한나라 때 왕일王逸이 엮은 『초사장구楚辭章句』이다. 총집의 체제는 내용 면에서 '전집식' 총집과 '선집식' 총집으로 구분할 수 있으며, 수록한 작품의 시대 범위에 따라서는 통대通代 총집과 단대斷代 총집으로 나눌 수 있고, 수록한 작품의 문체에 따라서는 같은 문체의 글만 수록한 총집과 각종 문체의 작품을 함께 수록한 총집으로 구분할 수 있다. 총집 중에서 가장 대표적인 것은 양나라 때의 소명태자昭明太子 소통과 문사들이 함께 선별해 엮은 『문선』이다. 『문선』은 선진 때부터 양나라 초기까지 각종 문체로 창작된 700여 편의 문학작품을 선별해 수록한 것으로 내용과 문학적 재능이 모두 훌륭한 것을 수록하는 기준으로 삼았다. 『문선』에는 경經, 사史, 자子 종류의 글은 수록하지 않아(사서와 전기 중에서 소량의 서序, 논論, 찬贊만을 수록)당시 사람들의 문학 관념을 반영해 후세의 문학 발전에 큰 영향을 끼쳤다.

　　예)
　　총집은 건안 이후에 유래한 것으로 사와 부의 창작 수량이 매우 많아져 각 작가들의 문집이 날로 늘어났다. 따라서 진나라 때의 지우가 ......이 작품들을 한데 엮고 그 문집을 『유별』이라 하였다.
　　總集者, 以建安之後, 辭賦轉繁, 衆家之集, 日以滋廣, 晉代摯虞......合而編之, 謂爲『流別』. (『수서·경적지』)

　　총집은 대체로 『상서』와 『시경』에서 시작되었는데 왕일이 엮은 『초사』와 지우가 엮은 『유별』이후로 분분히 생겨날 때에 이르러서야 총집의 주지와 체계를 명확히 말할 수 있게 되었다.
　　總集蓋源於『尚書』『詩』三百篇, 泊王逸『楚辭』, 摯虞『流別』後, 日興紛出, 其以例可得而言. (마기창馬其昶『「동성고문집략桐城古文集略」 서』)

추기급인推己及人

자신의 심정으로 미루어 다른 사람의 마음을 추측하다. 유가에서 '서도恕道'라고도 하며, 인민애물仁民愛物(백성에게 인을 베풀고 만물을 아낌)을 실천하는 중요한 원칙이자 방법이다. 이 용어는 인류가 기본적으로 동일한 정신적 근원을 가졌다는 전제에서 시작된다. 이를 원점으로 관용과 인애의 정신을 더욱 발전시키고, 입장을 바꿔 타인을 배려하며 자신의 생각과 욕구를 통해 타인을 이해해야 한다. 자신이 원치 않는 일은 타인에게 억지로 시키지 말고, 자신이 바라는 일은 타인도 성취할 수 있도록 도와야 한다.

> 예)
> 다른 사람이 어떤 심정인지 나는 짐작할 수 있다.
> 他人有心, 予忖度之. (『시경 · 소아 · 교언巧言』)
>
> 남의 입장에 서서 용서하는 데 힘쓰면 이보다 인에 가까운 것이 없다.
> 强恕而行, 求仁莫近焉. (『맹자 · 진심盡心 상』)
>
> 충忠과 서恕는 큰 도에서 멀지 않다. 자신에게 주어졌는데 원치 않는 것이라면 타인에게도 강요하지 말아야 한다.
> 忠恕違道不遠, 施諸己而不願, 亦勿施於人. (『예기 · 중용』)

추은推恩

인애의 마음을 널리 확산시키다. '추은'은 맹자(B.C. 372~B.C. 289)가 제시한 통치자에게 요구되는 기준이다. 맹자는 모든 사람은 천성적으로 타인에 대한 인애의 마음을 가지고 태어난다고 생각했다. 그러나 인애의 마음은 끊임없이 확대되어야 하며, 그래야만 현실에서 인덕을 성취할 수 있다. 인애의 확대는 가까운 곳부터 먼 곳으로, 친한 사람부터 소원한 사람에게로 이뤄진다. 이를 통치자에게 적용하자면, 타고난 인애의 마음을 발휘하여 자신의 부모와 자녀에 대한 사랑을 치하의 백성에게까지 미치는 것이 '추은'이다. '추은'은 인정仁政을 실현하는 기본 방식이다.

예)

그러므로 인애의 마음을 널리 퍼뜨리면 천하를 충분히 보전할 수 있다. 인애의 마음을 넓히지 않으면 자신의 처자식도 보호할 수 없다. 고대의 성현들이 보통 사람을 크게 초월할 수 있었던 것은 다른 원인이 있어서가 아니라 그저 그들의 덕행을 널리 확산시켰기 때문이다.

故推恩足以保四海, 不推恩無以保妻子. 古之人所以大過人者, 無他焉, 善推其所爲而已矣.(『맹자 · 양혜왕梁惠王 상』)

축맹祝盟

고대 문체의 명칭이다. '축'은 축사를 가리키며, 제사할 때에 신에게 찬미하고 신의 축복과 보호를 기원하는 말이다. '맹'은 맹사로써 동맹을 맺을 때 신을 증인으로 세우는 서약이다. 이 둘의 공동점은 모두 신에게 요청하는 방식으로 염원과 약속을 표현한다는 점이다. 남조의 유협(465?~520)은 신에게 기원하는 축사는 간절하며 꾸밈이 없어야 하고, 화려하거나 과장되어서는 안 된다고 하였다. 또한 '맹'의 목적은 맹약을 세워 신명에게 자신의 염원과 서약을 알리고, 결맹의 의미와 함께 명운을 같이하고자 하는 의도를 강조하는 데 있다. 그러므로 언어가 솔직하고 진정성이 있어야 하며, 신령의 은혜에 감사하는 아름다운 말을 통해 서약하는 양측 간의 감정적 연대를 더욱 돈독히 해야 한다. 유협은 서약은 결국 신령이 아니라 양측의 신뢰에 따라 결정되지만, 아름다운 축맹의 글은 군자의 덕행을 기르는 데 도움이 됨을 지적했다.

예)

천지의 자리가 확정된 이후, 뭇 신들에게 제사를 드렸다. 천지와 사시四時에 대한 제사를 드리고 산과 강, 바다에 드리는 제사도 차례로 행하니, 단비가 내리고 부드러운 바람이 불어 곡물이 성장했다. 만민이 앙망하며 좋은 제물로 신령에게 보답했다. 공양한 제물이 비할 바 없이 향기로우나, 그 본질은 광명한 덕에 있다. 제사를 주관하는 축사祝史가 신령에게 신념과 염원을 진술하려면 축의 문장을 빌려야 한다.

天地定位, 祀遍群神. 六宗餼禋, 三望咸秩. 甘雨和風, 是生黍稷. 兆民所仰, 美報興焉. 犧盛惟馨, 本于明德. 祝史陳信, 資乎文辭. (유협『문심조룡 · 축맹』)

이로써 진심에서 비롯된 서약이 아니면 맹약이 의미가 없음을 알 수 있다.

故知信不由衷, 盟無益也. (유협『문심조룡 · 축맹』)

그러나 맹세의 말이 어려운 것이 아니라, 맹세를 지키는 것이 어렵다. 후세의 군자들은 마땅히 전대에 서약을 위반한 사례들을 경계로 삼아 충忠과 신信의 원칙을 지키고 신령에 의지하지 말아야 한다.

然非辭之難, 處辭爲難. 後之君子, 宜在殷鑑. 忠信可矣, 無恃神焉. (유협『문심조룡 · 축맹』)

┃ 축丑

본래 글자는 추醜이다. 사람의 용모가 보기 싫다는 뜻으로, 못생겼다, 좋지 않다, 밉살스럽다 등의 의미로 확대되었다. 주로 두 가지 뜻을 내포하고 있다. 첫째는 사상문화적 용어로써 '미美'와 상대되며 추악함, 흉측함 등을 가리키는 것 외에도, 난잡함, 꾸미지 않음, 조화롭지 않음, 사리에 맞지 않음 등의 뜻이 있다. '추'는 때로 현시대의 심미적 규범에 어긋나며 대중의 기준에 인정받지 못하는 아름다움으로 여겨지기도 한다. '추'에 대한 인식과 수용은 '미'의 경계를 돌파하고 확장하는 것에 해당한다. 둘째로 '축'은 전통 희곡 중 한 역할의 명칭이다. 콧등에는 흰 분을 바르며, 외모는 보잘것없지만 행동거지가 우스꽝스러운 희극인 또는 악인을 연기한다.

예)

걸왕이 잘한 일도 있었고, 요왕이 놓친 일도 있었다. 모모媄母도 아름다운 부분이 있고, 서시도 못생긴 부분이 있다. 그래서 망국의 법규에도 따를 만한 것이 있고, 잘 다스려지는 나라의 습속에도 비판받을 것이 있다.

桀有得事, 堯有遺道, 媄母有所美, 西施有所醜. 故亡國之法, 有可隨者, 治國之俗, 有可非者. (『회남자淮南子 · 설산훈說山訓』)

졸렬할지언정 정교하게 하지 말고, 못날지언정 꾸미지 말고, 가지런하지 않을지언정 경박하고 매끄럽게 하지 말며, 자연스럽고 솔직할지언정 일부러 안배하지 말아야 한다. 그러면 서법을 배우는 과정에서 곧 뒤집어질 듯한 서풍書風을 다시 돌리기에 충분하다.

寧拙毋巧, 寧醜毋媚, 寧支離毋輕滑, 寧眞率毋安排, 足以回臨池旣倒之狂瀾也. (부산傅山『작자시아손作字示兒孫』시 뒤에 스스로 제題함)

│ 춘절春節

해외 화교를 비롯하여 중국인이 가장 중요하게 여기는 전통 명절. 좁은 의미로는 음력 새해의 1월 1일이며, 넓은 의미로는 음력 섣달 23일 (제조祭竈, 부뚜막신에게 제사하는 중국의 민간풍습)부터 새해 첫달의 15일(원소절元宵節)까지를 이른다. 현대적인 의미의 춘절은 고대로 말하면 1년의 시작과 입춘 절기가 합쳐진 것이다. 춘절 기간에 사람들은 신령과 조상에게 제사를 지내고, 춘련春聯과 연화年畵를 걸거나 설맞이 용품을 사는 한편, 온 가족이 모여 식사를 하고 세뱃돈을 주고받는다. 섣달 그믐밤을 쇠고 폭죽을 터뜨리며 친척집을 방문하기도 한다. 춘절은 중국인의 가족에 대한 감정과 종교적 감성, 생명의식이 응집된 명절로, 그 역사적 의미가 매우 깊으며 풍속이 다채롭다. 윤리와 종교의 측면에서 춘절은 가족을 보호해 달라고 조상과 신령에게 제사하고 기도하는 시간일 뿐 아니라, 가족의 화합과 화목, 혈육의 정을 중국인이 얼마나 중시하는지 보여주는 예시이다. 시간과 생명의식의 측면에서는 지난해와 작별하고 새해를 맞이하며 액운을 쫓는 한편, 새해에 대한 축복과 미래에 대한 아름다운 기대를 표현하는 명절이기도 하다. 중국 문화의 영향을 받은 중국 주변의 국가와 민족에게도 춘절을 축하하는 풍습이 있다.

예)

폭죽 소리 가운데 한 해가 서서히 떠나가고, 봄바람이 훈기를 실어오는데 가족들과 모여 앉아 도소주를 즐기네. 해가 떠올라 수없이 많은 집 문을 비추는데, 집집마다 앞다투어 묵은 부적을 새것으로 갈아 놓았구나.

爆竹聲中一歲除, 春風送暖入屠蘇. 千門萬戶曈曈日, 總把新桃換舊符. (왕안석王安石『원일元日』)

춘추春秋

유가 경전 중 하나이다. 공자가 노魯나라의 편년사에 근거하여 수정, 작성하였다고 전해지며 노나라 은공隱公 원년(기원전 722년)부터 애공哀公 14년(기원전 481년)까지 242년의 역사를 담고 있다. 『춘추』는 편년체 역사서의 시조로 편년체 사서의 통칭으로 사용되기도 한다. 서술이 짧고 표현이 간결하여 후세의 유학자들은 『춘추』가 '미언대의微言大義'(짧은 말 속의 큰 뜻)를 담고 있다고 여겼으며 이처럼 완곡한 문장을 빌려 포폄을 가하는 글쓰기 방식을 '춘추필법春秋筆法'이라고 일컬었다. 『춘추』에 대한 해석으로 『좌전左傳』, 『공양전公羊傳』, 『곡량전穀梁傳』이 있는데 이 셋을 '『춘추』삼전春秋三傳'이라고 말한다. (『공양전』과 『곡량전』은 『춘추』의 의義(내용)와 이理(이치)에 대한 해석이 주를 이루며 『좌전』은 이 시기의 역사적 사실을 기재하고 있어 경전 해석과는 거리가 멀다.) '춘추'는 '춘추시대'(『춘추』라는 서명에서 이름을 따옴)를 가리키기도 한다. 춘추시대의 시작 및 종료 연도는 두 가지 견해가 있다.

첫 번째는 『춘추』에 기록된 역사적 시기를 가리키고, 두 번째는 기원전 770년 주나라 평왕周平王이 동쪽으로 수도를 옮겼을 때부터 기원전 476년 사이를 가리킨다.

예)

따라서 군자가 말하기를 "『춘추』의 서술은 표현이 짧으나 의미가 분명하고 역사적 사실을 기록하면서 뜻이 심오하며 완곡하되 조리가 있고 철저히 파헤쳐 왜곡이 없고 악을 경계하고 선을 권장하니, 성인이 아니라면 누가 집필할 수 있겠는가?"라고 하였다.

故君子曰, "『春秋』之稱微而顯, 志而晦, 婉而成章, 盡而不汙, 懲惡而勸善, 非聖人誰能修之?" (『좌전左傳 · 성공成公 14년』)

세상이 퇴락하고 도가 미약해지니 사악한 이야기와 포악한 행동이 생겨나고 신하가 군주를 살해하는 일이 일어나고 자식이 어버이를 살해하는 일이 일어났다. 공자가 두려워 『춘추』를 지었다.

世衰道微, 邪說暴行有作, 臣弒其君者有之, 子弒其父者有之. 孔子懼, 作『春秋』. (『맹자孟子 · 등문공滕文公 하』)

춘추필법春秋筆法

『춘추』를 편찬한 원칙과 방법. 간결한 문자 구절을 사용하고 완곡하고 함축적으로 어떤 사상적인 경향과 역사적 인물 및 사건에 대한 옳고 그름과 평가를 드러낸다. '춘추서법'이나 '춘추필삭'이라고도 하고, '일자포폄(一字褒貶. 글자 한 자를 가려 씀으로써 사람을 칭찬하기도 하고 비방하기도 하다)', '미언대의(微言大義. 간단하지만 심오한 말로 큰 뜻을 이야기하다)'라고도 한다. 『춘추』는 공자가 편찬했다고 전해지며, 그 요지는 주나라의 예법을 옹호하는데 있었다. 비평적인 문자를 써서 작가의 관점을 정면으로 밝히지 않고 역사적 사실에 대한 간략한 기술을 통해 주대의 예법에 근거해 특수한 함의를 가진 칭호나 정교한 어휘들

을 선택적으로 사용하여 역사적 인물과 사건의 옳고 그름이나 평가를
완곡하게 표현했다. 후대에 사서를 편찬하는 전통적인 방법이 되었다.

예)

그래서 군자가 말했다. "『춘추』는 단어 사용이 세밀하고 의미가 뚜렷하다. 역사적
사실을 기술했으나 내용이 심오하고, 완곡하며 정취가 가득하면서도 조리정연하며 직
설적으로 말하며 절대 왜곡하지 않고 사악을 경계하고 선을 따를 것을 격려한다. 만약
성인이 아니고서야 누가 능히 쓸 수 있겠는가?"

故君子曰: "『春秋』之稱, 微而顯, 志而晦, 婉而成章, 盡而不汙, 懲惡而勸善. 非聖人誰能修
之?" (『좌전左傳 · 성공14년成公十四年』)

충담沖淡

충화평담沖和平淡. 문예 비평에 쓰이는 표현으로, 언어가 평화롭고 질
박하며 정서가 한적하고 평안하고 고요한 시가詩歌의 품격을 주로 가리
킨다. 보기에는 아무것도 없이 텅 비어 보이나 실제로는 그 충만함이
무궁하다. 겉보기에는 평범해 보이나 실제로는 의미심장하다. 이는 많
은 경우 작가의 충화평담한 성정에 상응하며 작가가 인생의 모든 맛을
본 후의 심경 혹은 경지를 반영하며 모든 언어적 표현과 문장 법칙을
초월하고 진심이 표현된 것이다. 충담은 일종의 미학 이념으로써 문예
창작에 영향을 끼쳤을 뿐 아니라 문인 학사들의 심성을 자아내고 그들
의 인생에 대한 태도에 영향을 끼쳤다.

예)

허망하고 황당한 것을 고상하고 고박한 것으로 삼고 속도가 느린 것을 충화평담한
것으로 삼는다.

以虛誕而爲高古, 以緩慢而爲沖淡. (석교연釋皎然『시식詩式 · 시유육미詩有六迷』)

당나라 초 왕발王勃, 양형楊炯, 심전기沈佺期, 송지문宋之問만이 이름을 떨쳤으나 제

나라와 양나라 시기에 형식의 수려함을 좇는 태도는 벗어나지 못했다. 진자앙陳子昂만이 시가는 응당 고아하고 충담해야 한다는 목소리를 내었고 육조 이래의 연약하고 섬세함을 일소시켰으며 작문의 품격이 이때부터 황초, 건안시기의 시가에 근접해지기 시작했다.

唐初王, 楊, 沈, 宋擅名, 然不脫齊梁之體.獨陳拾遺首倡高雅衝澹之音, 一掃六代之纖弱, 趨於黃初, 建安矣. (유극장劉克庄『후촌시화後村詩話 · 권일卷一』)

도연명의 시에 필적할 만한 후대 사람이 나온 적이 없는 것은 그의 시가 충화평담하고 깊고 순수했으며 자연스러운 느낌을 온전히 드러냈기 때문이다.

陶淵明詩所不可及者, 衝澹深粹, 出於自然. (양시楊時『귀산집龜山集 · 어록語錄 · 형주소문荊州所聞』)

충서蟲書

춘추전국 시기에 유행한 특수한 서체. '조충서鳥蟲書' 혹은 '鳥蟲篆조충전'이라고도 부른다. 전서의 변체이다. 글자의 형태가 새와 벌레의 모양을 빌려온 것에서 이름이 유래되었다. 충서는 대부분 병기나 종정鐘鼎 위에 새겨져 있다. 예로 후베이湖北성 이창宜昌시 부근에서 출토된 월왕구천검越王句踐劍 위의 명문銘文 여덟 글자가 조충서이다. 진나라에서 여덟 가지 서체가 통용되었는데 '충서'가 네 번째이다. 왕망王莽(B.C. 45~A.D. 23)이 찬위한 시기에 공식적으로 규정한 여섯 종류의 서체 중에도 '조충서'가 있었으며 깃발이나 부절符節에 글을 쓸 때 사용되거나 인장 문자로 사용되었다.

예)
그 이후로 진나라에는 여덟 종류의 서체가 있었다. 첫 번째는 대전, 두 번째는 소전, 세 번째는 각부, 네 번째는 충서, 다섯 번째는 모인, 여섯 번째는 서서, 일곱 번째는 수서, 여덟 번째는 예서이다.

自爾秦書有八體, 一曰大篆, 二曰小篆, 三曰刻符, 四曰蟲書, 五曰摹印, 六曰署書, 七曰殳(shū)

書, 八曰隸書. (허신許慎, 『설문해자說文解字』 서序)

여섯 가지 서체는 고문, 기자, 전서, 예서, 무전, 충서로 이 여섯 가지 서체를 쓰려면 고금의 문자를 통달해야 한다. 인장을 세기거나 부절을 쓸 때 사용된다.

六體者, 古文, 奇字, 篆書, 隸書, 繆篆, 蟲書, 皆所以通知古今文字, 摹印章, 書幡信也. (『한서漢書 · 예문지藝文志』)

충忠

'충'은 자신이 할 수 있는 최선을 다하는 태도이다. 자신의 신분이나 직위에서 전심으로 그 직분을 수행하면서 사리사욕에 휩쓸리지 않는 것이다. '충'의 대상은 그 직분을 부여한 개인일 수도 있고 그 일을 수행하는 조직이나 단체 내지는 국가가 될 수도 있다. 예를 들어, 고대 사회에서 사람들은 군주는 백성에게 충해야 하고 신하는 군주에게 충해야 한다고 여겼다.

예)
증자가 말했다. "나는 하루에도 여러 번 자신을 성찰한다. 남을 위해 도모할 때 충심을 다하지 않았는가? 벗과 사귈 때 신의가 없지 않았는가? 가르침 받은 것을 복습하지 않았던가?"

曾子曰, "吾日三省吾身, 爲人謀而不忠乎? 與朋友交而不信乎? 傳不習乎?" 『논어論語 · 학이學而』

자신의 최선을 다하는 것을 충이라 이른다.

盡己之謂忠. (주희朱熹, 『논어집주論語集注』)

취경取境

시인이 시를 창작할 때 마음속의 감정을 가장 잘 표현할 수 있는 사물을 선택해 시인 자신의 심미적 감상에 부합하는 의경을 구상하는 것을 가리킨다. 이 개념은 당나라 때의 시승詩僧 교연이 『시식』에서 제시하였다. 교연은 육조부터 중당中唐 때까지의 시인들의 창작 경험 및 방식을 정리하는 과정에서 이 개념을 제시하였다. 그는 시를 지을 때는 구상에 정통하여 진부한 틀에 얽매이지 않고 기발한 착상을 해내야 하며, 골똘히 생각한 끝에 영감이 솟아나 정신과 기운이 충만해져야만 높은 경계에 도달한 시 작품을 쓸 수 있다고 보았다. 구상은 기발하고 독특해야 하지만 최종적으로 창작한 작품의 풍격은 평이하고 자연스러워 심혈을 기울여 사색한 흔적을 남기지 않아야 한다. 취경은 의경意境, 경계 등의 술어와 밀접한 관련을 가지고 있으며 중국 고전 시가 이론 가운데 '경境'에 관련된 술어의 계열에 속한다.

예)
시인이 구상을 시작할 때 취한 경지가 고상하면 시 한 수 전체의 경지가 고상하며, 취한 경지가 가벼우면 시 한 수 전체의 경지가 가볍다.
夫詩人之思, 初發取境偏高, 則一首擧體便高; 取境偏逸, 則一首擧體便逸. (교연 『시식』)

호랑이 굴에 들어가지 않고 어찌 호랑이 새끼를 얻겠는가. 시를 지으며 취경을 할 때는 반드시 가장 어렵고 험한 곳부터 구상을 시작해야만 기묘한 시구를 창작할 수 있다. 시가 완성된 후에 다시 전체적인 기세와 면모를 살펴보았을 때 아주 평범하여 마치 사색을 거치지 않고 쓴 것처럼 보이는 것이 바로 시를 쓰는 고수이다.
夫不入虎穴, 焉得虎子. 取境之時, 須至難至險, 始見奇句. 成篇之後, 觀其氣貌, 有似等閑不思而得, 此高手也. (교연 『시식』)

취趣

문예 작품에서 표현되는 작가의 흥취, 정취 등을 가리킨다. 작가의 '취'는 자연과 인생에 대한 작가의 독특한 체험과 이해 그리고 작품의 주제에 대한 선택과 작품의 표현 스타일을 결정한다. '취'는 작품 속 무형의 정신적 여운으로서 심미 활동을 통해 그것의 가치와 품격의 고하가 구현된다.

예)

혜강은 현묘한 이치를 잘 이야기했고 글쓰기에도 능했는데 정취가 고상하고 우아하면서도 솔직하고 심원했다.

(嵇)康善談理, 又能屬文, 其高情遠趣, 率然玄遠. (『진서晉書·혜강전』)

세상 사람들이 깨닫기 힘든 것은 오직 '취'뿐이다. '취'는 산의 색깔, 물의 맛, 꽃의 광채, 여인의 자태에 비견되며 말 잘하는 사람도 한 마디로 분명하게 말할 수 없고 오직 마음속으로 깨달은 사람만 그것이 무엇인지 안다. …… '취'를 자연의 본성에서 얻는다면 깊은 차원의 '취'이고 학문에서 얻는다면 보통 피상적인 '취'이다.

世人所難得者唯趣. 趣如山上之色, 水中之味, 花中之光, 女中之態, 雖善說者不能下一語, 唯會心者知之. …… 夫趣得之自然者深, 得之學問者淺. (원굉도袁宏道·『서진정보叙陳正甫(회심집會心集)』)

치내재외治內裁外

국가의 내정을 잘 다스려야 대외적인 일을 잘 처리할 수 있다. '치내'란 국가 내부의 통치가 이상적인 상태에 도달함을 가리킨다. '재외'란 천하의 대세를 가늠하여 대외정책을 제정하고 적당한 정치·외교·군사 등의 수단을 선택해 국제 정세에 영향을 끼치는 것을 가리킨다. 이것은 국가 내정은 대외정책의 기초라는 원리를 알려준다.

예)

국내 정무를 잘 처리하지 않으면, 대외적인 군사력의 행사도 성공하지 못한다.

內政不修, 外擧事不濟. (『관자管子·광군대광匡君大匡』)

하夏·상商·주周 시대의 개국군주는 누구와 멀리하고 누구와 연합할지에 힘쓰지 않

고도 천하를 다스렸고, 춘추오패도 종횡으로 연합하지 않고도 천하의 대세를 잘 살폈
다. 그들은 국내 정치를 잘 다진 후에 대외적인 일을 처리했을 뿐이다.

三王不務離合而正, 五霸不待從橫而察, 治內以裁外而已矣. (『한비자韓非子 · 충효忠孝』)

치대국약팽소선治大國若烹小鮮

대국을 다스림은 흡사 조그만 생선을 지짐과 같다. '소선'은 작은 생
선이다. 노자가 '무위'라는 이념에 기초하여 설명한 대국을 다스리는
기본 원칙이다. 작은 생선을 지질 때 반드시 각종 양념을 적당히 사용
하고 불을 주의 깊게 조절하여 모든 생선에 골고루 맛이 배게 해야 한
다. 또 너무 많이 뒤집어서 생선이 잘게 부서지게 해서도 안 된다. 이와
비슷하게 대국은 면적이 넓고 인구가 많으며 각 지역 및 계층의 차이가
커서 나라를 다스릴 때 주의 깊고 면밀해야 한다. 여러 방면의 일을 체
계적으로 계획하고 모든 사람에게 정책의 혜택이 미치도록 해야 한다.
국정 방침이 일단 확립되고 나면 시정자는 사회와 사람들의 생활에 지
나치게 간섭해서는 안 된다.

예)
대국을 다스리는 것은 조그만 생선을 지지는 것과 같다. '도'로써 천하를 다스리면 귀
신이 영향을 끼치지 못한다. 귀신이 영향을 끼칠 뿐만 아니라 귀신의 영향이 사람을 해
치지 못한다. 귀신이 사람을 해치지 못할 뿐만 아니라 성인도 사람을 해치지 못한다. 양
자가 모두 사람을 해치지 못하니 모든 덕이 백성에게 돌아간다.

治大國, 若烹小鮮. 以道莅天下, 其鬼不神. 非其鬼不神, 其神不傷人. 非其神不傷人, 聖人亦不
傷人. 夫兩不相傷, 故德交歸焉. (『노자老子』 60장)

치세지음治世之音

태평시대의 음악을 가리킨다. 유가에서는 음악과 사회정치가 연결

되어 있어서 음악이 한 나라 정치의 흥함과 쇠함, 득실 및 사회 풍속의 변화를 반영할 수 있다고 여겼다. 음악의 교화로 정치를 깨끗하게 하고 사회질서의 안정을 촉진할 수 있다. 바꾸어 말하면 태평시대의 정치는 밝고 온화하며 그 음악과 시 작품은 점잖고 유쾌하다. '치세지음'은 『시경詩經』중의 일부 아름다운 송頌 작품들을 지칭하기도 한다.

예)
무릇 음악은 사람의 마음에서 생겨난다. 정감이 마음 속에서 출렁이면 각종 음악으로 표현된다. 소리가 조합되면 곡조가 되고 이것을 음악이라고 부른다. 그래서 태평시대의 음악은 침착하고 유쾌하다. 이것은 정치가 너그럽기 때문이다.

凡音者, 生人心者也. 情動於中, 故形於聲. 聲成文, 謂之音. 是故治世 之音安以樂, 其政和. (『예기禮記 · 악기樂記』)

치痴

'치痴'는 본래 어리석음, 아둔함, 제정신이 아니라는 뜻이다. 빠져들다, 집착하다, 사람됨과 일처리 방식이 괴벽하다, 습관적이다, 세상 물정에 어둡다는 뜻으로 확장되었다. 계산에 정통한 세간의 사람들과 달리, 어리석은 사람痴人은 일편단심으로 대가를 바라지 않는다. 어리석어 보이지만 또한 공명과 이익을 추구하지 않고 부귀영화를 바라지 않기에 전통적인 교조관념과는 상반된다. '치'는 치정痴情, 치언痴言, 치행痴行 등에 사용될 수 있다. 꾸밈없이 자연스럽고, 성정에 충실하며, 자기 색채가 뚜렷해서 세속의 눈초리를 두려워하지 않는 데 중점을 둔다. '치'는 불교용어이기도 하다. '무명無明'과 같은 뜻으로 아둔하고 무지하여 만법의 이치를 모른다는 의미이다. 불교는 탐욕貪, 화嗔, 어리석음痴을 '삼독三毒'이라 하여 각종 악이 탄생하는 근원으로 여긴다.

예)

(가도賈島) 시의 풍격은 나(맹교孟郊)와 같이 높이 솟았고, 시의 영감의 물결은 한유와 같이 일렁인다. 때로 비틀거리며 걸으면 학처럼 수척한 선사의 모습 같다. 아쉽게도 이 백과 두보가 죽어서 이 어리석은 모습을 보지 못하였다.

詩骨湧東野, 詩濤湧退之. 有時跟蹌行, 人惊鶴阿師. 可惜李杜死, 不見此狂痴. (맹교孟郊『희증무본戲贈無本』)

무엇이 '치'인가? 마음을 잃고 사리를 분별하지 못하며, 올바른 인식을 방해하는 것이다. 모든 번뇌가 존재하는 이유이자 근원이다.

云何爲痴? 于諸理事迷暗爲性, 能障無痴, 一切雜染所依爲業. (『성유식론成唯識論』6권)

| 치恥

치恥는 중요한 도덕적 심리이다. 사람들이 모두 동의하는 어떤 도덕적 전제하에 자신의 언행이 도덕규범에 위배 되면 자각하여 양심의 가책을 느끼고 자책하는 마음이 생겨나는데 이것이 바로 치恥이다. 유가는 이 도덕적 심리를 발전시켜 나가는 것이 인류 교화의 중요한 목표라 여겼다. 유가는 사람들이 외재된 도덕규범을 준수할 것을 요구할 뿐 아니라 사람들이 도덕적인 행위에 대해 마음에서 우러나오는 공감을 할 것과 수치심을 통해 스스로 도덕적 구속을 실현할 것 또한 요구하였다. 치恥는 이후 부도덕한 언행을 평가할 때 쓰이게 되었고 예를 들어 가치可恥라고 쓰인다.

예)

자공이 물었다. "어떻게 해야 선비라 불릴 수 있습니까?"

공자가 대답하였다. "자신의 언행을 부끄러워하는 마음을 가지고 있으며 부름을 받아 일할 때 군주가 부여한 사명을 부끄럽게 하지 않아야 선비라 할 수 있다."

子貢問曰: "何如斯可謂之士矣?" 子曰: "行己有恥, 使於四方, 不辱君命, 可謂士矣." 『논어論語 · 자로子路』

공자가 말하였다. "정령으로 인도하고 형벌로 규범을 행하게 하면 백성은 죄는 면할 수 있지만 수치심은 느낄 수 없다. 덕으로 인도하고 예로 규범을 따르도록 하면 백성은 부끄러움을 알 뿐 아니라 자각을 가지고 규범에 합하게 행한다."

子曰: "道之以政, 齊之以刑, 民免而無恥.道之以德, 齊之以禮, 有恥且格.''『논어論語 · 위정爲政』

| 칙則

법칙, 규칙. '칙'은 천지와 자연 운행의 규칙이다. 인류생활에서 지켜야 하는 법칙을 의미하기도 한다. 이러한 법칙은 생활의 기본 질서를 결정하고, 법칙을 어기는 행위는 혼란과 재앙을 불러온다. 어떤 사람은 천지와 인사人事가 서로 같은 법칙을 따르며, 인사의 법칙은 천지의 규칙에 대한 계승 및 모방에서 비롯되었다고 주장한다. 또한 일부 학자들은 천지와 인사는 각자 다른 법칙이 있어 서로 영향이 없다고 여기기도 한다.

예)
하늘이 뭇 백성을 낳았으며 사물이 있으면 법칙이 있다. 백성은 보편적인 법칙을 따르고 이러한 미덕을 좋아한다.

天生烝民, 有物有則. 民之秉彝, 好是懿德. (『시경 · 대아 · 증민烝民』)

하늘은 그 불변하는 도를 바꾸지 않고, 땅은 그 법칙을 바꾸지 않으며, 춘하추동은 그 계절의 법칙을 바꾸지 않으니, 예와 지금이 동일하다.

天不變其常, 地不易其則, 春秋多夏不更其節, 古今一也. (『관자 · 형세形勢』)

| 친지親知

몸소 얻은 지식. 친지는 묵가墨家가 제시한 지식의 한 유형이자 일종의 인지 방식을 나타내기도 한다. 묵가에 따르면 지식의 획득에는 세

종류의 방식, 즉 '친지', '문지聞知', '설지說知'가 있다. 친지는 몸소 관찰하고 경험함으로써 사물을 인지하게 되는 것을 가리킨다. 직접적으로 인지하는 방식이라고 할 수 있다.

예)

앎은 문지聞知, 설지說知, 친지親知로 나뉜다.

知, 聞, 說, 親. (『묵자墨子 · 경상經上』)

몸소 관찰하고 경험해 아는 것이 친지親知이다.

身觀焉, 親也. (『묵자 · 경설 상經說上』)

│ **친친**親親

　혈육을 사랑하다. 특히 부모에 대한 사랑을 말한다. '친친'은 일종의 자연스러운 감정을 가리키며, 동시에 언행을 통한 이러한 감정의 표현을 뜻하기도 한다. 유가에서는 부모와 가족에 대한 친애의 정이 타인에게까지 확산되어야 한다고 주장했고, 이를 인덕의 기초로 삼았다. 그러나 과도한 '친친'은 사적인 감정에 치우쳐 행동하는 결과를 낳을 수 있다. 이 때문에 유가에서는 '의'를 통해 '친친'에 있을지 모르는 한계를 극복하고자 했다.

예)

　부모를 사랑하는 것은 인이다. 손위형제를 존경하는 것은 의이다. 선을 행하면서 다른 요구를 하지 않는 것은, 곧 부모에 대한 사랑과 손위형제에 대한 존경을 천하의 사람들에게 행하는 것이다.

親親, 仁也; 敬長, 義也; 無他, 達之天下也. (『맹자 · 진심盡心 상』)

　인은 사람의 천성적인 본성이다. 혈육에 대한 사랑을 가장 중요한 표현으로 삼는다. 의는 행동이 합당한 것으로, 현인에 대한 존경을 가장 중요한 표현으로 삼는다. 혈육에 대한 사랑은 친근하고 소원함, 멀고 가까움의 구별이 있어야 하고, 현인에 대한 존경도 역시 차등이 있어야 한다. 예는 그래서 생겨났다.

仁者人也, 親親爲大; 義者宜也, 尊賢爲大. 親親之殺, 尊賢之等, 禮所生也. (『예기 · 중용中庸』)

침울沈鬱

  시 작품에서 표현되는 정서가 함축적이고 의미심장하며 함의가 풍부하고 깊은 예술적 특징을 가리킨다. 두보를 대표로 하는 고대 시인은 나랏일에 관심을 가지고 민생의 힘겨운 생활을 걱정하며 나라가 흥망성쇠하는 이치와 민생이 편안해지는 방책을 궁리하다 해답을 찾지 못했을 때, 이것이 작품 속에서 함축된 정서와 깊은 사고로 표현되었다. 이러한 작품은 대체로 완곡하고 심오하며 구조, 리듬, 음조에 기복이 있어 독자에게 특유의 '돈좌頓挫'의 미감을 선사하여 작품을 읽은 후 여운이 길게 남는다.

  예) 침울이란 뜻이 붓보다 앞서 있고 정신이 말 밖에 넘쳐나는 것이다.

  所謂沉鬱者, 意在筆先, 神餘言外. (진정작陳廷焯, 『백우재사화白雨齋詞話』권1)

칭정입문称情立文

  감정에 근거해 예를 정하는 규범. 권형權衡이라 불린다. 『예기禮記』와 『순자荀子』에서 비롯된 개념이다. 유가는 사람의 감정은 자연스럽게 발생하는 것이며 적당한 토로와 표현이 있어야 한다고 하였다. 이러한 감정상의 필요는 사람의 언행과 인륜질서에 영향을 끼친다. 질서를 따르면서 안정적인 윤리 생활을 실현하기 위해 사람들의 감정은 적절하게 표현되어야 하며 일률적으로 억제해서는 안 된다. 따라서 예禮의 인륜생활에 대한 규범은 감정의 합리적인 필요를 근거로 삼아야 한다.

예)

3년 동안 상을 치르는 것은 무엇을 근거로 정한 것인가? 그 대답은 다음과 같다. 애통해하는 마음에 근거해 세운 예로 이를 통해 인륜의 질서를 규범 짓고 사람과 사람 간의 친소 귀천 관계를 구별하는데, 이는 임의로 더하거나 뺄 수 없다.

三年之喪, 何也?曰: 稱情而立文, 因以飾群, 別親疏貴賤之節, 而弗可損益也.『예기禮記‧삼년문三年問』

ㅌ

타산지석他山之石, 가이공옥可以攻玉

다른 산의 돌을 갈고 닦아서 옥그릇으로 만들 수 있다. 『시경』에서 나왔다. 본래는 주 선왕에게 산림에 은거하는 현자들을 청해와 나라를 위해 등용하자고 부드럽게 간언한 말이었다. 나중에는 타인의 비평과 도움을 빌려 자신의 잘못을 바로잡음을 비유하게 되었다. 타인과 타국의 상황, 경험, 방법 등을 본보기 및 교훈으로 삼아 자신을 더욱 발전시키는 것이다. 중국인의 개방적인 마음가짐과 학습 정신을 보여주는 술어이다.

예)

그 동산은 정말 즐겁구나, 박달나무가 심겨 있고 그 아래는 닥나무가 자라네. 다른 산에 아름다운 돌 있으니 갈고 닦아 옥그릇 만들 수 있겠네.

樂彼之園, 爰有樹檀, 其下維穀. 它山之石, 可以攻玉. (『시경 · 소아 · 학명鶴鳴』)

탈과구脫窠臼

희곡 창작이 낡은 창작 패턴에서 벗어나야 함을 가리키는 말이다. 과구窠臼(역자주: 기존 격식, 정형화된 패턴)란 과거 작품의 상투성을 가리킬 뿐만 아니라 창작자 개인의 상투성을 의미하기도 한다. 명말 청초의 곡론가曲論家 이어李漁(1611~1680)가 『한정우기閑情偶記』에서 제시한 말이다. 이어에 따르면 희곡 창작은 주제나 가사의 참신함을 추구해야 하며 전대 사람을 답습하지 않아야 '전기傳奇'라고 불릴 수 있다. 이러한 주장은 관중의 심미적 욕구를 만족시키고 문예 창작은 항상 새로움을 추구해야 한다는 취지를 나타내기 위해 제시되었다.

예)
내 생각에 곡사를 쓰는 일의 어려움은 모든 낡은 방법을 깨끗이 씻는 것에 지나지 않으며 곡사 쓰기의 비루함도 이미 있는 방법을 답습하는 것에 지나지 않는다.

吾謂塡詞之難, 莫難於洗滌窠臼, 而塡詞之陋, 亦莫陋於盜襲窠臼. (이어, 『한정우기 · 사곡부詞曲部』)

선인들의 작품뿐만 아니라 지금에 와서 이미 낡은 것이 되어버렸다면 내 손으로 직접 만들어낸 작품이라 할지라도 어제 쓴 것을 오늘 보면 흠이 있다. 어제 본 적이 있고 오늘 본 적이 없다면, 본 적이 없는 것이 새로운 것이고 본 적이 있는 것이 낡은 것이다.

非特前人所作, 於今爲舊, 卽出我一人之手, 今之視昨, 亦有間焉. 昨已見而今未見也, 知未見之爲新, 卽知已見之爲舊矣. (이어, 『한정우기 · 사곡부』)

탈태환골奪胎換骨

원래 뜻은 평범하고 속된 몸凡胎俗骨을 벗어버리고 성인과 신선의 몸聖胎仙骨을 입는 것이다. 나중에는 시문 창작에서 옛 작품의 뜻을 가져와 자신의 언어로 새로운 의미를 확립하는 기법을 비유하는 말이 되었다. 옛사람을 모방하면서도 흔적을 남기지 않고 창의적으로 표현하는 것을 강조한다. 시 창작에서는 주로 글자나 뜻을 바꾸어 주제를 드러내고 새로운 의미를 부여하거나 좋은 구절을 짓는 방법이 있다. '탈태奪胎'는 옛 작품에 어떤 정취가 있는지 발견하고, 이를 심화, 확대하여 새로운 의미를 만들어내는 것이다. '환골換骨'은 옛사람의 작품에 훌륭한 견해나 정서가 있으나 충분히 표현되지 못했을 때, 더욱 적절한 언어로 새롭게 씀으로써 보다 선명하고 완벽하게 표현하는 것이다. 이 기법은 문예 창작의 전승 및 변천 관계를 보여주며, 작품 속에서 구체적인 예시를 많이 찾아볼 수 있다. 문화와 학술의 계승과 발전 역시 이 개념을 적용하여 이해할 수 있다.

예)

그 뜻을 바꾸지 않고 더 적절한 어구를 쓰는 것을 환골법이라 하고, 그 뜻을 깨달아 심화하고 충분히 발휘하는 것을 탈태법이라 한다.

然不易其意而造其語, 謂之換骨法; 窺入其意而形容之, 謂之奪胎法. (석혜홍釋惠洪 『냉재야화冷齋夜話』1권)

글은 옛사람의 글자와 구절을 그대로 베껴서는 안 되지만, 옛사람에게도 본래 탈태환골의 방법이 있었으니 영단 한 알이 철을 금으로 만드는 (더욱 좋은 작품이 나오는) 것과 같다.

文章雖不要蹈襲古人一言一句, 然古人自有奪胎換骨等法, 所謂靈丹一粒點鐵成金也. (진선陳善 『문슬신어捫蝨新語』2권)

태강체太康體

서진의 초기와 중엽의 대략 30여년 동안의 시가 풍격으로 진 무제 태강太康 연간(서기 280~289년)에 좌사左思, 반악潘岳, 육기陸機 등으로 대표되는 시의 문체. 건안시대의 적극적이고 진취적이며 격앙되고 향상을 추구하는 시풍과는 다르게 태강시인들은 화려한 문체나 대구를 맞추는 것을 중시했으며 시가의 기교는 더 정교했다. 그중에서 좌사左思의 작품은 언어가 소박하지만 내용은 충실하고 기세가 힘차서 태강 시풍 중에서 독특한 일가를 형성했다.

예)

서진 태강 시기에, 장재張載, 장협張協, 장항張亢, 육기陸機, 육운陸雲, 반악潘岳, 반니

潘尼와 좌사左思는 갑자기 건안 시기의 번영국면을 재현하여 전대의 걸출한 사람들의 발자국을 쫓으니 이는 건안 문학의 풍류가 끊기지 않음이며 시문의 부흥이로다!

太康中, 三張, 二陸, 兩潘, 一左, 勃爾復興, 踵武前王, 風流未沫, 亦文章之中興也. (종영鍾嶸, 『시품詩品』)

태극太極

'태극'에는 서로 다른 3가지 함의가 있다. 첫째, 세계의 근원을 가리킨다. 그런데 옛날 사람은 '태극'의 이 의미에 관해 이해가 갈렸다. 누구는 '태극'을 섞여서 아직 나눠지지 않은 '기' 또는 '원기元氣'라고 생각했고, 누구는 '태극'을 세계의 보편 법칙, 즉 '도'나 '리'라고 생각했다. 또 누구는 '태극'을 '무無'라고 생각했다. 둘째, 점칠 때 쓰는 용어이다. 기奇(一)와 우偶(--), 이 두 가지를 가리키는데, 아직 추론해 확정지을 수 없거나 시초蓍草가 합쳐진 채 나눠지지 않은 상태를 말하며 괘상卦象의 근원이다. 셋째, 공간의 최고 극한을 뜻한다.

예)
역易이 태극에서 시작되고 태극이 하나에서 둘로 나뉘어 천지를 생성하였다.
易始於太極, 太極分而爲二, 故生天地. (『역위易緯 · 건착도乾鑿度』)

결국 천지 만물의 리가 바로 태극이다.
總天地萬物之理, 便是太極. (『주자어류』94권)

태兌

팔괘 중 하나로 ☱와 같이 그린다. 태兌는 또한 64괘 중 하나로 세 줄로 된 것을 두 번 그린 태 괘로 구성되어 ☱☱와 같이 그린다. 팔괘 체계에서 태 괘의 기본적인 상징적 의미는 못 혹은 호수이다. 못은 만물에 영양을 공급하기 때문에 만물을 즐겁게 한다는 뜻을 지닌다. 태 괘는 음의 효 한 개와 양의 효 두 개로 구성되며 음괘에 속하고 인류 영역에서 여성을 뜻한다. 태 괘의 음효는 상부에 위치하는데 집에 있는 가장 어린 여자아이를 나타낸다.

예)
태兑는 즐거움을 뜻한다.
兑, 說(yuè)也. (『주역周易 · 설괘說卦』)

두 못이 이어지는 것으로, 희락이라는 의미를 지닌다. 따라서 군자는 뜻을 함께하는 친구들과 함께 학문을 연구한다.
麗澤, 兑.君子以朋友講習. (『주역周易 · 상하象下』)

│ 태학太學

조정에서 도읍에 세운 최고 학부이자 최고 교육 행정 기관. 서주 때도 '태학'이라는 이름이 있긴 했지만, 실질적으로 세워진 것은 한 무제 때(서기 124년)였다. 태학의 교수는 '박사博士'라 불렸는데, 유가 경전에 정통하고 가르쳐본 경험이 많으며 덕과 능력을 겸비한 유명 학자가 맡았다. 또 학생은 '박사 제자', '태학생' 등으로 불렸고 가장 많았을 때는 인원이 1만 명에 달했다. 이후 명청 시대까지 중앙정부는 줄곧 도읍에 태학이나 태학과 같은 기능의 교육 기관을 세웠지만 명칭들은 각기 달랐고 구체적인 제도도 변화가 있었다. 중앙의 관립 최고 학부로서 태학은 지방 교육 기관 및 사설 교육 조직과 함께 중국 고대의 교육 체계를 이뤘다. 그리고 유가 경전과, 유가 위주의 주류 가치관을 전파하는 데 중요한 역할을 했다.

예)

신은 폐하가 태학을 세우고 경전에 정통한 선생을 배치하여 천하의 선비들을 키워내
길 바랍니다.

臣願陛下興太學, 置明師, 以養天下之士. (『한서·동중서전董仲舒傳』)

태허太虛

허공의 경지 또는 사물이 허공한 상태. 장재張載는 '태허'의 의미에 깊
이 있는 해석을 가했다. 그는 천지만물은 모두 '기氣'로 구성된다고 여
겼다. '태허'는 '기'가 형태가 없이 고요한 상태로 이것이 '기'의 본연의
상태이다. '태허'가 응축되면 '기'가 되며 '기'가 흩어지면 '태허'로 돌아
간다. '태허'는 사람이 감지할 수 없을 뿐이지 아무것도 없는 상태가 아
니다. '태허'의 속성은 '기'를 통해 만물에 부여된다.

예)

이 때문에 곤륜산을 지나지 못해 태허에서 노닐지 못한다.

是以不過乎昆侖, 不遊乎太虛. (『장자莊子·지북유지北遊』)

태허는 형체가 없으며 기의 본체이다. 기가 모이고 흩어지기를 반복하는 것은 태허
가 변화하는 일시적 모습일 뿐이다.

太虛無形, 氣之本體, 其聚其散, 變化之客形爾. (장재, 『정몽正蒙·태화太和』)

투도보리投桃報李

당신이 나에게 큰 복숭아木桃를 준다면 나는 당신에게 큰 자두木李를
주겠다. (목도木桃는 즉 사자榿子이며, 일종의 낙엽관목으로 과실이 둥
글고 맛이 시고 떫으며 도자桃子라고 부른다.) 호증예품互贈禮品(서로 선
물을 주는 것), 예상왕래禮尙往來(가는 말이 고와야 오는 말이 곱다)를 총
괄하여 가리킨다. 그 뜻은 서로 주고받는 선물 자체에 있는 것이 아니

라 선물을 매개체로 상대방에게 전달하는 선한 뜻, 상대방에게 표현하는 영원히 친하게 지내자는 성의에 있다. 이 속에 평등과 호혜의 관계 원칙이 깃들어 있다. 이는 이덕보덕以德報德(덕으로써 덕에 보답한다)이라는 관계상의 원칙을 형상으로 드러낸 것으로 "가는 말이 고와야 오는 말이 곱다"라는 이념의 긍정적인 면이 구현된 것이다. 작게는 개인 간의 관계, 크게는 국가 간의 관계까지 모두 이 이치를 따른다.

예)
당신이 나에게 큰 복숭아를 준다면 나는 아름다운 옥을 답례로 주겠소. 이는 물건을 답례하려는 것이 아니라 영원한 우정을 위함이오.
投我以木桃, 報之以瓊瑤.匪報也, 永以爲好也! (『시경詩經 · 국풍國風 · 목과木瓜』)

시경詩經의 대아大雅에서 다음과 같이 말한다. "말한 것이 없다면 그에 대한 대답도 없고, 은혜를 베푼 적이 없다면 그에 대한 보답도 없다." "당신이 내게 큰 복숭아를 준다면 나는 큰 자두를 선물로 주겠소" 이는 곧 사람을 사랑하는 사람은 반드시 사람에게 사랑받으며 미워하는 사람은 반드시 사람에게 미움을 받는다는 것을 이야기한다.
≪大雅≫之所道曰: "無言而不讎(chóu), 無德而不報." "投我以桃, 報之以李. "即此言愛人者必見愛也, 而惡人者必見惡也. (『묵자墨子 · 겸애하兼愛下』)

====================
ㅍ
====================

판교判教

불교의 각 종파가 분열을 없애고 정종正宗으로서 각자의 지위 및 권위를 세우기 위해, 여러 불교 경전의 의미와 지위를 분류하고 배열한 것을 가리킨다. '교판'이라고도 한다. 각 종파의 판교는 서로 다르나 일반적으로 쉬운 내용부터 시작해 점점 어려워지고 얕은 지식으로 들어가 점차 깊어지며, 그 종파의 경전 교의를 가장 높은 교법으로 본다. 인도 불교에는 이미 운용되고 있었고, 수당 시기의 각 종파는 모두 자체적인 판교가 있었다. 예를 들어 천태종의 '오시팔교五時八教'는 불타가 전한 법을 5개 시기로 나누었다. 화엄華嚴을 시작으로 하여 아함阿含, 방등方等, 반약般若, 법화열반法華涅槃의 순서이다. 교화 방법의 측면에서는 돈頓, 점漸, 비밀秘密, 불정不定의 네 종류로 나누었고, 이론 성격상으로는 장藏, 통通, 별別, 원圓의 네 종류로 구분했다. 이는 일종의 강렬한 종파의식을 띤 이론 통합의 방법으로, 불교의 중국 현지화에 매우 큰 영향을 미쳤다.

예)

각 파의 교의에 대한 판별과 분류는 일치하지 않는다. 일설에는 석가모니가 사는 동안 돈과 점 두 종류의 가르침만이 있었고, 점의 교훈은 다시 5개 시기와 7개의 단계로 나뉘며, 세인들이 함께 전하고 칭송하여 이견이 없다고 한다. 또 누군가는 말한다. 5개 시기의 교법은 어떻게 확정할 수 있는가? 사실 쌍림雙林에서 입적하기 전까지는 유여열반 단계의 불요의법不了義法에 속하고, 마지막 열반할 때의 가르침은 요의법了義法에 속한다.

諸家判敎非一, 一雲釋迦一代不出頓漸, 漸有七階五時, 世共同傳, 無不言是. 又雲, 五時之言, 那可得定? 但雙林已前, 是有余不了, 涅槃之唱, 以之爲了. (『묘법련화경현의妙法蓮華經玄義』 10권)

팔괘八卦

'─'(양효)와 '--'(음효)를 세 개씩 조합해 만든 부호 체제. 세 개의 '효'가 하나의 '괘'를 이루며 그 조합이 여덟 가지이므로 '팔괘'라 한다. '팔괘'의 이름은 각각 건乾(☰), 곤坤(☷), 진震(☳), 손巽(☴), 감坎(☵), 리離(☲), 간艮(☶), 태兌(☱)이다. 고대 사람들은 '팔괘'가 자연과 사회의 기본적인 사물과 현상을 상징한다고 믿었으며 그 기본적인 상징이 의미하는 것은 각각 하늘, 땅, 우레, 바람, 물, 불, 산, 연못이다. 옛사람들은 각각의 '팔괘' 사이의 상호 변화와 그 상징적 의미를 근거로 하여 자연과 사회의 변화 및 그 법칙을 이해하고 설명했다.

예)
옛날에 복희씨가 천하를 통치할 때 하늘을 우러러 나타나는 현상을 관찰하고 고개를 숙여 땅의 법칙을 관찰하고 새와 짐승의 무늬와 땅에서 마땅히 살아가는 것들을 관찰하고, 가까이는 사람의 몸에서 취하고 멀리는 만물의 형상에서 취했으니 이리하여 처음으로 "팔괘"를 지어서 사물의 신묘하고 선명한 본질에 정통하여 만물의 모습을 종류별로 나누었다.

古者包犧氏之王天下也, 仰則觀象於天, 俯則觀法於地, 觀鳥獸之文與地之宜, 近取諸身, 遠取諸物, 於是始作八卦, 以通神明之德, 以類萬物之情. (『주역·계사繫辭 하』)

팔음극해八音克諧

여덟 가지 악기를 연주한 소리가 서로 어울려 전체적으로 아름다운 조화를 이루다. '팔음'은 쇠, 돌, 가죽, 실, 나무, 박, 대나무 등 여덟 가지 재료로 만든 악기가 연주해낸 서로 다른 소리를 뜻한다. '팔음극해'는 『상서尙書』에서 나온 말이다.

　이 용어는 팔음 각각의 장점이 발휘되어 다채로우면서도 하나로 어우러지는 가운데 높은 경지에 다다른다는 것을 강조하며, '조화'의 미를 추구했던 중국 고전음악과 사곡詞曲 창작의 심미적 성향을 보여준다. 음악은 또한 사람의 정신과 서로 통하는 것이므로, '팔음'은 서로 다른 마음의 상태를 드러내거나 마음에 감동을 줄 수 있다. 그래서 팔음은 고대에 교화의 방식 중 하나이기도 했다. 그 의도는 사람의 마음이 서로 다른 악기 소리의 영향 아래에서도 조화로운 상태가 되어, 사람의 정신과 행위에 대한 예악禮樂의 요구에 부합되도록 하려는 데 있었다. 동시에 이 용어는 서로 다른 사람이나 집단이 모두 소리를 낼 수는 있지만, 공동의 규범을 지키고 서로 협력해야 조화롭게 공존할 수 있다는 뜻을 내포하고 있다.

　예)
　시는 마음속의 뜻을 드러내는 것이고, 노래는 말을 읊어내는 것이며, 오음五音(궁宮, 상商, 각角, 치徵, 우羽)의 높낮이 변화는 읊는 것에 따라 정해지고, 음률은 오음과 잘 어울려야 한다. 여덟 가지 악기로 연주한 소리가 서로 어우러져 각자의 질서를 어지럽히지 않으면, 귀신과 사람이 모두 이로 인해 조화로운 상태에 이를 수 있다.
　詩言志, 歌詠言, 聲倚永, 律和聲. 八音克諧, 無相奪倫, 神人以和.(『상서尙書·순전舜典』

패도覇道

　패자覇者의 도. 무력과 강권적 수단으로 통치하는 것을 가리킨다('왕도王道'와 상반됨). 춘추시대 주왕실이 쇠퇴하자 일부 제후들은 자신의 강대한 세력을 믿고 천자와 다른 제후들을 조종하여 질서를 유지하며 제후들의 우두머리가 되었다(처음에는 '백伯'이라 했고 후에 '패霸' 자를 썼다). 그들의 통치원리 혹은 정책을 '패도'라고 한다. 이들은 인의도덕이 아닌 공리와 강권을 중시하고, 덕이 아닌 힘으로 타인을 굴복시키며, 문文을 통한 감화보다 무武를 통한 압제를 중시했다. 백성들이 은덕을 느끼는 대신 두려워하게 만들었고, 심지어 자국의 이익만 위할 뿐 타국의 어려움은 돌아보지 않았다. 중화민족은 문을 숭상하고 무를 중시하지 않았기에 예부터 '왕도'를 제창하며 '패도'를 배척했다. 이는 오늘날 중국이 패권주의와 강권정치에 반대하는 역사적 연원이다.

예)
덕정德政을 펼칠 줄 아는 사람은 왕도를 이룰 수 있고, 전략을 짜고 전쟁에서 승리할 줄 아는 사람은 패도를 이룰 수 있다.
通德者王, 謀得兵勝者霸. (『관자管子 · 병법兵法』)

무력으로 인의를 사칭하는 자는 패이며, 패는 반드시 큰 나라로 기초를 삼아야 한다. 덕으로 인의를 행하는 자는 왕이며, 왕은 꼭 큰 나라여야 할 필요가 없다. …무력으로 사람을 복종시키면 진심으로 따르는 것이 아니라 반항할 힘이 부족한 것뿐이다. 덕으로 사람을 복종시켜야만 마음에서 기쁨이 우러나와 진심으로 따르게 된다. 마치 칠십 제자가 공자를 따랐던 것과 같다.
以力假仁者霸, 霸必有大國. 以德行仁者王, 王不待大…… 以力服人者, 非心服也, 力不贍也. 以德服人者, 中心悅而誠服也, 如七十子之服孔子也. (『맹자孟子 · 공손추公孫丑 상』)

그래서 국가의 정권을 장악한 사람은 도의를 세우면 천하의 왕이 될 수 있고, 신뢰를 세우면 제후의 패자가 될 수 있으며, 권모술수를 꾀하면 멸망한다.
故用國者, 義立而王, 信立而霸, 權謀立而亡. (『순자荀子 · 왕패王霸』)

평등平等

같다. 차별이 없다. 본래 범어 sama의 역어이다. 불교의 기본 관념으로 최초에는 각종 성씨 간에 차별이 없음을 의미했고, 이후 대승불교와 선종 등의 중국화된 불교 종파에서 일체의 법, 일체의 중생 사이에 불성과 궁극적인 의미의 차이가 없음을 뜻하는 말로 쓰였다. 불교의 평등관은 다양한데, 그 중 가장 보편적이고 깊은 영향을 미친 것은 '중생평등'(감정과 인식이 있는 모든 생물은 차별이 없음)으로 보통 모든 사람이 평등하다는 뜻으로 이해된다. 근대 이후 평등은 서양의 equality의 번역어로 사용되고 있다. 주로 사람마다 사회의 주체로써 사회관계 및 사회생활 가운데 동등한 지위와 기회, 권리를 가짐을 가리킨다.

예)
본질적인 실체에는 차이가 없고, 중생이 모두 부처이다.
自性平等, 衆生是佛. (『육조단경六祖壇經 · 부촉付囑』)

중생이 은원과 친소에 무관하게 차별이 없고, 영원히 탐욕과 집착에서 떠나기를 바라야 한다.
當願衆生, 怨親平等, 永離貪著. (『화엄경華嚴經 · 정행품淨行品』)

널리 사랑하여 친하든지 멀든지 차별이 없고, 옛 음률을 자유롭게 음송하며 어느 하나에 얽매이지 않았다.
泛愛親疏平等, 任吟古律不拘. (유극장劉克莊『칠십팔영육언십수七十八詠六六言十首』10)

평준平准

물가를 안정시켜서 일정한 기준에 적합하게 하다. 이것은 고대 중국의 일종의 경제 제도이다. 구체적 시행 방법은 다음과 같다. 전문 관직과 기구를 설치하고 일정한 분량의 중요 물자를 확보한 다음 시장의 물가가 과하게 올라가면 팔고 시장의 물가가 너무 낮으면 매입한다. 그럼으로써 상점들의 매점매석과 폭리를 취하는 것을 방지하고 물가를 안정시킨다. 이 제도가 내포하고 있는 기본 관념은 다음과 같다. 정부는 시장을 제어하는 책임을 지고 있고 정부가 경제적 수단과 시장 행위를 통해 시장을 통제한다. 정부가 시장을 통제하는 취지는 개인 상점의 독점을 억제하고 균형과 공평을 보장하며 더 많은 민중의 이익을 보호하고 경제 질서와 사회 질서의 안정을 도모하는 것이다.

예)

대사농大司農(역자주: 고대 중국의 관직으로 국가의 재정을 담당하였음)은 산하의 각 기관이 천하의 물품을 모아 물가가 비싸면 팔고 물가가 싸면 사들인다. 그렇게 하면 부유한 상인들이 폭리를 취할 방법이 없어져 무역이 정상화되고 물건의 가격이 폭등하지 않는다. 천하 물건의 가격을 안정시키기 위한 제도이므로 이름을 '평준'이라 한다.

大農之諸官盡籠天下之貨物, 貴即賣之, 賤則買之. 如此, 富商大賈無所牟大利, 則反本, 而萬物不得騰踴. 故抑天下物, 名曰"平准". (『사기史記 · 평준서平准書』)

포법처세抱法處勢

법률을 굳게 지키며 권세에 의지하다. '포법처세'는 한비자韓非子(B.C. 280~B.C. 233)가 제시한 일종의 법치 관념이다. '법'은 모든 백성이 반드시 공통적으로 준수해야 하는 법령으로 사람들의 행위와 시비 · 선악에 대한 판단을 규범화한다. '세'는 통치자가 가진 지위와 권력을 가리킨다. '포법처세'는 즉 통치자가 자신의 '세'에 의지해 상벌이라는 수단으로써 법령의 집행을 보증하여 일관된 사회 질서와 가치를 유지함을 이른다.

예)

중간 정도의 통치자는 요순堯舜만큼 뛰어나지 않으나 걸주桀紂만큼 어리석지도 않은 자로, 법을 지키며 권세를 펼치면 나라가 잘 다스려지고 법을 등지고 권세를 잃으면 나라가 혼란해진다.

中者, 上不及堯舜而下亦不爲桀紂, 抱法處勢則治, 背法去勢則亂. (『한비자韓非子 · 난세難勢』)

| 표거흥회標擧興會

'흥회표거興會標擧'라고도 함. '표거標擧'는 '명시하다, 돌출되다'라는 의미가 있으며 나중에 '선명하다, 출중하다, 독특하다'등의 많은 함의가 파생되었다. '회會'란 모이는 것이고 '흥회興會'는 창작 주체가 바깥의 사물로 인해 불러 일으킨 창작상태 및 그로 인해 유발된 풍부한 내면의 느낌으로 문학을 창작할 때 영감이 떠올라 저절로 생기는 농후한 즐거움과 의취意趣이다. '표거흥회'는 문학 창작 중에 '흥'이 일으킨 풍부한 내면의 느낌과 감정적인 특징을 가리키며, 또한 작품 중에 드러낸 깊고 강렬한 즐거움과 의취를 뜻하기도 한다. '표거흥회'란 문학비평 용어이면서 일종의 창작 이념이기도 하다. 자연스러움을 숭상하고 꾸며내는 것을 반대하는 작문 태도와 호응하며, 창작자의 재능과 열정을 중시하고 직감에 기초한 자유로운 상상과 영감이 솟구치는 상태에서의 자유로운 창작을 강조한다.

예)
사령운의 시 창작은 뜻이 분명하고 정취가 고상하다. 안연지의 시는 구성이 치밀하고 언어가 명확하다. 그들은 모두 전대 작가의 우수한 전통을 본받아 후대 시 창작의 모범이 되었다.

靈運之興會標擧, 延年之體裁明密, 並方軌前秀, 垂範後昆. (『송서宋書 · 사령운전론謝靈運傳論』)

직감적으로 느낀 선명한 사물의 형상과 영감이 촉발시킨 독특한 느낌을 시로 쓰면 저절로 감정도 있고 경물도 있게 되어 사물 묘사와 감정 토로가 서로 조화롭게 된다.

─用興會標擧成詩, 自然情景俱到. (왕부지王夫之, 『명시평선明詩評選』 6권)

시의 창작자를 살펴보면 흥이 일어날 때 흔히 무심결에 가장 아름다운 작품을 써낸다. 이러한 작품은 후대에 학습할 만한 모범이 된다. ...... 마음 속의 감정이 우연히 바깥의 사물과 교감하면 자연스레 느낀 바를 말하고자 하게 되는데 이것이 시인이 시를 짓는 취지이다.

原夫創始作者之人, 其興會所至, 每無意而出之, 即爲可法可則. ......情偶至而感, 有所感而鳴, 斯以爲風人之旨. (엽섭葉燮, 『원시原詩 · 내편하內篇下』)

| 표일飄逸

시가 작품에서 나타나는 유유자적하고 속세를 벗어나 구속이 없는 정취와 풍격을 가리킨다. 시학 용어로서 시인의 독립적 사상과 천성적 자유로움이라는 기질과 심미적 지향 그리고 '홀로 천지의 정신과 왕래하며' 자유롭게 무한한 시공을 노니는 의경을 표현한다. 시의 의경, 시인, 시 속의 인물이 하나로 융합되어 드러나는 풍격이다. 종종 '침울沈鬱'이라는 풍격과 대응된다.

예)
두보는 이백과 같은 표일한 시를 쓰지 못한다. 이백은 두보와 같은 침울한 작품을 쓰지 못한다.

子美不能爲太白之飄逸, 太白不能爲子美之沉鬱. (엄우嚴羽, 『창랑시화滄浪詩話 · 시평詩評』)

| 품제品題

사람의 품행, 재능, 풍모에 대해 그 수준을 품평하고 판단하다. 한말漢末, 위진魏晉 시기에 성행했다. 품제는 처음 유행할 당시 일종의 진보적인 의미를 지니고 있었는데, 사람을 평가할 때 출신 대신 덕행과 재주만을 논하여 인재를 선별하고 능력에 따라 관직을 주기 위한 중요한 수단이었다. 위진시대 인사들의 청담淸談 내용 중 하나가 바로 인물의 선별과 품평으로, 당시에는 '제목題目'이라고 했다. 그러나 위말진초魏末晉初 때부터 인물에 대한 품평은 점차 가문과 권세에 집중되는 경향을 보였고, 그 영향으로 구품중정제가 형성되었다. 한편 품제는 인물에 대한 평가에서 시문서화詩文書畫에 대한 평가로 전환되어, 인재를 선발하는 기능은 줄어들고 예술의 심미적 의미가 강조되었다. 이러한 경향은 남북조의 문학비평에 영향을 미쳤고 각종 시품, 화품, 서품 등 비평 저서의 출현을 촉진하는 역할을 했다.

　예)

　허소와 허정은 모두 명망이 있고, 함께 모여 동향의 인물을 평가하기 좋아했다. 매달 대상을 바꿔 가며 품평했기에 여남汝南의 사람들이 그들을 일컬어 '월단평月旦評(월단: 매달 초하루)'이라 했다.

　(許)劭與(許)靖俱有高名, 好共覈論鄉黨人物, 每月輒更其品題, 故汝南有"月旦評"焉. (『후한서後漢書 · 허소전許劭傳』)

　여러 명가들이 편찬한 총집은 글을 수록하는 데 뜻이 있지, 작품의 고하를 품평하지 않는다. 내가 여기서 수록한 것들은 오언시만을 대상으로 했다. 그러나 고금의 시인과 그들의 대표작품이 거의 모두 망라되어 있다. 나는 시인의 고하를 밝히고 작품의 우열을 가리고자 하여 총 백이십 명을 평가하였다.

　諸英志錄, 并義在文, 曾無品第. 嶸今所錄, 止乎五言. 雖然, 網羅今古, 詞文殆集. 輕欲辨彰淸濁, 掎摭病利, 凡百二十人.(종영鍾嶸『시품詩品 서』)

┃ 풍골風骨

　순수한 사상, 감정과 엄밀한 구조로부터 형성되는 표현력과 감화력이 강한 작품의 독특한 풍모를 가리킨다. 정확한 의미에 대해서는 학계에서 논란이 큰 편이지만 대체로 풍채가 청명하고 기골이 굳세다고 서술할 수 있다. '풍'은 사상, 감정의 표현에 중점을 두어 작품의 사상이 순수하고 대상의 기운을 생생하게 표현하며(기운생동氣韻生動) 감정이 풍부하기를 요구한다. '골'은 작품의 골격, 구조 및 어구의 배치에 중점을 두어 작품이 힘이 있으며 함의가 풍부하지만 동시에 언어가 정련되어 있기를 요구한다. 만약 미사여구를 가득 써서 과하게 문장을 꾸미면 어휘는 다채로우나 내용이 빈약해 '골'이 없다. 만약 표현이 난삽하여 이해하기 어렵고 감정과 생기가 부족하다면 '풍'이 없는 것이다. 풍골을 논할 때 문채(문장의 꾸밈)를 배제하지 않으며 문채와 결합해야 비로소 좋은 작품이 된다. 풍골의 우열은 주로 창작자의 정신세계와 성품, 자질에서 결정된다. 유협劉勰은 『문심조룡文心雕龍』에서 「풍골」편을 별도로 마련하였는데, 이는 중국의 고대 문학비평 역사에서 처음으로 문학의 풍격에 대해 논한 글이다.

예)
문장은 반드시 자기만의 구상과 구성이 있어서 고유한 풍골을 이루어야 하니, 어찌 다른 사람과 같은 생활을 할 수 있겠는가.
文章須自出機杼, 成一家風骨, 何能共人同生活也! (『위서魏書 · 조형전祖瑩傳』)

글의 짜임이 서로 뒤바꿀 수 없을 만큼 적절하고 소리 내어 읽었을 때 품위 있고 막힘이 없는 것은 풍골의 힘이다.
捶字堅而難移, 結響凝而不滯, 此風骨之力也. (유협劉勰, 『문심조룡文心雕龍 · 풍골風骨』)

만약 정확하고 알맞은 문체를 정하여 문채가 선명하고 기개가 강건하도록 할 수 있다면, 풍채가 맑고 기골이 굳세어 한 편의 문장 전체가 빛날 것이다.
若能確乎正式, 使文明以健, 則風淸骨峻, 篇體光華. (유협劉勰, 『문심조룡文心雕龍 · 풍골風骨』)

| 풍교風敎

원뜻은 '교화하다'인데 나중에는 풍속의 교화, 즉 문학 작품이 풍속에 끼치는 교육 및 감화의 효과라는 의미가 강해졌다. 『모시서毛詩序』('대서大序'와 '소서小序'가 있는데 '모시서'라고 하면 보통 '대서'를 가리킴)에서 유래하며, 유가의 예술의 효능에 관한 이론에서 주요 범주 중

하나이다. '풍교'는 시가와 음악이 사람의 생각과 감정에 미치는 교육의 효과를 강조한다. 통치자는 시가와 음악을 도구 삼아 위로부터 아래로 어떤 이념을 전달하고 백성을 교화하여 풍속을 바꾸는 효능을 얻을 수 있어야 한다. '풍교'라는 관념의 영향은 광범위하다. 선진 시기의 시가와 음악에서부터 근대의 문학 작품에 이르기까지 대다수가 이러한 사상을 따르고 있다. 유가의 윤리 교육 관념이 구체적으로 실현된 것이며, 문학가와 예술가의 사회적 책임감이 실현된 것이기도 하다. 하지만 예술 작품에 대해 풍교를 너무 강조하다 보면 이념이 선행되고 이념을 형상보다 훨씬 중시하게 되어 예술 작품의 심미적 가치를 훼손할 수 있다. 가장 좋은 방식은 '즐거움 속에서 배우기'로 문에 작품이 은연중에 사람들의 마음에 감화 작용을 일으키게 하는 것이다.

예)
　「관저」는 『시경詩經·국풍國風』의 첫 번째 편으로, 백성을 감화하고 부부 행실을 단정히 하는 효능이 있다. 이를 향간 백성에게 적용할 수 있으며, 나라에 적용할 수도 있다. 풍은 완곡히 타이름, 가르침이다. 완곡히 타일러 사람의 마음을 움직이고 사람을 가르쳐 교화한다.

　「關雎」……風之始也, 所以風天下而正夫婦也. 故用之鄕人焉, 用之邦國焉. 風, 風也, 敎也, 風以動之, 敎以化之. (『모시毛詩·대서大序』)

　예전에 말한 적이 있는데, 도연명의 문장을 읽고 이해할 수 있는 사람은 명리를 위해 경쟁하겠다는 생각을 버리고 탐욕스럽고 인색한 마음을 없애게 되어 탐욕스러운 사람이었다면 청렴해질 수 있고 나약한 사람이었다면 자립할 수 있다. 인의를 실천함에 그치지 않고 관직을 일체 거절할 수 있다. ……이 역시 풍교에 도움이 된다.

　嘗謂有能觀淵明之文, 馳競之情遣, 鄙吝之意祛, 貪夫可以廉, 懦夫可以立. 豈止仁義可蹈, 抑乃爵祿可辭. ……此亦有助於風敎也. (소통蕭統, 『「도연명집陶淵明集」서序』)

│ 풍신風神

　문학 작품의 풍채風采와 신운神韻을 가리킨다. '풍신風神'이라는 단어는 위진魏晉 시기의 인물 품평에서 처음 등장했다. 당시에는 풍격과 기색을 가리켰으며 이후에 문예 비평 영역에서 이 단어를 가져와 사용하게 되었다. 당대唐代의 서예 이론에서 '풍신'이라는 단어로 서예 작품의 예술적 특징을 형용했다. 송대宋代 강기姜夔(1155?~1209)의 『속서보續書譜』는 나아가 서예론에서 '풍신'을 핵심 개념으로 삼았다. 강기는 서예가의 품행, 사승師承(역주: 스승으로부터 이어받는 계통), 기예, 창의성, 종이와 붓 등이 동시에 작품의 풍채와 신운을 결정한다고 주장했다. 문장론에서 '풍신'을 활용한 사례 중 영향은 큰 것은 명대明代 모곤茅坤(1512~1601)의 문장비평론이다. 그는 『사기事記』가 '풍신'의 전범이라고 생각했으며 구양수歐陽脩(1007~1072)의 문장이 '풍신'의 아름다움을 갖추고 있다고 칭찬했다. 그는 평가의 기준을 서사 측면에서는 자유롭고 활달한지와 정취 측면에서는 감정이 마음 깊은 곳에서 배어나오는지에 중점을 두었다.

예)
　서예 작품의 풍신에는 첫째로 인품의 고상함, 둘째로 옛 서법의 숙지, 셋째로 우수한 종이와 붓, 넷째로 강건함, 다섯째로 고결함과 지혜, 여섯째로 원숙하고 매끄러움, 일곱째로 필세가 서로 마주하거나 서로 등질 때의 적절함, 여덟째로 때때로 창의적일 것이 요구된다.
　風神者, 一須人品高, 二須師法古, 三須紙筆佳, 四須險勁, 五須高明, 六須潤澤, 七須向背得宜, 八須時出新意. (강기姜夔, 『속서보續書譜』)

　서한西漢 이래로 나는 태사공 사마천을 유일하게 칭찬하였다. 그의 문장은 활달하고 자유분방하며 슬픔이 복받쳐 올라, 문장 속에 함축된 풍신이 자구의 수식을 넘어 절묘한 의도를 드러낸다. 비유하자면 소수瀟水, 상강湘江, 동정호洞庭湖 위에서 신선을 보았는데 멀리서 바라볼 수는 있지만 가까이 다가갈 수 없는 것과 같다.

西京以來, 獨稱太史公遷, 以其馳驟跌宕, 悲慨嗚咽, 而風神所注, 往往於點綴指次外, 獨得妙解, 譬之覽仙姬於瀟湘洞庭之上, 可望而不可近者. (모곤茅坤, 『구양문충공문초인歐陽文忠公文鈔引』)

풍아송風雅頌

『시경』에서 체재와 음악에 의거해 시를 분류하는 유형이다. '풍'(국풍國風)은 여러 지역의 지방 음악으로 대부분 민가이고, '아'는 궁정 연회나 조회 때 쓰던 가곡으로서 '대아大雅'와 '소아小雅'로 나뉘며 대부분 귀족 문인들의 작품이다. 그리고 '송'은 종묘 제례 때 쓰던 무곡舞曲의 가사로서 내용은 대부분 조상의 업적을 찬양하는 것이다. 그래서 '풍아송'은 『시경』의 체재인 동시에 고아高雅하고 순정純正한 함의를 갖고 있다. 나중에 '풍아'는 전아하고 고아한 사물을 가리키는 말이 되었다.

예)
그래서 『시경』에는 6가지 기본 내용이 있다. 바로 풍, 부賦, 비比, 흥興, 아, 송이다.
故『詩』有六義焉: 一曰風, 二曰賦, 三曰比, 四曰興, 五曰雅, 六曰頌. (『시대서詩大序』)

『시경』의 '삼경三經'은 부, 비, 흥을 가리키는데 이것은 작시作詩의 뼈대로서 모든 시에 다 있으며 없으면 시가 되지 않는다. 대체로 부가 없으면 비가 있어야 하고 비가 없으면 흥이 있어야 한다. 예컨대 풍, 아, 송은 시 안에서 횡적으로 연결하는 작용을 하는데, 시에는 모두 부, 비, 흥이 있어야 한다. 그래서 풍, 아, 송을 '삼위三緯'라고 한다.
'三經'是賦比興, 是做詩底骨子, 無詩不有, 才無則不成詩. 蓋不是賦便是比, 不是比便是興. 如風雅頌却是裏面橫串底, 都有賦比興, 故謂之'三緯'. (『주자어류朱子語類』80권)

풍영諷詠

고대 중국에서 시를 읽고 감상하던 방법을 가리킨다. 풍은 소리의 높낮이와 전환을 살려 읽는 것이다. 영은 소리내어 부르다, 노래하다의 뜻이다. '풍영'을 합하면 곧 시를 반복해서 소리내어 읽고 부름으로써 점차 그 리듬과 음운을 느끼고 의미와 감정을 짐작할 수 있으며, 더 나아가 작자의 창작 의도를 이해하고 심지어 자신의 견해까지도 생겨날 수 있음을 의미한다. 풍영의 방법은 중국 고대시가 가진 비교적 강한 음악성과 밀접한 관련이 있으며, 소리의 고저와 휴지에 따라 읽을 수 있을 뿐 아니라 일정한 선율에 맞춰 부를 수도 있다.

예)

먼저 『초사』를 숙독하고, 매일 아침저녁마다 읽고 부르며 이를 기초로 삼는다......이백과 두보의 시집을 머리맡에 놓고 수시로 읽으며 오늘날 사람들이 경서를 연구하듯이 하고, 그 후 다시 성당 시기 명가들의 작품을 폭넓게 읽되 마음속으로 반복하여 감상하기를 오랫동안 하면 자연히 깨닫게 된다.

先須熟讀『楚辭』, 朝夕諷詠, 以爲之本...... 以李杜二集枕藉觀之, 如今人之治經, 然後博取盛唐名家, 醞釀胸中, 久之自然悟入. (엄우嚴羽『창랑시화滄浪詩話·시변詩辯』)

「국풍」이라 하고 「대아」, 「소아」 및 「송」이라 하니 합쳐서 '사시四詩'라 부르며, 마땅히 자주 읽고 읊조려야 한다.

曰國風, 曰雅頌. 號四詩, 當諷詠. (『삼자경三字經』)

풍유諷諭

문학 작품에서 일정한 사례나 사상을 빌려 함축적이면서도 완곡하게 백성들의 사정과 분위기를 알리고 정치를 비판함으로써 통치자로 하여금 그 의견을 받아들여 폐단을 제거하게 하는 것을 가리킨다. '풍'은 충고, 권유를 뜻하는데 시문에서는 그 언어가 함축적이면서도 완곡해야 하며, '유'는 알리고 표명한다는 뜻이다. 다시 말해 '풍'은 실제적으로 서로 분리되지 않는 두 부분을 포함한다. 하나는 문학의 표현 방식('풍'은 완곡하고 함축적이어야 한다)이고 다른 하나는 문학의 사회적 기능(통치자를 일깨운다)이다. 이른바 '풍유설'은 한나라 학자가 『시경』을 설명할 때 결론 지어 제시한 것인데, 유가에서는 이것으로 문학의 조정朝廷에 대한 교화와 사회 풍속에 대한 관여 기능을 제창하고 그것을 문학의 특수한 사명으로 보았다. 당나라 시인 백거이는 많은 풍유시를 지어서 시 창작의 사회적 기능을 강화하고 그 문학 전통을 밀어붙여 후대의 문학 창작에 큰 영향을 주었다.

예)
어떤 작품은 아랫사람의 감정을 표현하여 군주에게 풍유를 전하고, 어떤 작품은 군주의 은덕을 선양하여 충효의 의무를 다한다.
或以抒下情而通諷諭, 或以宣上德而盡忠孝. (반고班固, 「양도부서兩都賦序」)

옛날 사람은 글을 써서 크게는 조정의 교화와 백성의 풍속을 관련지어 나타냈으며 작게는 경계를 담고 풍유를 전달했다.
古之爲文者, 上以紉王敎, 繫國風; 下以存炯戒, 通諷諭. (백거이白居易, 『책림策林 · 육팔六八 · 의문장議文章』)

풍유豊腴

중국 고대 문학예술 풍격의 일종이다. '풍유'라는 단어는 본래 풍성, 풍부, 풍만의 뜻이다. 서법 미학에서는 주로 필묵의 두께감, 원숙미와 매끄럽고 아름다운 정도를 가리키며 시 창작의 영역에서는 주로 작품 내용의 풍부함과 섬세함, 감상의 다채로움을 말한다. 그러나 풍유만으로는 부족하고, '풍유'와 '청구淸癯'를 결합하여 상반되면서도 서로 완성시켜 주어야만 중국 고대시와 예술 미학의 변증법을 체현할 수 있다. 송대의 저명한 문학가 소식(1037~1101)은 '질이실기, 구이실유質而實綺, 癯而實腴'의 8글자로 도원명(365?~427)시의 예술적 특색을 개괄하며 매우 높이 평가했다. 도원명의 시가 질박한 가운데 화려한 멋이 있고, 보기에는 빈약해 보이지만 실제로는 내용이 풍부하다는 뜻이다.

예)

나는 시인 중에 특별히 좋아하는 사람이 없지만 오직 도연명의 시는 좋아한다. 도연명이 쓴 시는 많지 않다. 그러나 그의 시는 질박한 가운데 화려하며, 빈약해 보이지만 실제로는 풍성하다. 조조, 유정, 포조, 사령운부터 이백과 두보까지 뭇 시인들이 모두 따르지 못한다.

吾於詩人, 無所甚好, 獨好淵明之詩. 淵明作詩不多, 然其詩質而實綺, 癯而實腴, 自曹, 劉, 鮑, 謝, 李, 杜諸人皆莫及也. (소식의 말, 소철蘇轍 『자잠화도연명시집인子瞻和陶淵明詩集引』에 수록)

풍육미골豊肉微骨

원래 여성의 체형이 가냘프면서 몸매가 풍만하고 부드럽다는 뜻이다. 후에 서화의 품평에서 운필運筆이 풍부하고 아름다우나 골력骨力이 미약하다는 뜻으로 사용되었다. '골骨'은 골법骨法으로, 필세나 구성의 깨끗함과 웅건함을 가리킨다. '육肉'은 선의 풍성하고 아름다움, 혹은 먹과 색채의 농후함이다. 옛사람들은 서화 창작에 있어 골과 육이 균형을 이뤄야 한다고 생각했고, 부드러운 아름다움을 잃지 않으면서도 웅건하고 힘이 있어야 한다고 여겼다. 그래서 풍육미골은 좋지 않은 평가이며, 풍골미육豊骨微肉이나 골풍육윤骨豊肉潤은 각각 장점이 있다. 이 용어는 인물 감상에서 예술작품에 대한 감상으로까지 확대되어 사용되었고, 중국 미학에서 개념을 정의할 때 '근취제신近取諸身(가까이 있는 자신의 몸에서 취함)'하는 특징을 보여주고 있다.

예)

가냘프면서도 풍만하고 부드러운 몸매의 여인아, 춤추는 자태로 보는 이를 즐겁게 하는구나.

豊肉微骨, 調以娛只. (굴원屈原 『초사楚辭 · 대초大招』)

필력이 강한 사람은 그 작품의 골격이 깔끔하고 웅건하다. 필력이 약한 사람은 작품에 먹을 짙게 사용한다. 골법이 선명하고 웅건하며 먹을 적게 사용한 글자를 '근서筋書'라 하고, 먹을 짙게 사용하고 골법이 없는 글자를 '묵저墨猪'라 한다. 골격이 풍성하고 힘이 있는 작품이 가장 훌륭하며, 골격이 없고 힘이 없으면 수준이 낮은 것이다.

善筆力者多骨, 不善筆力者多肉; 多骨微肉者謂之筋書, 多肉微骨者謂之墨猪; 多力豊筋者聖, 無力無筋者病. (위부인魏夫人『필진도筆陣圖』)

| 풍화風化

통치자 자신의 덕행이 백성에 미치는 영향. '풍화'의 의미는 통치자의 덕행이 바람이 모든 사물에 1부는 것과 마찬가지로 (백성에게) 영향을 주고 감화시킨다는 것으로 교화의 중요한 형식이다. 유가는 통치자는 백성의 모범으로 백성에게 은연중에 감화 작용을 일으킨다고 여긴다. 만약 통치자가 자신의 언행을 도덕과 예법의 규범에 부합하게 할 수 있다면 백성에게 강제적인 요구를 할 필요가 없고 백성은 통치자를 본받아 자각적으로 도덕과 예법의 규범을 지킬 것이다. '풍화'란 통치자의 이러한 영향 아래서 형성된 풍속, 기풍을 가리키기도 한다.

예)
계강자가 공자에게 정치에 관해 물었다. "만약 무도한 사람을 죽여서 예법에 적합한 언행을 이룬다면 어떻겠습니까?" 공자가 답했다. "그대는 나라를 다스리는 데 왜 살육을 이용하려 하시오? 그대 자신이 선행을 추구하면 백성도 선을 행하게 될 것이오. 군자의 덕행은 바람과 같고 백성의 덕행은 풀과 같아서, 바람이 풀 위로 불면 풀은 반드시 바람의 방향을 따라 눕게 되오."

季康子問政於孔子曰: "如殺無道, 以就有道, 何如?" 孔子對曰: "子爲政, 焉用殺? 子欲善而民善矣. 君子之德風, 小人之德草, 草上之風, 必偃." (『논어 · 안연顏淵』)

소위 풍화란, 위정자가 백성에게 널리 시행하는 교화이며, 전대의 사람이 후대의 사람에게 미치는 영향이다.

夫風化者, 自上而行於下者也, 自先而施於後者也. (안지추顏之推, 『안씨가훈顏氏家訓 · 치가治家』)

ㅎ

| 학學

배우다, 학습하다. 유가에서는 '학'이 도덕적 생명을 성취하는 수양이자 교화방식이라고 보았다. 일반적인 의미에서 '학'은 주로 지식의 이해와 파악을 의미하지만 유가에서 말하는 '학'은 그보다는 도덕적인 품성의 양성을 의미한다. 개인은 경전과 예법을 후천적으로 학습하고 성현을 본받아 자신의 덕성을 부단히 배양하고 완성시켜 이상적인 인격을 성취한다. 반면 도가는 '학'에 반대했는데 가령 노자는 '절학무우絕學無憂'(배움을 그만두면 걱정이 없어진다)를 주장하였는데 '학'이 사람의 마음에 불필요한 걱정을 불러오며 더 나아가 사람의 자연적인 상태를 파괴한다고 보았다.

예)
배우고 때맞춰 그 내용을 복습하면 역시 기쁘지 않겠는가?
學而時習之, 不亦悅乎? (『논어 · 학이學而』)

군자가 널리 배우고 날마다 세 가지로 자신을 반성하면 지혜가 밝아지고 행실에 허물이 없어진다.
君子博學而日參省乎己, 則知明而行無過矣. (『순자 · 권학勸學』)

한악부漢樂府

한대의 악부시를 가리킴. '악부'는 본래 진나라 이후에 조정에서 설립한 악공을 훈련하고 민가를 수집하며 악기를 조합해 작곡하는 전문 관서였으나, 나중에는 악부기관에서 수집하고 음악을 배합해 악공이 공연하는 민가만을 가리키게 되었다. 악부시는 『시경詩經』의 뒤를 잇는 고대 민가의 일차적인 창작물로, '시경', '초사楚辭'와 병렬되는 시가의 형태이다. 오늘날까지 전해지는 한악부 민가는 56수가 있고, 대부분 당시 사회생활의 여러 방면을 진실되게 반영하며 순진하고 소박한 생각과 감정을 표현했고, 이로써 일반 백성의 소리와 정감을 반영하는 문학 창작의 전통을 형성했다. 한대 이후로 음악을 조합할 수 있는 시가 및 악부의 고제古題를 모방하여 쓴 시를 악부라고 통칭한다.

예)
한무제가 악부를 설립하고 가요를 수집한 이후로, 대나라와 조나라의 노래와 진나라와 초나라의 민요가 있었다. 그것들은 모두 마음 속 슬프고 기쁜 정서의 영향을 받거나 어떤 사건으로 인해 촉발되어 생겨난 것이다……

自孝武立樂府而採歌謠, 於是有代, 趙之謳, 秦, 楚之風. 皆感於哀樂, 緣事而發…… (『한서漢書 · 예문지藝文志』)

악부시는 "시의 음송에 따라 억양이 빠르고 느린 소리의 변화가 있고, 음율로 소리를 조화시킨 것이다".

樂府者, "聲依永, 律和聲" 也. (유협劉勰, 『문심조룡文心雕龍 · 악부樂府』)

함영涵永

본래 고전 작품을 읽을 때는 잠영하는 것처럼 그 중에 깊이 침잠하고 뜻을 여러번 음미해야 비로소 얻는 것이 있어 자기의 감정과 깨달음을 끌어낼 수 있음을 가리켰다. 책을 읽고 학문을 하는 한 가지 방법으로 자기의 경험과 수양을 자극해서 책 중의 문제, 관점, 재료 및 사실을 열심히 사고하여 자기의 학문을 샘에서 흘러나오는 물처럼 항상 신선하게 한다. 작품을 이해하고 해석하는 하나의 방법으로써 강조하는 점은 작품에 주어진 장면으로 들어가 반복적으로 이해하고 음미하여 끝내 작품의 심오한 함의와 미학적 정취를 깨닫는 것이다. 이는 문예작품이 의지를 불러일으키고 사람의 마음을 감화시키는 작용을 가졌음을 분명하게 드러낸다.

예)

학자가 책을 읽을 때는 반드시 배를 집어넣고 단정히 앉아서 천천히 읽고 낮은 소리로 읊조리며 마음을 비우고 몰두하며 자신의 경험을 결합하여 숙고하고 관찰해야 한다.

學者讀書, 須要斂身正坐, 緩視微吟, 虛心涵泳, 切己省察. (『주자어류朱子語類』11권)

이러한 언어는 모두 내재적으로 맥락이 통하는 부분이 있다. 그 속으로 몰두하여 반복적으로 음미하면 저절로 갈피가 잡히고 완전히 이해하게 되어, 외부의 이치와 말을 많이 인용할 필요가 없다. 그렇게 하면 오히려 시인이 진정으로 표현하고자 하는 의미를 가리게 된다.

此等語言自有個血脈流通處, 但涵泳久之, 自然見得條暢浹洽, 不必多引外来道理, 言語, 卻壅滯詩人活底意思也. (주희朱熹, 『주문공문집朱文公文集』40권)

상하문장의 연결을 자세하게 연구하며 그 속에 골몰하여 문장의 주지를 파악하려 노력하면 서로 다른 문장의 차이점이 완전히 드러나게 된다.

熟繹上下文, 涵泳以求其立言之指, 則差別畢見矣. (왕부지王夫之, 『강재시화姜齋詩話』2권)

함축含蓄

문예작품의 한 가지 창작기교와 스타일은 간결한 언어와 평이한 예술 형상으로 풍부하고 심원한 정감과 함의를 완곡하게 표현하는 것으로, 감상자가 그중에서 무궁무진한 여운을 느끼게 하는 것이다. 중국 고대의 문학예술 작품에는 직설적이고 진실한 표현 방식도 있지만 함축적인 표현수법도 있다. 이 함축이란 용어는 시가의 간언하는 전통과 도가사상에서 발원하였으며, 작품의 정감과 뜻은 함축적일 것을 강조했고, 외재적 이미지의 묘사는 충실한 내재적 함의를 빌려 독자를 감동시켜야 했다. 말은 평이하나 뜻은 심오하고 뜻이 말 밖에 있는 심미적 효과를 형성했다. 당대 사공도는 이것을 24가지 시가 풍격의 하나로 꼽았다. 함축은 작가의 수양, 창작기교와 문학작품의 풍격과 경계를 고도로 결합한 것이다.

예)
비록 한자를 덜 썼지만 그 뜻의 미묘함은 다 얻었다. 문자에 직접적으로 자기의 슬픔을 서술하지는 않았지만 읽을 때는 몹시 슬프게 만든다. 이것은 사물에 진실되고 자연스런 정감이 있어 작품과 함께 가라앉고 떠오르기 때문이다.
不着一字, 盡得風流. 語不涉己, 若不堪憂. 是有真宰, 與之沉浮. (사공도司空圖, 『이십사시품二十四詩品 · 함축含蓄』)

언어표현은 힘축을 중요시한다. 소동파가 밀했다. "유한한 문장으로 무궁한 의미를 표현한다는 것은 천하의 명언이다."
語貴含蓄. 東坡雲: "言有盡而意無窮者, 天下之至言也". (강기姜夔, 『백석도인시설白石道人詩說』)

무한한 함의를 부여하는 것이 사를 짓는 비결이다. 함축은 뜻이 간단하고 얄팍해선 안 된다는 것이다. 단어는 뜻을 전부 말해선 안되고, 문장은 독자에게 곱씹을 여지를 남겨줘야 하고 전체 작품은 한 단계 더 깊이 생각할 수 있는 공간이 있어야 한다. 그 정교하고 미묘한 점은 유한한 자구에 무한한 함의를 기탁하는 것 밖에는 없다.
含蓄無窮, 詞之要訣. 含蓄者, 意不淺露, 語不窮盡, 句中有餘味, 篇中有餘意, 其妙不外寄言而已. (심상룡沈祥龍, 『논사수필論詞隨筆』)

합동이合同異

사물의 같은 점과 다른 점을 하나로 합하다. '합동이'는 혜시惠施가 제시한 사물의 공통점과 차이점을 대하는 방법이다. 혜시는 사물의 공통점과 차이점이 상대적이라고 생각했다. 두 개의 구체적인 사물 간에는 작거나 큰 공통점 혹은 차이점이 있다. '공통점'의 각도에서 볼 때, 만물은 공통점이 있고 그 때문에 만물은 같다고 말할 수 있다. 그러나 '차이점'의 각도에서 볼 때 완전히 일치하는 두 가지 사물은 없으며, 만물은 서로 다르다. 사물의 같고 다름은 사물을 보는 각도에서 결정되며, 그래서 혜시는 같고 다름의 한계를 깨는 '합동이'를 주장했다.

예)
대부분 같고 조금 다른 것과 일부만 같고 대부분 다른 것은 차이가 있다. 이 차이를 '소동이小同異'라고 한다. 만물은 완전히 같고, 완전히 다르다. 이것을 '대동이大同異'라 한다.
大同而與小同異, 此之謂'小同異'. 萬物畢同畢異, 此之謂 '大同異'. (『장자莊子 · 천자天下』)

해내海內

'사해 안四海之內', 즉 고대 중국 영토 이내를 뜻한다. 옛사람들은 중국 영토의 네 면이 바다로 둘러싸여 있다고 생각해 각각 방위에 따라 '동해', '남해', '서해', '북해'라 칭하고 이를 '사해'라 병칭했다. '해내'는 즉 '사해'로 둘러싸인 영토를 뜻한다. 이 술어는 바다를 경계로 삼았던 옛사람들의 국토의식을 내포하고 있으며 또한 농경문명을 반영하고 있다.

예)
지금 만약 천하를 병탄하고 대국을 압도하고 적국을 굴복시키고 천하를 제압하여 백성을 통치하고 제후를 신하로 삼으려면 무력을 쓰지 않으면 안 된다.
今欲并天下, 凌萬乘, 詘敵國, 制海內, 子元元, 臣諸侯, 非兵不可. (『전국책 · 진책秦策 일』)

나라 안에 지기가 있다면 멀리 떨어진 저 하늘가와 바다 끝이라도 가까운 이웃과 같다.

海內存知己, 天涯若比隣. (왕발王勃 「두소부지임촉주杜少府之任蜀州」)

│ 해서楷書

한자의 변천 과정에서 나타난 서체의 일종. '정서正書', '진서眞書', '정해正楷'라고도 부른다. 한대漢代 예서隸書의 파책波磔과 굴곡을 줄이고 초서의 산만함을 단정하게 해서 쓰기 편하고 알아보기 쉽게 만들기 위해 서예가들이 예서를 토대로 서체를 더욱 단순화하고 획을 곧게 만들면서 점차 해서로 변해갔다. 해서는 필획이 곧고 한자의 구조가 방정하며 규칙이 분명해 모범[楷模]으로 삼을 수 있어 '해서楷書'라는 이름이 붙게 되었다. 해서는 한대 말에 시작되어 위진 시기의 탐색기를 거쳐 당대에 와서 성숙기를 맞아 정형화된 것이 현재에 이르기까지 긴 시간동안 통용되고 있다. 시기를 기준으로 나누면 해서는 위비魏碑와 당해唐楷로 나뉜다. 위비는 위·진·남북조 시기에 유행했으며 예서가 해서로 발전해나가는 과정에 있었기 때문에 과도기적 서체이나. 당해는 낭대에 성숙해진 해서를 가리킨다. 이 시기에 명인이 여럿 나왔다. 당나라 초기에 우세남虞世南(558~638), 구양순歐陽詢(557~641), 저수량褚遂良(596~658 혹은 659)이 있었고 중당中唐 시기에 안진경顔眞卿(708~784)이 있었고 만당晚唐 시기에 유공권柳公權(778~865) 등이 있었다. 모두 해서의 대가로 이들의 작품은 후세에 높은 평가를 받으며 습자의 모범으로 받들어졌다.

예)
동한 건초 연간(76~84)에 왕차중이라는 사람이 있었는데 예서에 변화를 주어 해서를 쓰기 시작했다. 해서라 함은 지금의 정서正書이다. 사람이 이 서체가 쓰기 편하다고 여겨 점차 널리 유행하게 되었다.

在漢建初有王次仲者, 始以隷字作楷法. 所謂楷法者, 今之正書是也. 人旣便之, 世逐行焉. (『선화서보宣和書譜 · 정서서론正書序論』)

[이충李充은] 해서를 잘 썼다. 그는 종요鍾繇와 색정索靖 서체의 진수를 깊이 깨달았으며 세상 사람들이 모두 그를 높이 평가했다.

[充]善楷書, 妙參鍾, 索, 世鹹重之. (『진서晉書 · 이충전李充傳』)

해외海外

'사해 밖四海之外', 즉 고대 중국 영토의 바깥, 국외를 뜻하며 혹은 변경 지역을 뜻하기도 한다. 옛사람들은 중국 영토의 네 면이 바다로 둘러싸여 있다고 생각해 각각 방위에 따라 '동해', '남해', '서해', '북해'라 칭하고 이를 '사해'라 병칭했으므로 중국 외의 지역을 해외라 칭했다. 이러한 사상은 바다를 경계로 삼았던 옛사람들의 국토의식을 내포하고 있다. 이 술어는 자기를 중심으로 여기면서도 개방성을 가지고 있는 옛사람들의 공간 감각 및 경계 밖의 머나먼 곳에 대한 동경을 표현하고 있다.

예)
상토는 위무가 용맹하여 변방 지역의 사람들도 그에게 일제히 복종한다.
相土烈烈, 海外有截. (『시경 · 상송商頌 · 장발長發』)

해의반박解依盤礴

본래는 그림을 그릴 때 온 정신을 기울이는 모습을 가리키며 파생된 뜻은 예술가가 예술 창작을 할 때 모든 외재적인 방해를 배척하여 자유롭고 구애받지 않는 정신 상태에 진입하는 것이다. 『장자 · 전자방田子方』에서는 한 화가가 모든 것을 본성에 맡긴 채 옷을 벗고 다리를 벌린

방자한 자세로 그림을 그리는 모습을 이야기하였다. '해의'는 옷섶을 풀어헤쳐 팔이 드러난 상태를 뜻하며 '반박'은 다리를 벌리고 마음대로 앉은 모습을 뜻하는데 온 정신을 그림을 그리는 데 기울이고 있다는 의미이다. 이 술어는 구속받지 않고 본성을 따르며 속박 없이 자유로운 정신상태가 우수한 예술작품을 창작하는 중요한 조건임을 나타내는데 후세의 서화 이론에 큰 영향을 끼쳤다.

예)

옛날에 송원군이 그림을 그리려 하자 모든 화사들이 모여들어 예를 올리고 공손하게 서서 붓에 침을 바르고 먹을 가는데 밖에서 기다리는 사람이 반이나 되었다. 한 화사가 늦게 이르러 유유자적하게 명을 받더니 공손하게 서 있지 않고 그대로 관사로 돌아갔다. 송원군이 사람을 시켜 가 보게 하자 그는 옷을 벗어던지고 팔을 드러낸 채 두 다리를 벌리고 앉아 [온 정신을 집중해 그림을 그리고] 있었다. 송원군이 말했다. "옳거니, 이것이야말로 바로 진정한 화가이다."

昔宋元君將畫圖, 衆史皆至, 受揖而立, 舐筆和墨, 在外者半, 有一史後至, 儃儃然不趨, 受揖不立, 因之舍, 公使人視之, 則解衣盤礴, 臝. 君曰: "可矣, 是眞畫者也." (『장자 · 전자방』)

그림을 그릴 때는 반드시 옷을 벗어던지고 다리를 벌리고 앉아 [모든 외재적인 방해를 배척하고] 방약무인하게 있어야만 손에 오묘한 조화가 잡힌 듯이 천지자연의 기운이 자유자재로 흩어져 더 이상 옛 화공들의 속박을 받지 않고 마음이 각종 기법을 초월해 뻗어나가게 된다.

作畫須有解衣盤礴, 旁若無人, 然後化機在手, 元氣狼藉, 不爲先匠所拘, 而遊於法度之外矣. (운수평惲壽平 『남전화발南田畫跋 · 제석곡위왕봉상연객선생화책題石谷爲王奉常烟客先生畫册』)

해폐解蔽

인식 상의 장애물蔽塞을 제거함으로써 '도道'를 이해한다. 해폐의 출처는 『순자荀子』이다. 순자는 사람의 훌륭한 도덕적 행위는 '도'에 대해 마음으로 이해하는 것에서 출발한다고 여겼다. 그러나 사람의 마음은 늘 자신의 좋고 싫음, 욕구 및 각종 외부 요인의 영향을 받아 단편적이고 편협한 인식을 형성한다. 마음에 드리우는 장막을 제거하려면 '도'를 깨닫는 능력을 단련하여 마음을 차분하고 집중된 상태로 유지해야 한다.

예)

성인은 인지적 오류를 이해하며 마음이 어두워지는 데서 오는 위험을 안다. 그래서 원하는 면만 신경 쓰지도 않고, 싫어하는 면에만 신경을 쓰지도 않는다. 시작만 주의하지도 않고, 끝만 주의하지도 않는다. 가까운 사물에만 관심을 두지도 않고, 먼 곳의 사물에만 관심을 두지도 않는다. 넓은 면에만 집중하지도 않고, 좁은 면에만 집중하지도 않는다. 과거만 살피지도 않고, 현재만 살피지도 않는다. 모든 사물을 나열하고 중간에 하나의 기준을 정하여 판단을 내린다. 이렇게 하면 사물 간의 많은 차이점이 보이므로 단편적인 인식이 사물 간의 질서를 어지럽히는 것을 막을 수 있다.

聖人知心術之患, 見蔽塞之禍, 故無慾無惡, 無始無終, 無近無遠, 無博無淺, 無古無今. 兼陳萬物而中縣衡焉. 是故衆異不得相蔽以亂 其倫也. (『순자荀子·해폐解蔽』)

| **행기유치**行己有恥

자기의 언행에 부끄러움을 느끼는 마음. 『논어論語』에 나온다. 공자는 한 사람의 덕행을 기르는 것은 언어, 행위를 외부의 규범에 부합되게 하는 것일 뿐만 아니라, 더 나아가 내면이 자신의 부족이나 예와 덕에 어긋난 행위에 대해 수치를 느껴 수치심의 자극 아래서 덕과 예절의 요구에 따라 자기의 언행을 고치며 온전히 하는 것이라고 보았다. 수치심의 확립은 유가적 교화의 중요한 목표이다.

예)

자공이 물었다. "어떻게 해야 선비라 할 있습니까?" 공자가 말했다. "자기의 언행에 부끄러움을 느끼고, 사신으로 사방의 제후에게 가서 임금이 부여한 명을 욕되게 하지 않으면 선비라고 부를 만하다."

子貢問曰: "何如斯可謂之士矣?" 子曰: "行己有恥, 使於四方, 不辱君命, 可謂士矣." (『논어論語 · 자로子路』)

공자가 말했다. "법령으로 인도하고 형벌로 규범에 맞추면, 백성이 죄 짓는 것을 막을 수 있지만 수치심은 느끼게 하진 못한다. 도덕으로 인도하고 예로써 규범에 맞추면 백성이 수치심을 느낄 뿐 아니라 자발적으로 규범을 지킨다."

子曰: "道之以政, 齊之以刑, 民免而無恥. 道之以德, 齊之以禮, 有恥且格." (『논어論語 · 위정爲政』)

| 행림杏林

행수림杏樹林, 덕행이 고상하고 의술이 뛰어난 의사를 높여 부르는 말로, 의학 의약계를 대신 지칭하기도 한다. 동진東晉 갈홍葛洪(281?~341)의 신선전神仙傳의 기록에 의거하면 삼국三國 시기 명의 동봉董奉이 노산廬山에 은거하고 있었는데 돈을 받지 않고 사람들의 병을 고쳐 주었으며 중증의 환자를 고칠 때에만 은행나무 다섯 그루를 심어달라고 하였고 경중의 환자에게는 은행나무 한 그루를 심어달라고 하였다. 몇 년 후 그의 거처에 무성한 은행나무 숲이 생겼다. 그는 은행나무를 양식으로 바꾸어 저장해 두었다가 가난하고 고생하는 사람들과 도움이 필요한 사람들을 구제하는 데에 썼다. 이후 사람들은 행림杏林(은행나무 숲)으로 덕이 고상하며 의술이 뛰어난 의사를 대신 가리킬 때 썼으며 근대에 일부 의약 단체와 전문 간행물들이 행림으로 이름을 지었으며 행림은 의학의약계의 대명사가 되었다. 이는 현호제세懸壺濟世(의술로 세상을 구하다) 이념의 또 다른 표현 방식이다.

예)
동봉董奉이 산 속에 살고 있었는데 그는 사람들을 위해 병을 치료했으며 돈을 받지 않았고 병세가 중한 사람에게는 은행나무 다섯 그루를, 병세가 가벼운 사람에게는 은행나무 한 그루를 심어 달라고 하였다. 이렇게 몇 년이 흘러 총 십만여 그루의 은행나무가 생겼고 무성한 은행나무 숲을 이루었다. 은행열매를 사는 사람들이 너무 숲속에서 양을 저울질했고 감히 그 저울질을 거짓되게 하려는 자가 없었다. 동봉은 은행열매와 바꾼 양식으로 궁핍한 사람들을 구제하였고 오고 가는 여객들에게 여비로 주기도 하였다.

君異居山間, 爲人治病, 不取錢物, 使人重病癒者使栽杏五株, 輕者一株. 如此數年, 計得十萬餘株, 鬱然成林. ……買杏者皆於林中自平量之, 不敢有欺者. 君異以其所得糧穀賑救貧窮, 供給行旅. (갈홍葛洪『신선전神仙傳』권십卷十)

행서行書

초서와 해서의 사이에 있는 서예 예술의 한 형태이다. 이것은 예서의 기본 구조로 되어 있으며 자연스럽게 이어 쓰며, 쓰기 순조롭고 편리하며 알아보기 쉬운 것을 주요한 특징으로 한다. 일반적으로 행서는 동한東漢의 유덕승劉德升으로부터 시작되었다고 여겨지며 위진魏晉 시기에 흥성했다. 행서는 '행진行進'과 '구름이 흐르고 물이 흐른다(行雲流水)'는 의미를 지니며 고정적인 형태와 글씨 쓰는 방법이 없고 독립된 글자체에 속하지 않아 어떤 필기도구라도 적당하며 쓰는 사람마다 각각의 특색이 있다. 동진東晉의 왕희지王羲之(303~361, 307~365 또는 321~379)의 『난정집서蘭亭集序』, 안진경顏真卿(708~784)의 『제질계명문고祭侄季明文稿』, 소식의 『한식첩寒食帖』이 삼대 행서 법첩이 모범으로 풍격이 뚜렷하고 아주 높은 심미적 가치를 가지고 있다.

예)
행서는 후한 영천군의 유덕승이 창조한 글쓰기 방법이다. 해서를 조금 고쳐서 간단하고 편리하게 하려 힘썼고 글을 쓸 때는 항상 물이 흐르는 것처럼 써서 '행서'라고 불렀다.

行書者, 後漢潁川劉德升所作也. 即正書之小僞, 務從簡易, 相間流行, 故謂之"行書". (장회관, 『선단書斷』 상권)

소위 행서란 해서의 기초에서 조금 자유롭고 간략하게 만든 것으로, 그 뒤에 필획을 줄이고 때때로 이어서 쓰니 떠가는 구름과 흐르는 물처럼 필적이 두껍고 얇은 것이 서로 뒤섞인다. 그것은 해서도 아니고 초서도 아니며 자형이 네모지지도 둥글지도 않으니 해서와 예서에 기초를 둔 편리한 서체이다.

所謂"行"者, 即眞書之少縱略, 後簡易相間而行, 如雲行水流, 穠纖間出. 非眞非草, 離方遁圓, 乃楷隸之捷也. (송조宋曹, 『서법약언書法約言』)

행선지후行先知後

'지'와 '행'의 관계에 대한 인식 중 하나이다. 왕부지王夫之 등 학자들은 '지'와 '행'의 관계라는 문제에 대해 '행선지후'를 주장했다. 왕부지는 일상의 윤리 도덕에 대한 이해와 실천 사이의 관련성은 인정했으나, 선후 관계를 말하자면 '행'이 선행되어야 '지'를 얻을 수 있다고 여겼다. '행'은 '지'의 근원으로 '지'에 결정적인 영향을 미친다. '행'을 할 수 있다면 필연적으로 실천한 일에 대한 '지'를 갖추고 있지만 '지'가 있다고 해서 '행'이 필연적으로 가능하지는 않다.

예)
행동으로 옮긴 뒤에야 그 일의 어려움을 알게 된다. 만약 힘써 행동하지 않는다면 그 일을 이해할 수 없다.

行焉而後知其艱, 非力行焉者不能知也. (왕부지王夫之, 『사시훈의四書訓義』)

향원鄕愿

위선적인 방식으로 마을에서 좋은 명성을 얻는 사람. '향원'의 부류는 일부 언행에서 표면적으로만 도의에 맞을 뿐, 이로써 세상 사람들의 칭찬을 받지만 실제로는 원칙과 지조를 버리고 남에게 아첨하며 함께 나쁜 짓을 한다. '향원'은 군자 같으나 실은 군자가 아니고 그의 언행은 종종 사람들의 도덕적인 판단을 어지럽히며 사회도덕을 크게 훼손시킨다.

예)

공자가 말했다. "향원은 도덕의 파괴자이다."

子曰: "鄕原, 德之賊也." (『논어論語 · 양화陽貨』)

세상사람들에게 아첨하며 빌붙는 자는 향원이다.

閹然媚於世也者, 是鄕原也. (『맹자孟子 · 진심하盡心下』)

향음주례鄕飮酒禮

마을에서 여는 술잔치에서 손님을 접대하는 예의로, 고대 인류 생활 속에서의 중요한 예의였다. 향鄕은 고대 말단 행정구획 단위였다. 향음주례鄕飮酒禮는 향鄕에서 거행하는 것이었고 의도의 다름에 따라 두 가지로 나뉘었다. 한 가지는 마을에서 덕행이 어진 사람에게 잔치를 베풀어 초대를 하는 것으로 어진 사람에 대한 존경을 드러냈다. 다른 한 가지는 말단 행정 장관이 주최하는 것으로 마을에서 연세가 많은 어르신에게 잔치를 베풀어 초대를 하는 것으로 연장자에 대한 존경과 애정을 표현하였다. 향음주례鄕飮酒禮는 기층에 있는 사람들을 보호하고 조화로이 지내는 인륜질서에 있어서 중요한 의의를 지닌다.

예)

향음주례는 60세 이상의 연장자는 자리에 앉고 50세 이상의 사람은 서서 그들을 모셨으며 정무 파견을 기다렸는데, 이로써 연장자에 대한 존경을 드러내었다. 60세 이상의 연장자는 세 가지 요리를 즐겼고 70세 이상의 연장자는 네 가지 요리를 즐겼으며 80세 이상의 연장자는 다섯 가지 요리를 즐겼고 90세 이상의 연장자는 여섯 가지 요리를 즐겼는데, 이로써 연장자에 대한 봉양을 표시했다.

鄕飮酒之禮, 六十者坐, 五十者立侍, 以聽政役, 所以明尊長也. 六十者三豆, 七十者四豆, 八十者五豆, 九十者六豆, 所以明養老也. (『예기禮記 · 향음주례鄕飮酒禮』)

허기이유세虛己以遊世

자신의 욕망을 제거하고 세상에서 유유히 노닐다. 『장자 · 산목』에 나온다. 『장자』는 시남의료市南宜僚와 노후魯侯의 대화를 빌려 말하길, 인간의 우환은 외물에 대한 욕구와 득실에 대한 계산으로 인해 일어난다고 했다. 그러므로 우환을 없애려면, 외물에 대한 탐욕을 깨어 버려야 한다. 외물에 대해 무심해야만 만물의 변화를 따르며 외물에 얽매여 상처받지 않을 수 있다. 이와 같이 세상을 사는 방식을 '허기이유세'라 한다.

예)
시남자市南子가 말했다. "……배를 띄어 강을 건널 때, 빈 배가 부딪쳐 오면 속 좁고 화가 많은 사람이라도 노하지 않는다. 그러나 만약 그 배에 한 사람이라도 있으면, 배를 몰고 비켜나라고 소리칠 것이다. 만약 한 번 소리쳐 대답하지 않고 다시 불러도 대답이 없어 세 번째도 소리치면 분명 욕설이 뒤따를 것이다. 이전엔 노하지 않았는데 지금 노하는 것은 이전에는 배가 비었고 지금은 사람이 있기 때문이다. 사람이 자신을 비우고 세상 가운데 노닌다면 그 누가 그를 해칠 수 있겠는가!"
市南子曰, "……方舟而濟於河, 有虛船來觸舟, 雖有惼心之人不怒. 有一人在其上, 則呼張歙之, 一呼而不聞, 再呼而不聞, 於是三呼邪, 則必以惡聲隨之. 向也不怒而今也怒, 向也虛而今也實. 人能虛己以游世, 其孰能害之!"(『장자 · 산목山木』)

허일이정虛壹而靜

순자가 제시한 일상적인 도리를 파악하기 위한 심리 상태를 말한다. 순자는 마음의 작용을 통해야만 '도'를 알 수 있다고 보았다. 그러나 사람의 마음은 자주 가려진 상태가 되기 때문에 '허일지정'의 상태에 진입해야만 합당한 작용을 발휘할 수 있다고 하였다. '허'는 이미 마음속에 있는 지식이 장차 받아들이고자 하는 사물을 방해하지 못하도록 하는 것을 말한다. '일'은 동시에 얻은 지식들의 범주를 분명히 하여 서로

방해되지 않도록 하는 것을 말한다. '정'은 허망하고 혼란한 지식이 정
상적인 정신 활동을 방해하지 않도록 하는 것을 말한다.

예)
사람은 무엇으로 도를 아는가? 답하노니, 마음으로 안다. 마음은 어떻게 아는가? 답
하노니, '허일이정'을 행함으로써 안다.

人何以知道? 曰: 心. 心何以知? 曰: 虛壹而靜. (『순자 · 해폐解蔽』)

허정虛靜

모든 욕망과 이성적 사유의 간섭을 배제하고 마음의 순수함과 평안
함에 다다르는 것. 도가의 노자와 장자가 가장 먼저 제시했고 순자도
이것으로 전심전력으로 몰두해 이르는 일종의 정신적 상태를 설명했
다. 이런 심경은 문예 미학의 "사물도 없고 나도 없고"(無物無我), "아는
것도 없고 바라는 것도 없는"(無知無欲) 심리적 특성과 상통하기 때문에
고대의 사상가와 문예 비평가들도 '허정'으로 문예 활동의 심미적 심리
를 설명했다. 이 용어는 문예 창작에서의 정신적 자유를 강조했고 심미
적인 최고 경지에 이르기 위한 주요 전제로 간주되기도 했다.

예)
'허'의 경지에 이르면 마음속에 아무 잡념도 없고 평안한 심경을 지키면 외부 사물의
간섭을 받지 않는다.

致虛極, 守靜篤. (『노자 · 16장』)

그래서 글을 구상할 때 가장 중요한 것은 허정인데 오장을 관통한 듯 몸이 편안하고
깨끗이 씻은 듯 정신이 맑아야 한다.

是以陶鈞文思, 貴在虛靜, 疏淪五藏, 藻雪精神. (유협, 『문심조룡 · 신사』)

허虛

‘허’는 세상이나 마음의 어떤 상태를 가리킨다. 대체로 2가지 다른 함의가 있다. 첫째, 세계의 본원本原을 가리킨다. 만물은 모두 ‘허’ 속에서 생겼다. 그런데 옛날 사람들은 ‘허’의 이 함의에 대해 각기 다른 견해를 갖고 있었다. 어떤 사람은 ‘허’가 공허해서 아무것도 없는 상태라고 생각했다. 그리고 어떤 사람은 ‘허’가 ‘기’의 존재 상태라고 생각했다. ‘기’의 존재가 은밀하고 형체가 없기 때문에 ‘허’로 그것의 상태를 칭하긴 하지만 결코 완전히 아무것도 없는 것은 아니라는 것이다. 둘째, 무욕과 무심의, 혹은 선입견이 없는 내적 상태를 가리킨다.

예)
‘허’는 형태가 없는 ‘기’의 본래 상태이다.
太虛無形, 氣之本體. (장재, 『정몽 · 태화太和』)

오직 도는 ‘허’에 모이며 ‘허’는 바로 심재心齋(정신을 청정하게 가다듬어 텅 비우는 것)이다.
唯道集虛, 虛者心齋也. (『장자 · 인간세人間世』)

혁고정신革故鼎新

묵은 것을 없애고 새로운 것을 취한다. ‘혁’과 ‘정’은 『주역』의 두 괘이다. 『역전易傳』의 해석에서 혁괘의 하괘는 불(화火)을 상징하고 상괘는 못(택澤)을 상징한다. 불과 못은 서로 충돌되기 때문에 원래의 균형 상태를 유지하기 어려워 변화가 일어날 수밖에 없다. 그래서 혁괘는 현재 상황에 맞지 않는 옛것을 변혁한다는 의미를 지닌다. 정괘의 하괘는 나무(목木)를 상징하고 상괘는 불을 상징한다. 땔나무를 불 속에 넣는 것, 즉 솥(정鼎)으로 요리하여 새로운 음식을 만든다는 뜻이다. 후대에

『역전』의 해석을 이어받아 혁과 정을 하나로 결합하여 변화를 주장하는 세계관을 대표하는 말로 이해했다.

> 예)
> 혁은 옛것을 없애는 것이다. 정은 새것을 취하는 것이다.
> 革, 去故也. 鼎, 取新也. (『주역周易·잡괘雜卦』)

| 혁명革命

왕명을 변혁한다는 뜻. '혁'은 변혁을 뜻하며 '명'은 처음에는 천명을 뜻했으나 나중에는 왕명, 즉 제왕의 법령 혹은 통치권을 뜻하게 되었다. 혹은 강산의 주인이 바뀌거나 왕조가 바뀌는 것, 즉 옛 정권을 전복시키고 새로운 정권을 세우는 것을 뜻하기도 한다. 옛사람들은 '왕명'은 '천명'(하늘의 뜻)에서 기원한다고 보았으므로 '혁명'은 본질적으로 변혁을 실시하고 이를 통해 '천명'을 따르는 것이다. 또한 '혁'은 우주의 기본 규칙이며 '혁명'은 이 규칙의 구체적인 표현이다. '혁명'의 합법성과 성공 여부를 판단하는 근거는 '혁명'의 지도자가 하늘의 뜻과 민중의 염원에 순응하였는가의 여부에 있다. 근대 이래로 '혁명'은 의미가 변하여 사회, 정치, 경제 제도상의 중대한 변혁을 가리키게 되었다.

> 예)
> 천지는 음양의 변화가 있어 사계절을 형성한다. 상의 탕왕과 주의 무왕이 천명을 변혁[옛 정권을 전복시키고 새로운 정권을 세움]했으니 이는 하늘의 뜻과 백성의 염원에 순응한 것이다.
> 天地革而四時成, 湯武革命, 順乎天而應乎人. (『주역·단하象下』)

현덕玄德

감추어져 드러나지 않는 덕행. 도가에서 '현덕'은 통치자의 지극히 높은 덕목이다. 도가에서는 '도'를 만물의 근본으로 여겼고, 그 기본적인 내용은 '무위'의 방식으로 만물의 본성에 순응하고 그것을 발휘하는 것이었다. '현덕'은 곧 통치자가 '도'를 실천하는 구체적인 방식이다. '현덕'을 가진 통치자는 나라를 다스릴 때 자신이 장악한 권력을 절제하고, 가능한 한 백성에게 간섭하지 않으면서 그들의 자연적인 상태를 유지하고 그 상태에 순응한다.

예)
도가 만물을 낳고, 덕이 만물을 기르고, 만물은 각자의 형태를 이루고, 환경이 만물을 성장케 한다. 그래서 만물은 도를 높이고 덕을 귀히 여긴다. 도가 높임을 받음과 덕이 귀히 여겨짐은 그것이 명령하지 않고 늘 만물의 자연적인 상태에 순응하기 때문이다. 그러므로 도가 만물을 낳고, 덕이 만물을 기르고, 키우고 돌보고 감싸고 편하게 하며 기르고 지킨다. 만물을 낳되 자신이 가지지 않고, 만물에 영향을 주지만 자신의 능력임을 자랑하지 않고, 만물을 키우되 주재主宰하지 않는 것, 이것이 곧 현덕이다.

道生之, 德畜之, 物形之, 勢成之. 是以萬物莫不尊道而貴德. 道之尊, 德之貴, 夫莫之命而常自然. 故道生之, 德畜之, 長之育之, 成之熟之, 養之覆之. 生而不有, 爲而不恃, 長而不宰. 是爲玄德. (『노자 · 51장』)

현람玄覽

심원하고 공허한 심경으로 만물을 관조하는 것으로 노자가 제시한, '도'를 인식하는 방법이다. 노자는 모든 잡념과 선입견을 버리고 마음을 거울처럼 맑게 유지해야만 만물을 고요히 관찰해 '도'를 인식하고 그 요체를 이해할 수 있다고 생각했다. '현람'이 강조하는 심경과, 문예 창작 및 감상에서 요구되는 심미적 심경이 합치하기 때문에 후대의 문예 평론가들은 '현람'을 중요한 용어로 삼아 창작이나 감상을 할 때 갖쳐야 할, 모든 욕망과 이익을 초월하는 특수한 심경을 설명했다.

예)
모든 잡념을 없애고서 심원하고 공허한 심경으로 모든 것을 관조하면 흠이 없어질까?
滌除玄覽, 能無疵乎? (『노자·10장』)

천지간에 오래 서서 심원하고 공허한 심경으로 모든 것을 관조하고 전적을 읽으면서
정신을 수양하고 뜻을 키운다.
佇中區以玄覽, 頤情志於典墳. (육기陸機, 『문부文賦』)

현량자고懸梁刺股

‘두현량头懸梁, 추자고錐刺股’의 준말이다. 직접적인 의미는 머리를 대
들보 위에 매달고 송곳으로 넓적다리를 찌른다는 뜻이다. 옛사람이 뼈
를 깎는 노력으로 공부했다는 이야기에서 유래했다. 동한東漢의 손경孫
敬은 늘 문을 닫은 채 혼자 아침부터 저녁까지 멈추지 않고 책을 읽었
다. 피곤하고 지칠 때는 머리카락을 대들보에 묶었다. 조느라 고개를
숙이기만 하면 머리가 당겨져 바로 깨어났고, 다시 공부를 계속할 수
있었다. 전국戰國시대의 소진蘇秦(?~B.C. 284)은 피곤하고 졸음이 올 때
마다 송곳으로 넓적다리를 찔러 맑은 정신을 유지하면서 책을 읽었다.
후세 사람들은 자주 이 두 이야기를 들어 청년들에게 학업에 정진하고
노력하기를 격려했다. 오늘날 신체적 건강을 해치는 이런 극단적인 방
식은 이미 지양되고 있지만, 그 지극한 구학求學의 정신은 여전히 널리
칭송받고 있다.

예)
손경은 책을 읽을 때 머리카락을 대들보에 매달았고 (그로써 졸음을 방지했고), 소진
은 책을 읽으며 (피곤할 때마다) 송곳으로 넓적다리를 찔렀다. 그들은 다른 사람의 독촉

이 필요하지 않았고, 스스로 열심히 공부했다.

斗懸梁, 錐刺股. 彼不敎, 自勤苦. (『삼자경三字經』)

현언시玄言詩

노老, 장莊, 불교와 『주역』의 심오한 이치를 설명하는 것을 주요 내용으로 하는 시가의 한 유파이다. 서진 말년에 시작되어 동진 시기에 성행했으며, 주요 특징은 현리(玄理, 오묘한 깊은 이치)로 시를 짓는 것이고 대표적인 시인은 손작孫綽, 허순許詢, 유량庾亮, 환온桓溫 등이다. 위진 시기에 사회가 어지러워서 사대부들은 노장과 불교에 열중했고 현리玄理를 중시하며 청담을 숭상함으로써 화를 멀리하고 몸을 보전했다. 서진 후기에 이르러 현담의 기풍이 점차 시가 창작에 영향을 주어 현언시가 생겼으며 나중에 현언시는 산수시와 결합되었다.

예)
서진에서부터 현학을 숭상하여 동진에 이르러서는 이러한 풍조가 더욱 성행하였다. 청담의 기풍을 이어받았고 점차 새로운 문풍을 형성했다. 그래서 비록 시대의 추세는 몹시 어려웠지만 문장의 뜻은 평화롭고 여유로운 듯 보였다. 시가는 반드시 노장을 취지로 삼았으며 사부辭賦 또한 노장의 주석이 되었다.

自中朝貴玄, 江左稱盛, 因談餘氣, 流成文體, 是以世極迍邅, 而辭意夷泰. 詩必柱下之旨歸, 賦乃漆園之義疏. (유협劉勰, 『문심조룡文心雕龍 · 시서時序』)

현인賢人

현명하고 덕 있는 사람. '현인'은 고대인이 숭상하던 이상적인 인격 중 하나이다. '현인'은 인류 생활의 각종 규칙을 실천하고 지킬 수 있고, 그 언행은 인류 생활의 본보기가 된다. 그러나 '현인'의 덕에 대해 서로 다른 학파에서는 각자 다르게 이해한다. 유가의 '현인'은 인의와 같은 도덕을 실천할 수 있는, 정치를 할 때의 중요한 인재이다. 묵가의 '현인'은 치하의 백성들이 '겸애'를 근본적인 행위원칙으로 삼도록 한다. 이외에 도가 등의 학파에서는 '현인'에 대한 숭상이 의미 없는 논쟁을 불러오므로 사회 통치에 이로움이 없다는 입장이다.

예)
공자가 말했다. "현인을 만나면 그와 같아지고자 노력하고, 현명하지 못한 자를 만나면 마음으로부터 자신을 돌아보라."
子曰, "見賢思齊焉, 見不賢而內自省也." (『논어 · 이인里仁』)

현인을 숭상하는 것은 위정의 근본이다.
夫尙賢者, 政之本也. (『묵자 · 상현尙賢 상』)

| 현玄

그윽하고 심오하다는 의미로 만물의 근원적 상태를 묘사할 때 쓰인다. 노자는 '현'으로 '도道', '덕德'의 깊고 오묘함을 형용했으며 '도'를 '그윽하고 심오한데 또 그윽하고 심오하다'라고 칭하며 또 '현덕玄德'이라는 표현을 썼다. 양웅揚雄, 갈홍葛洪 등은 나아가 '현'을 천지 만물의 가장 근원, 본질이 되는 것으로 보았다. 이러한 의미에서 '현'은 모든 유무형의 대상을 초월하는 절대적 존재이다. 후세에 '현학'이라는 말이 나왔으며 세계의 본질을 탐구하는 학문을 지칭했다.

예)
이 두 가지(유명有名과 무명無名)는 같은 곳에서 나와 이름이 다른 것으로 모두 그윽하고 심오하다고(현으로) 불리며 그윽하고 심오한데 또 그윽하고 심오하니 여러 오묘함이 나오는 문이다.
此兩者同出而異名, 同謂之玄, 玄之又玄, 衆妙之門. (『노자老子』 1장)

현은 자연의 시초이자 만물의 근원이다.

玄者, 自然之始祖, 而萬殊之大宗也. (갈홍葛洪, 『포박자抱樸子·창현暢玄』)

현호제세懸壺済世

의술을 행함으로 세상 사람들을 구하고 돕다. 현호懸壺는 약을 담는 조롱박을 거는 것인데 의술을 행하고 약재를 판다는 간판으로서 의료 직업에 종사한다는 것을 총괄하여 가리킨다. 제세済世는 곤고한 사람에게 도움을 주는 것이다. 이 관념은 의술을 행하고 약재를 판매하는 것이 일반 직업 및 생계 수단과 달랐으며 인간적 관심과 배려를 부여받았다. 이는 세상 사람들의 의사들이 죽음에 처한 사람을 구조하고 부상자를 돌보며 병을 치료하고 사람을 구하는 행위에 대한 찬송이기도 하며 의사들이 스스로를 격려하는 도덕 준칙과 가치판단이기도 하다.

예)
시장에서 약을 파는 노인이 있었는데, 약 조롱박을 시장 거리에 걸어 두었다.

市中有老翁卖药, 悬一壶于肆头. (『후한서後漢書·방술전하方術傳下·비장방費長房』)

의술을 행하는 사람은 자신의 재주에 기대 재물을 취할 것만 생각할 수가 없으며 세상 사람들을 고통 중에서 구해내겠다는 착한 마음을 품고 있어야 한다. (나는) 세상 사람들을 구하겠다는 것에 뜻을 두었으므로 지겹도록 반복하여 이러한 것을 강론하는 것이며 의학을 배우는 사람들이 내 생각이 남루하다고 비웃지 말았으면 한다.

所以醫人不得恃己所長, 專心經略財物, 但作救苦之心……志存救濟, 故亦曲碎論之, 學者不可恥言之鄙俚也. (손사막孫思邈『천금방千金方·논대의정성論大醫精誠』)

혈구지도絜矩之道

법도를 관장하는 원칙. 예기禮記·대학大學에서 나온 표현이다. 대학大學에서 위정자는 집정하고 일을 처리할 대 반드시 혈구지도絜矩之道로써 타인을 대해야 한다고 주장하였다. 구矩는 네모 혹은 직각을 그리는 곱자로, 혈구絜矩 두 글자가 이어 쓰여서 지켜나가는 규율, 법도를 뜻하였다. 여기에서의 규율과 법도는 위정자들이 자기의 마음으로 미루어 남을 헤아려야 하고 자신이 좋아하는 것과 싫어하는 것을 생각해 보고 타인의 필요를 세심하게 살펴야 하며 자신이 원하지 않는 것을 타인에게 강요하고 이를 다스리거나 일을 행하는 법도로 삼아서는 안된다고 이야기한다.

예)

내가 싫어하는 상급자가 나를 대하는 언행을 아랫사람을 대할 때 해서는 안 되며 내가 싫어하는 아랫사람이 나를 대하는 언행을 윗사람을 대할 때 써서는 안 된다. 내가 싫어하는 앞 사람의 언행을 뒷사람을 대할 때 하면 안 되며 내가 싫어하는 뒷사람의 언행을 앞사람을 대할 때 하면 안 된다. 내가 싫어하는 오른쪽 사람의 언행을 왼쪽 사람을 대할 때 하면 안 되며 내가 싫어하는 왼쪽 사람의 언행을 오른쪽 사람을 대할 때 하면 안 된다. 이것이 바로 소위 혈구지도絜矩之道라는 것이다.

所惡(wù)於上, 毋以使下; 所惡於下, 毋以事上; 所惡於前, 毋以先後; 所惡於後, 毋以從前; 所惡於右, 毋以交於左; 所惡於左, 毋以交於右: 此之謂絜矩之道. (『예기禮記 · 대학大學』)

혈기血氣

사람과 동물의 육체적 필요와 생명의 상태를 반영하는 기. '혈기'는 인간이 타고난 것으로 혈육으로 된 몸의 물질적 필요를 반영한다. '혈기'의 상태는 인간 인생의 각 단계마다 다르게 나타나며 혈기의 성쇠는 생명력이 강하고 약함을 나타낸다. 젊을 때는 '혈기'가 안정적이지 않으며 장년이 되면 '혈기'가 강성해지고 노년이 되면 '혈기'가 쇠약해진다. 이외에 사람마다 '혈기'가 강하고 약한 정도에 차이가 있다. 어떤 사람은 '혈기'가 강하고 어떤 사람은 비교적 약하다. '혈기'는 예악을 통해 교화되고 변화될 수 있다. 동시에 '혈기'는 도덕적 감성이 생기는 바탕을 이루기도 한다.

예)

공자가 말했다. "군자는 세 가지를 경계해야 한다. 젊을 때는 혈기가 안정되지 않으므로 색을 경계하고 장년이 되어서는 혈기가 한창 강할 때라 싸움을 경계하고 노년이 되어서는 혈기가 약해지므로 욕심을 경계해야 한다.

孔子曰, "君子有三戒, 少之時, 血氣未定, 戒之在色, 及其壯也, 血氣方剛, 戒之在鬪, 及其老也, 血氣既衰, 戒之在得." (『논어論語 · 계씨季氏』)

하늘과 땅 사이에 태어난 것 중에 혈기가 있는 부류에는 반드시 지각이 있고 지각이 있는 부류는 그와 같은 부류를 사랑하지 않을 수 없다.

凡生乎天地之間者, 有血氣之屬必有知, 有知之屬莫不愛其類. (『순자荀子 · 예론禮論』)

협화만방協和萬邦

고대의 현명한 군주가 어진 정치를 펼쳐서 천하 제후들을 자기 주변에 모으고 여러 민족의 융합과 문화의 조화를 실현함으로써 통일된 부락연맹이니 디민족국가를 형성한 깃을 가리킨다.

예)

큰 덕을 선양해 여러 씨족이 친하게 지내게 한다. 씨족들이 친해지고 난 뒤에는 부락의 백관百官과 가문들의 등급을 분명하게 가린다. 백관과 가문들의 등급이 분명해진 뒤에는 크고 작은 제후국들이 조화롭게 융합되고 일반 백성도 화목하게 변할 것이다.

克明俊德, 以親九族. 九族既睦, 平章百姓. 百姓昭明, 協和萬邦, 黎民於變時雍. (『상서 · 요전』)

형구신생形具神生

사람의 형체가 갖추어진 이후 정신적 활동이 뒤이어 발생하다. '형'은 사람의 신체를 가리키고, '신'은 감정, 의식을 포함한 각종 정신적 활동을 말한다. 순자(B.C. 313?~B.C. 238)는 사람의 형체와 정신은 만물과 마찬가지로 천도天道의 운행 가운데 자연스럽게 생성된 것이라고 말했다. 사람의 형체는 정신보다 먼저 생겨났고, 형체가 갖춰짐으로써 정신이 심어질 조건이 형성되었다. 사람의 정신은 형체 가운데 의존하고 있다.

예)

하늘의 역할이 이미 확립되었고, 하늘의 공로가 이미 실현되어, 사람의 형체가 갖추어진 뒤 정신이 생겨났다. 호오, 희노, 애락 등은 형체 가운데 숨겨져 있으니, 이를 타고난 감정이라 한다.

天職旣立, 天功旣成, 形具而神生. 好惡, 喜怒, 哀樂藏焉, 夫是之謂天情. (『순자 · 천론天論』)

│ **형기어무형**刑期於無刑

형벌을 채택하는 목적은 형벌을 없애는 데 있다. 이것은 유가 '덕정德政' 사상의 연장이다. 유가의 관점에 따르면 예악禮樂과 교화敎化는 나라를 다스리는 주요한 수단이며 형벌은 어쩔 수 없이 채택해야 하는 보조 수단이다. 국가 통치의 목표는 이 두 가지 수단을 통해 사람을 감화시켜 덕행을 바르게 하고 규범을 엄격히 지키게 하여 천하가 잘 다스려져 형벌을 불필요한 존재로 만드는 것이 바로 '무형無刑'이다. 이는 '덕정'의 틀 안에서 형벌 수단이 도달하는 이상적 경지로 그중에는 수단과 목적이 서로 일치하는 변증법적인 관점을 포함하고 있다.

예)

순舜 임금이 말했다. "......나의 통치가 이상적 경지에 도달하여 형벌로써 형벌이 사라지게 하여 백성을 치우치지 않는 도리에 맞게 되길 바란다."

帝曰: "......期於予治, 刑期於無刑, 民協於中." (『상서 · 대우모大禹謨』)

| 형명形名

형形은 사물의 형체이며 명名은 사물의 명칭이다. 옛 사람들은 사물은 형체가 있는 것이며 형체가 있는 것은 그 자체가 규정성이 있고 타자와 서로 구별된다고 여겼다. 명名은 이러한 유형의 사물을 지칭할 때 쓰인다. 명이 구성하는 질서로 말미암아 형체가 있는 사물의 서로 간의 관계와 전체 질서 중의 지위를 명확히 하였다. 어떤 학파는 사물의 고유한 형명形名이 이미 어떠한 합리적 질서를 이미 내포하고 있으며 위정자는 이 형명의 질서를 준수하고 보호해야 한다고 여겼다. 또 어떤 학파는 후천적인 형법, 교화로서 형명의 질서를 만들 수 있다고 여겼다. 형법이 필요로 하는 사물과 행사에 대한 분별과 판단을 강조할 때 형명은 형명刑名이라고도 불린다.

예)

따라서 도를 지키는 군주는 천하를 대할 때 아집을 부리지 않고 공로가 있다고 자처하지 않으며 망령되이 행하지 않고 사적인 정에 치우치지 않는다. 따라서 천하에 어떤 일이 생기든 군주 스스로 사물의 형명形名과 명호名號를 확립하지 않은 것이 없다. 형명이 확립되면 명호가 세워지고 그 때 각종 사물은 자신의 흔적과 인지상정이 드러나지 않은 것이 없다.

故執道者之觀於天下也, 無執也, 無處(chǔ)也, 無為也, 無私也.是故天下有事, 無不自為刑(形)名聲號矣.刑(形)名已立, 聲號已建, 則無所逃跡匿正矣. (『황제내경黃帝內經 · 경법經法 · 도법道法』)

군주가 간사함을 금하고자 한다면 사물의 형명이 부합하는지 살피고 사실을 확인해야 하는데, 이는 즉 사람들의 언어와 행위가 일치하는지의 여부이다.

人主將欲禁姦, 則審合刑名者, 言與事也. (『한비자韓非子 · 이병二柄』)

| 형이상形而上

형태가 없거나 형질이 이루어지지 않은 것을 가리키며 일반적으로 형태가 있는 사물의 근거를 나타낸다. '형이상'이라는 술어는『주역·계사 상』에 등장하는데 '형이하形而下'와 상대되는 개념이다. '형'은 형체를 말하며 '형이상'은 형태가 출현하기 전, 즉 형태가 없는 것을 말한다. 이 형태가 없는 것을 '도'라 한다.

예)
형질이 이루어지지 않은 것을 '도'라 하며 형질이 이미 이루어진 것을 '기'라 한다.
形而上者謂之道, 形而下者謂之器. (『주역·계사 상』)

형이하形而下

형태가 있거나 형질이 이미 이루어진 것을 가리키며 일반적으로 실제로 존재하는 구체적인 사물을 말한다. '형이하'라는 술어는『주역·계사 상』에 등장하는데 '형이상形而上'과 상대되는 개념이다. '형'은 형체를 말하며 '형이하'는 형태가 출현한 후, 즉 형태가 있는 것을 말한다. 이 형태가 있는 것을 '기器'라 한다. '형이하'의 존재는 '형이상'을 근거로 삼는다.

예)
형질이 이루어지지 않은 것을 '도'라 하며 형질이 이미 이루어진 것을 '기'라 한다.
形而上者謂之道, 形而下者謂之器. (『주역·계사 상』)

형제혁어장兄弟鬩於牆, 외어기모外禦其侮

형제는 비록 집에서는 다투나 외부인의 모욕에는 함께 방어할 수 있다. '혁鬩'는 말다툼하는 것이고 '장牆'은 문 앞을 가리는 담으로 집안을 가리킨다. 내부에 비록 갈등과 충돌이 있다 하더라도 단결하여 외부의 침략에 저항할 수 있음을 비유할 때 쓰인다. 이것은 중화 민족 애국심의 전형적인 표현 방식으로, 근현대 이후에 중국의 자아의식 각성의 상징이 되었다.

예)
대부 부신이 권고했다. "이러면 안 됩니다. 옛사람들은 말했습니다. '형제간에는 비록 분쟁이 일어나 충돌이 있을 수 있지만, 외부의 모욕에는 함께 저항한다.' 주공이 시에서 말했습니다. '형제는 비록 집 안에서는 싸워도, 그러나 외부 사람의 모욕은 함께 막아낼 수 있다.' 이로써 말하자면 형제의 불화는 내부의 충돌이고 비록 다툼이 있더라도 형제간의 혈육의 정은 훼손할 수 없습니다."

富辰諫曰: "不可. 古人有言曰: '兄弟讒鬩, 侮人百里.'周文公之詩曰: '兄弟鬩於牆, 外禦其侮.'若是則鬩乃內侮, 而雖鬩不敗親也". (『국어 · 주어중周語中』)

┃ 혜민惠民

백성을 이롭게 하고 덕을 베풀다. '혜민惠民'은 '어진 정치(仁政)'에 속하며 '애민愛民'이념의 구체적인 실현으로 부를 백성에게 나누어 주고 백성에게 도움을 주는 것이 핵심이다. 통치자와 각급 관원들이 백성의 지지를 얻으려면 백성의 실제적인 이익을 우선시해야 함을 강조한다. 즉 정책과 조치들은 백성의 실제적 이익을 대표하고 보장하며 실현해야 하고, 백성을 부유하게 하고 백성과 이득을 놓고 다투면 안 되며 강제로 빼앗아서는 더욱 안 된다.

예)
하늘은 백성을 이롭게 하니 군주는 이러한 하늘의 뜻을 받들어야 한다.
惟天惠民, 惟辟奉天. (『상서尚書 · 주서周書 · 태세중泰誓中』)

재물을 뭇 사람들에게 나누어 주는 것을 '혜惠'라 한다.
分人以財謂之惠. (『맹자孟子 · 등문공상滕文公上』)

제齊나라 경공景公이 (진晉나라에서) 사광에게 국정을 처리하는 방법을 물었다. "태사의 가르침은 무엇입니까?" 사광이 대답했다. "백성에게 베푸는 방법 밖에 없습니다". ...... (경공은) 제나라로 돌아온 후 곡식창고를 열어서 양식을 가난한 백성에게 나누어 주고, 국고를 열어서 여분의 재물을 고아와 과부에게 나누어 주었다. 곡식창고에는 오래 묵은 양식이 없고 국고에는 남아도는 재물이 없었다. 천자의 방문을 받지 않은 궁녀들은 모두 출가시켰으며 70세 이상의 사람들은 모두 국가가 제공한 양식을 받을 수 있었다.

景公問政於師曠曰: "太師將奚以教寡人?" 師曠曰: "君必惠民而已." ...... 反國, 發廩粟以賦衆貧, 散府餘財以賜孤寡, 倉無陳粟, 府無餘財, 宮婦不御者出嫁之, 七十受祿米. (『한비자韓非子‧외저설우상外儲說右上』)

호방파豪放派

송사의 큰 두 유파 중 하나. 내용은 국가 대사, 인생 감회를 주로 썼고 경지가 광활하고 웅대하며 기상이 호탕하고 자유분방한 것이 특징이다. 시와 산문의 창작 수법 및 전고를 자주 운용하며 음률에 구애되지 않았다. 제일 먼저 '호방'이라는 말로 사를 평가한 것은 소식으로 남송 사람들은 당시에 이미 명확하게 소식과 신기질辛棄疾을 호방사의 대표라고 여겼다. 북송 범중엄范仲淹의 『어가오漁家傲』사가 호방의 첫 발을 내딛었고 소식이 장엄한 사의 창작에 힘을 기울인 덕에 하나의 사풍이 형성되었다. 중원이 함락된 후에 남송 정권은 강남에 안거하며 잃어버린 땅을 되찾으려 하지 않았다. 많은 사인들은 보국의 가망이 없자 점차 비분강개한 사풍을 형성하기 시작하였으며 호방파의 영수 신기질과 진여의陳與義, 엽몽득葉夢得, 주돈유朱敦儒, 장원간張元幹, 장효상張孝祥, 육유陸游, 진량陳亮, 유과劉過 등 큰 무리의 걸출한 사인들이 나타났다. 그들은 보국의 정, 개인의 운명과 국가의 명운을 긴밀하게 연결시켜 사의 표현영역을 한 단계 넓히고 사의 표현수법을 풍부하게 했으며 문학사 상에서 사의 지위를 크게 높였다. 호방파 사인은 비록 호방을 주요 풍격으로 삼았지만 완약한 작품도 적지 않아 일률적으로 말할 수 없다. 어떤 사 작품들은 평론과 전고의 사용이 과도하고 음률이 정교하지 않으며 지나치게 산문화되었는데 이 또한 부정할 수 없다.

예)

사의 풍격은 크게 두 가지가 있다. 완약과 호방이다. 완약한 풍격의 사는 문장과 감정의 함축적인 미를 추구하고, 호방사는 기백의 웅대함을 추구한다. 대체적으로는 작가의 기질로 인해 풍격이 나뉘며 진관은 완약한 작품이 많고 소식은 호방한 작품이 많다. 대략적으로 말하면 사의 풍격은 완약을 정통으로 한다.

詞體大略有二: 一體婉約, 一體豪放. 婉約者欲其辭情蘊藉, 豪放者欲其 氣象恢弘. 蓋亦存乎其人, 如秦少游之作多是婉約, 蘇子瞻之作多是豪放. 大約詞體以婉約爲正. (장연張綖, 『시여도보詩餘圖譜』)

장연張綖은 사의 유파에는 2개가 있다고 말했다. 하나는 완약파이고 다른 하나는 호방파이다. 나는 완약파는 이청조가 제일이고 호방파는 신기질이 제일이라고 생각했다. 그들은 모두 우리 제남 사람으로 그 후로는 뒤를 잇는 사람이 없었다.

張南湖論詞派有二: 一曰婉約, 一曰豪放. 僕謂婉約以易安爲宗, 豪放惟幼安稱首, 皆吾濟南人, 難乎爲繼矣! (왕사정王士禎, 『화초몽습花草蒙拾』)

호생好生

생명을 소중히 여기고 백성을 소중히 여긴다. 옛 중국인들은 만물이 끊임없이 생장함을 천지의 미덕이라고 생각했다. 살아있음을 사랑하며 사망을 미워함은 인지상정이다. 따라서 집정자는 백성의 생명을 더욱 소중히 여겨야 한다. 예를 들어 극형을 가벼이 행하지 않고 전쟁을 가벼이 일으키지 않으며 백성의 유익을 구하되 해가 되는 것은 제거하며 백성이 편안히 살고 즐겁게 일하도록 하는 것 등을 행한다. 호생지덕好生之德은 집정자가 응당 가져야 할 미덕이며 지켜야 할 원칙이다. 이 이념은 애민愛民, 애민위대愛民爲大라는 이념과 상통하지만 더 들어가 보면 호생지덕은 나라를 치리하는 데에 생명철학의 기초를 제공한 것이며 사람들이 서恕(용서함)의 도를 힘써 행하고 남에게 너그럽게 대하는 것寬以待人의 기본이념이며 중의中醫의 인문이론 또한 일반적으로 이를 기초로 삼는다.

예)
천지에서 가장 큰 덕행은 만물이 끊임없이 생장하게 하는 것이다.
天地之大德曰生. (『주역周易 · 계사하系辭下』)

무고한 자를 오인하여 잘못 죽이느니 불변의 법칙을 어기는 사람을 놓아주는 것이 낫다. 생명을 귀하게 여기는 이러한 미덕은 민심을 편하게 만들 것이며 백성은 형률刑律을 어기지 않을 것이다.
與其殺不辜, 寧失不經.好生之德, 洽於民心, 茲用不犯於有司. (『상서尙書 · 대우모大禹謨』)

천지와 만물을 향한 성덕盛德은 호생이라고 들었으며 제왕의 만민을 향한 성덕은 자애慈愛라고 들었습니다.
臣聞天地之於萬物也好生, 帝王之於萬人也慈愛. (『후한서後漢書 · 구순전부증손영영寇恂傳附曾孫榮』)

호연지기浩然之氣

성대하고 생명이 충만한 가운데 올곧은 기운이다. 맹자는 '호연지기'가 도의와 짝을 이루어 내면에서 생겨나며 외부에서 오는 것이 아니라고 생각했다. 개인이 선한 도를 견지하여 자신의 행위를 반성하면서 마음에 부끄럽지 않을 수 있다면, '호연지기'가 자연히 발생하고 점차 그것으로 충만해질 것이다. 일단 '호연지기'를 키우고 나면 정의로운 일을 행할 때 결단력이 있고 의혹이 없다.

예)

공손추가 말하였다. "감히 여쭙겠습니다. 무엇을 호연지기라 합니까?" 맹자가 말했
다. "말하기 어렵다. 호연지기는 지극히 크고 강하니, 도의로 함양하며 해치지 않으면 천
지 사이를 가득 메우게 된다. 호연지기는 도의와 짝하고 있어 도의가 없으면 쇠약해진다.

"敢問何謂浩然之氣?" 曰, "難言也. 其爲氣也, 至大至剛, 以直養而無害, 則塞於天地之間. 其爲
氣也, 配義與道. 無是, 餒也." (『맹자孟子 · 공손추公孫醜 상』)

호전필망好戰必亡, 망전필위忘戰必危

전쟁에 열중하면 반드시 멸망하나 전쟁을 망각하면 반드시 위험해
진다. 이는 전쟁을 좋아하는 국가는 반드시 자멸을 초래하지만 전쟁 대
비가 안 된 나라 또한 스스로를 위험한 처지에 놓이게 한다는 뜻이다.
'호전'은 자신의 이익을 위해 도의를 고려하지 않고 외부와 충돌 및 전
쟁을 일으키는 것을 가리킨다. '망전'이란 전쟁이 자기 코 앞에 온 줄도
모르고 필요한 준비조차 하지 않음을 가리킨다. 옛사람들은 마땅히 인
애정신에 기초하여 국내 및 국제 문제를 처리해야 하며 전쟁은 국력을
소멸시키고 백성을 도탄에 빠지게 하니 나라와 국민을 안전하게 지키
기 위한 '전쟁으로 전쟁을 멈추는' 정의로운 전쟁일지라도 부득이할 때
만 행동에 옮겨야 한다고 여겼다. 이 말은 전쟁 및 국가가 번영하고 쇠
락하는 변증법을 표현하며 중화민족의 평화를 사랑하는 '문文'의 정신
을 나타낸다.

예)

그래서 국가가 크더라도 전쟁에 열중하면 반드시 망한다. 천하가 평화롭더라도 전쟁
의 위험성을 잊으면 반드시 스스로를 위험한 처지에 놓이게 한다. 천하가 이미 태평하
고 백성의 생활이 평안하더라도 매년 봄 가을 두 계절에 천자는 사냥으로 군사훈련을
하고, 각 제후국 또한 봄과 가을에 군대를 정돈하고 군사훈련을 진행해야 한다. 이는 모
두 전쟁을 잊지 않기 위함이다.

故國雖大, 好戰必亡; 天下雖安, 忘戰必危. 天下既平, 天下大愷, 春蒐秋獮, 諸侯春振旅, 秋治

兵, 所以不忘戰也. (『사마법司馬法 · 인본仁本』)

분노는 덕의에 위배되는 것으로 병기를 쓰면 재난을 불러온다. 다툼은 가장 가치 없는 일이다. 전쟁에서 이기기를 추구하며 무력을 남용하는 사람치고 후회하지 않는 자가 없다.

夫怒者逆德也, 兵者兇器也, 爭者末節也. 夫務戰勝, 窮武事者, 未有不悔者也. (사마광司馬光, 『자치통감資治通鑑 · 한기漢紀10 · 효무황제원삭원년孝武皇帝元朔元年』)

혼돈渾沌

'혼돈渾沌'은 '혼돈混沌'이라고도 하는데 서로 다른 두 가지 함의를 가지고 있다. 첫째는 천지가 분화되어 형성되기 이전의 우주가 혼연일체인 상태를 말하는데 보통 분화되지 않은 '기氣'라고 표현한다. 천지만물은 모두 '혼돈'이 분화되고 변화하여 생겨난 것이다. 둘째로 특히『장자』에 나오는 우화에 등장하는 중앙지제中央之帝를 가리킨다. 중앙지제 혼돈은 일곱 구멍이 없었는데 남해지제南海之帝 숙儵과 북해지제北海之帝 홀忽이 일곱 구멍을 뚫어 주자 죽었다. 장자는 이 형상을 통해 인간이 무지하고 무식하며 선악과 피아의 구분이 없는 상태 및 온 세계가 혼연일체인 상태를 우의적으로 표현하였다.

예)
『주역』을 논하는 이들은 "원기가 분화되지 않았을 때는 혼연일체이다"라고 말한다.
設『易』者曰: "元氣未分, 渾沌爲一." (왕충王充『논형論衡 · 담천談天』)

남해지제는 숙이라 하고 북해지제는 홀이라 하며 중앙지제는 혼돈이라 한다. 숙과 홀은 혼돈의 땅에서 자주 만났는데 혼돈은 그들에게 잘 대해 주었다. 숙과 홀은 혼돈에게 보답하고자 상의하여 말했다. "사람은 모두 일곱 구멍이 있어 듣고 보고 먹고 마시고 숨을 쉬는데 혼돈에게만 이가 없으니 우리가 뚫어 주도록 하자." 그리하여 혼돈에게 하루에 구멍을 하나씩 뚫어 주었는데 일곱 날이 지나자 혼돈은 죽고 말았다.

南海之帝爲儵 ,北海之帝爲忽, 中央之帝爲渾沌. 儵與忽時相與遇於渾沌之地, 渾沌待之甚善. 儵與忽謀報渾沌之德, 曰: 人皆有七竅以視聽食息, 此獨無有, 嘗試鑿之. 日鑿一竅, 七日而渾沌死. (『장자 · 응제왕應帝王』)

혼례婚禮

두 사람이 부부가 되는 예로 인류 생활의 중요한 예절 의식 중 하나이다. 옛날에는 '혼례昏禮'라고 적었다. 옛사람이 보기에 혼례는 남자와 여자의 사랑을 도리에 맞게 안정시키는 의식이었다. 혼례는 두 사람이 결합하여 서로 친밀하고 존경하는 부부 관계가 되고 더불어 인륜 질서 속에서 하나의 결합체가 됨을 공표한다. 부부가 각자 속한 두 성姓의 친족 사이에도 두 사람을 매개로 친밀한 관계가 형성된다. 동시에 부부의 결합은 인류의 번성과 인륜 관계의 지속적인 교대에도 관여한다. 현대 사회로 넘어오면서 혼례의 형식과 의미에 많은 변화가 생겼다.

예)
혼례는 서로 다른 성姓을 가진 두 가족의 좋은 관계를 형성하여 위로는 종묘를 받들고 아래로는 후세를 이으니 군자는 혼례를 중히 여긴다.
昏禮者, 將合二姓之好, 上以事宗廟, 而下以繼後世也, 故君子重之. (『예기禮記 · 혼의昏義』)

신랑은 먼저 자기 집 문밖에서 기다린다. 신부가 오면 신랑은 신부에게 읍하고 신부를 문안으로 들어오라 청한다. 두 사람은 함께 같은 음식을 나누어 먹고 하나의 조롱박을 둘로 나누어 만든 술잔에 술을 마신다. 이로써 두 사람이 한 몸이 되었고 존비가 동등하며 서로 사랑함을 표시한다.
先俟於門外. 婦至, 婿揖婦以入, 共牢而食, 合巹而酳, 所以合體同尊卑以親之也. (『예기禮記 · 혼의昏義』)

홍범洪範

원래의 의미는 대법大法으로 인류가 살면서 따르는 우주의 근본적 원칙을 가리킨다. '홍범'은 『상서』에서 유래되었다. '홍범'은 9가지 유형의 법칙을 포함하는데, 이를 '구주九疇'라고 한다. '홍범구주'는 인류의 삶을 서로 다른 영역으로 나누었고, 각 영역 중에서 가장 중요한 요소를 규범 지었다. 이로써 천지와 자연, 인류와 정치 및 하늘과 사람의 관계 사이의 기본 질서를 구축했다. 옛날 사람들은 '홍범'이 말하는 9가지 종류의 대법이란 하늘이 내려주신 것으로 거부할 수 없는 권위를 가지고 있다고 여겼다.

예)
기자가 말했다. "내가 이전에 듣기를 곤鯀이 홍수를 막으려 오행(五行: 물, 불, 나무, 쇠, 흙)을 함부로 사용했다고 한다. 그래서 하늘이 크게 화가 나 곤에게 다시는 9가지 대법을 주지 않았는데, 오래된 통치 법칙이 이로 인해 망가지게 되었다. 곤이 유배되어 죽자 우禹는 아버지의 업을 계승하여 다시 홍수를 잘 다스렸고, 하늘이 9가지 대법을 우에게 다시 내려주어 오래된 통치 법칙이 이로써 질서를 회복하게 되었다."
箕子乃言曰: "我聞在昔, 鯀堙洪水, 汩陳其五行. 帝乃震怒, 不畀洪範九疇, 彝倫攸斁. 鯀則殛死, 禹乃嗣興, 天乃錫禹'洪範'九疇, 彝倫攸叙." (『상서 · 홍범洪範』)

화간과위옥백化干戈爲玉帛

원한을 버리다. 전쟁을 평화로 바꾸다. 충돌을 우호로 바꾸다. '간'과 '과'는 각각 방어용과 공격용의 두 가지 무기로 전쟁 혹은 무력 충돌을 뜻한다. '옥'과 '백'은 규장圭璋 등의 옥과 속백束帛 등의 비단으로 고대 제후들이 만나 맹약을 맺을 때 혹은 제후가 천자를 알현할 때 서로 주고받는 선물을 말하는데 나중에는 평화로운 공존을 뜻하게 되었다. 이 술어는 자고이래로 평화를 숭상하고 폭력적인 충돌을 해소하고자 하는 중화민족의 아름다운 기원을 반영하고 있다.

예)

하늘이 재난을 내려 우리[진秦나라와 진晉나라] 양국 국왕이 옥백을 갖춰 만나게 하지 않고 전쟁을 벌이게 했다.

上天降災, 使我兩君匪以玉帛相見, 而以興戎. (『좌전 · 희공 십오년』)

┃ 화경化境

최고의 예술적 경지를 가리킨다. '화경'은 중국 고대 문예 비평의 중요한 명제로 '화化', '화공化工' 등과 비슷한 의미를 지닌다. 장자莊子(B. C. 369?~B.C. 286)의 「제물론齊物論」에 나오는 "천지가 나와 더불어 함께 생겼으니 만물도 나와 함께 하나가 된다"(천지여아병생天地與我並生, 이만물여아위일而萬物與我爲一)라는 말이 화경 이론의 시초이다. 화경에 이른 작품은 물아양망物我兩忘, 천인합일의 심미적 상태를 보인다. 시詩이든 그림畵이든 모두 자연스러워 꾸미거나 다듬은 흔적이 없다. 화경이 일어나는 원리라고 하면, 창작자가 스스로 수양을 쌓고 마음의 깨달음과 예술적 기교를 얻어 이미 높은 경지에 오른 후에 붓이 마음대로 움직이고 기회와 인연이 딱 들어맞아야만 이루어진다. 그 효과는 하늘의 조화와도 같아 억지로 얻을 수 없다.

예)

사람들은 '변變'은 주로 '격格'으로 구현되고 '화化'는 주로 '경境'으로 구현됨을 모른다. '격'은 눈에 잘 띄지만 '경'은 알아차리기 힘들다. '변'은 기묘하고 괴이함을 표방하고 평범함을 주장하지 않는다. '화'는 기운이 자연스럽게 움직여 자기 마음대로 하는 것이다. 예로 두보杜甫의 오언 영물시五言詠物詩, 칠언 요체시七言拗體詩 등의 작품은 '변'이 구현된 것이다. 송대 이후 사람들이 앞다투어 모방하여 배우지만 두보 시의 화경은 전혀 이러한 방면에서 비롯된 것이 아니다.

不知變主格, 化主境, 格易見, 境難窺. 變則標奇越險, 不主故常, 化則神動天隨, 從心所欲. 如五

言詠物諸篇, 七言拗體諸作, 所謂變也. 宋以後諸人競相師襲者是, 然化境殊不在此. (호응린胡應麟, 『시수詩藪』 내편內編 5)

시의 화경은 폭풍우가 갑자기 몰아치고 귀신이 출몰해 눈에는 환영이 보이 가득하고 귀에는 종잡을 수 없는 소리가 들리는 것처럼 홀연히 찾아왔다가 사라진다. 자구로 해석할 수도 없고 흔적을 추적할 수도 없다.

詩家化境, 如風雨馳驟, 鬼神出沒, 滿眼空幻, 滿耳飄忽, 突然而來, 倏然而去, 不得以字句詮, 不可以跡相求. (하이손賀貽孫, 『시벌詩筏』)

화공化工, 畫工

문학예술작품의 풍격이 자연스러운지 그 여부를 평가하는 술어. '화공化工'은 작품이 정교하고 자연스러우며 수식의 흔적이 전혀 없어 입신의 경지에 이르렀음을 뜻한다. '화공畫工'은 작품의 수식에 온 힘을 다해 기교는 뛰어나지만 자연스러운 정취가 부족함을 뜻한다. '화공化工'이 예술가의 작품이라면 '화공畫工'은 장인의 작품이라고 말할 수 있다. 이 평가 기준은 명나라 때 이지李贄가 『잡설雜說』에서 제시하였는데 글을 쓸 때는 진정과 진심이 있어야 한다는 그의 주장과 일치한다. 문화적 연원을 보면 '화공畫工'과 '화공化工'은 사실상 도가의 순임자연純任自然과 기절기교棄絶機巧 사상으로부터 유래한 것이다. 명나라 때의 문사들은 대부분 문예는 자연 그대로를 표현해야 한다고 주장하였으며 수식하거나 모방하는 창작 입장을 부정하였다.

예)
오도자의 기교는 절묘하나 화공畫工 수준의 작품이라고밖에는 할 수 없다. 왕유의 훌륭함은 묘사한 사물의 형상을 초월했으니 마치 선조仙鳥가 새장을 벗어나 날아가는 것과 같다. 내가 보기에 이 두 사람의 기법이 모두 출중한데 특히 왕유에게는 더욱 탄복하여 흠잡을 곳을 찾을 수 없었다.

吳生雖妙絶, 猶以畫工論. 摩詰得之於象外, 有如仙翮謝樊籠. 吾觀二子皆神俊, 又於維也斂衽

無間言. (소식『왕유王維, 오도자화吳道子畵』)

　『배월정拜月亭』과『서상기西廂記』는 '화공化工'이며『비파기琵琶記』는 '화공畵工'이
다. '화공畵工'이라 하는 이유는 사람들이 이 작품이 천지의 조화를 대신할 수 있다고 여
기기 때문이다. 그러나 천지에 이러한 조화가 본래 없다는 것을 그 누가 알겠는가?

　『拜月』『西廂』, 化工也;『琵琶』, 畵工也. 夫所謂畵工者, 以其能奪天地之化工, 而其孰知天地
之無工乎? (이지『잡설』)

화도畵道

　'회화의 도'를 뜻한다. 넓은 의미와 좁은 의미가 있다. 좁은 의미에서
는 회화의 각종 기법을 말하며 넓은 의미에서는 회화 작품이 내포한 문
화적 이념과 인격, 정신, 예술적 풍격 및 심미적 추구 등을 말하는데 즉
'도道'와 '기技'의 완벽한 융합을 뜻한다. '도'는 그림이 표현하고자 하는
사상적 주제와 예술 법칙 및 미학적 풍격을 결정하며, 그림은 '도'의 구
체적인 표상이자 화가의 문화적 이념과 인격, 정신, 예술적 풍격 및 심
미적 추구가 기탁된 대상이다. 따라서 도는 그림으로써 표현되고 그림
은 도로 인해 그 격이 올라간다. 훌륭한 화가는 기교가 도 속으로 들어
가 예술과 도가 화합된 경지를 추구한다. '화도'는 우주와 자연의 도를
포함할 뿐만 아니라 사회와 인생의 도를 반영해 중국 고유의 인문 정신
을 뚜렷하게 드러내고 있다.

　예)
　성인은 그 정신을 도에서 본받고 재덕이 출중한 이는 도에 통달할 수 있다. 산수는
그 자연적 형질을 완곡히 도에 일치시키고 어진 이가 이를 즐기게 한다. 실로 미묘한 일
이 아닌가?

　夫聖人以神法道, 而賢者通; 山水以形媚道, 而仁者樂. 不亦幾乎? (종병宗炳『화산수서畵山
水序』)

회화의 도란 우주 자연의 신비함을 능히 그 손으로 표현해 더없이 생동감 있는 모습을 눈앞에 보여주는 것이다.

畫之道, 所謂宇宙在乎手者, 眼前無非生機. (동기창董其昌『화선실수필畫禪室隨筆』)

| 화룡점정畫龍點睛

문학예술 작품을 창작함에 있어 긴요한 곳에 글씨를 쓰거나 관건이 되는 어구를 적어 넣어 가장 신묘한 운치와 의경을 창조하는 것을 비유하는 말이다. 맹자는 사람을 관찰하려면 그 사람의 눈을 관찰하는 것이 가장 좋다고 보았는데 사람 마음속의 선량함과 추악함은 눈을 통해서 가장 잘 드러나기 때문이다. 동진 시대의 고개지顧愷之는 인물을 그릴 때 몇 년이나 그 눈을 쉬이 그리려 하지 않았는데 이는 훌륭한 인물화의 관건이 눈을 그리는 데 있다고 생각했기 때문이다. 남조 때의 화가 장승요張僧繇는 그림을 그리는 기술이 뛰어났는데 전설에 의하면 그가 다 그린 용 그림에 눈을 그려넣자 용이 그 즉시 살아나 하늘로 올라갔다고 한다. 따라서 후세에 '화룡점정'이라는 말로 문학예술 작품을 창작할 때 중요한 관건을 포착해 형상을 더욱 핍진하고 생동감 있게 할 것을 강조하게 되었다.

예)

[장승요가] 남경 안락사 벽에 네 마리의 백룡을 그렸는데 용의 눈을 그리지 않았다. 그는 늘 "눈을 그리면 용이 곧 하늘로 날아갈 것이다"라 하였다. 사람들은 모두 그가 허황된 거짓말을 한다고 여겨 그에게 눈을 그려 달라고 누차 청했다. [장승요가 어쩔 수 없이 붓을 들어 눈을 그려넣자] 그 즉시 하늘에 천둥 번개가 치더니 두 마리의 용은 구름을 타고 날아가 버렸고, 눈을 그리지 않은 나머지 두 마리 용은 여전히 벽 위에 남아 있었다.

又金陵安樂寺四白龍, 不点眼睛, 每云: "点眼即飛去". 人以爲妄誕, 固請点之, 須臾雷電破壁, 兩龍乘雲騰去上天, 二龍未点眼者現在. (장언원張彦遠『역대명화기歷代名畫記』권칠)

화성기위化性起偽

사람의 선천적인 악이 변화되고 후천적인 선이 일어나다. 위偽는 인위적인 것이다. '화성기위'는 순자荀子가 '성악性惡'설에 기초하여 제시한 도덕 교화의 주장이다. 순자는 사람의 타고난 본성은 외부 사물에 대한 욕구를 포함하고 있다고 여겼다. 만약 본성 중의 욕망을 제어하지 않으면, 사람들 간의 다툼을 초래하여 사회가 혼란에 빠지게 된다. 그러므로 후천적인 교화를 통하여 적절하게 사람의 욕망을 조절하는 동시에 도덕과 예법을 인정하고 준수하는 태도를 확립해야 한다.

예)
학습하고 일삼아 얻을 수 없는데 사람이 갖춘 것을 '성性'이라 하고, 학습하여 능하게 되고 일삼아 이룰 수 있는 것을 '위偽'라고 한다. 이것이 '성'과 '위'의 차이이다.
不可學, 不可事而在人者謂之性, 可學而能, 可事而成之在人者謂之偽, 是性, 偽之分也.(『순자·성악』)

그래서 성인은 사람의 본성인 악을 변화시키고 인위적으로 선을 기른다. 인위적인 선함이 일어나면 예의가 생겨나고, 예의가 생겨난 후에 법도가 제정된다.
故聖人化性而起偽, 偽起而生禮義, 禮義生而制法度.(『순자·성악』)

화실생물和實生物

상이한 사물이 서로 조화를 이뤄 새로운 사물을 만들어 내는 것. 서주西周 말 주周 태사太史 사백史伯이 제시한 개념이다. 사백은 상이한 사물이 조화롭게 공존하는 중에 서로 보완하고 도움으로써 새로운 사물을 만들어 낸다고 생각했다. 이 원칙은 정치 처리에서 구현되는데, 위정자가 상이한 사람과 사물의 특질을 보전하고 발휘할 것을 요구하며 이로써 새로운 사물의 생장을 촉진하고 사회 전체의 발전을 도모한다.

예)

상이한 사물이 서로 조화를 이루면 새로운 사물이 만들어지지만 같은 사물이 함께 있는 상황에서는 연속성이 존재하기 어렵다. 한 사물이 다른 사물과 어울리도록 하는 것을 화和라고 부르며 이에 풍성한 발전이 가능하고 만물은 이를 따라간다. 동일한 사물끼리 서로 보완하게 만든다면 아무리 노력해도 다 쓰이고 난 뒤에는 버려진다.

夫和實生物, 同則不繼.以他平他謂之和, 故能豐長而物歸之.若以同裨同, 盡乃棄矣. (『국어國語 · 정어鄭語』)

화위귀和爲貴

조화를 중시함. '화和'란 조화로움, 적절함으로 사물의 차이점과 다양성을 존중하는 기초에서의 화목한 공존이다. 본디 '예禮'의 기능은 서로 다른 계층의 사람들을 일정한 차이를 유지하면서도 서로 간에 조화롭게 공존하게 하는 것으로, 각자 제자리에 있고 그 위치에 만족하며 상부상조하여 전 사회의 "남과 어울리면서도 자기의 입장을 지키다"(和而不同)라는 정신을 실현하며, 이는 유가에서 인간관계를 다루는 중요한 논리원칙이다. 나중에는 일반적으로 사람과 사람, 단체와 단체, 국가와 국가 사이의 관계가 조화롭고 화목하고 평화로우며 사이 좋은 상태를 가리킨다. 이것은 중화민족이 폭력적 충돌을 반대하고 평화와 조화로움을 추구하는 '문文'의 정신을 구현한다.

예)

유자가 말했다. "예의 응용은 화목을 중시한다. 고대 군주의 통치방법의 귀한 점은 바로 여기에 있다. 큰 일 작은 일을 막론하고 '화和'의 원칙에 따라 처리했다. 통용되지 않을 때도 있었는데 만약 덮어놓고 화목을 위한 화목만을 추구하고 예로써 절제하지 않는다면 역시 안 될 일이다.

有子曰: "禮之用, 和爲貴. 先王之道, 斯爲美, 小大由之. 有所不行, 知和而和, 不以禮節之, 亦不可行也." (『논어論語 · 학이學而』)

화이부동和而不同

사물의 차이성과 다양성에 대한 존중을 바탕으로 전체의 화합과 공존을 실현한다는 뜻. '동'과 '화'는 사회 집단에 대처하고 이를 안정시키는 두 가지 태도를 말한다. '동'은 사물의 차이성을 말살하는 것이며 '화'는 사물의 차이성을 보존하고 존중하는 것이다. 서로 다른 사물들은 피차 돕고 보충해야만 활기차면서도 창조성이 풍부한 조화로운 전체를 형성할 수 있다.

예)
다른 사물이 서로 조화되면 새로운 사물이 생성될 수 있지만 같은 사물들만 있다면 연속되기 어렵다.
夫和實生物, 同則不繼. (『국어國語 · 정어鄭語』)

군자는 다른 이와 화목하게 지내지만 맹목적으로 따르지 않으며, 소인은 맹목적으로 따를 뿐 진정으로 화목하게 지내지 않는다.
君子和而不同, 小人同而不和. (『논어 · 자로』)

화출어적和出於適

음악의 조화는 음악의 적합성 및 음악과 평화로운 마음 간의 결합에서 나온다. '화和'는 조화를 뜻하며 서로 다른 소리가 잘 어우러지는 것이다. '적適'은 적합성, 곧 음악 자체의 고저高低와 청탁淸濁의 적절함을 가리키며, 감상자의 음악에 대한 적절한 수용을 의미하기도 한다. 이 용어는 음악 감상의 과정에서 음악은 객관적인 대상으로써 반드시 주체의 정신세계와 조화롭게 하나가 되어야 하며, 음악의 아름다움은 주체와 객체가 화합한 결과물임을 강조한다.

예)

음악은 조화에서 나오고, 조화는 적합함에서 나온다.

聲出於和, 和出於適.(『여씨춘추呂氏春秋 · 대악大樂』)

화하華夏

고대 중원 지역에 살던 한족 사람들이 자신들을 부르던 호칭. 가장 이르게는 '화華', '제화諸華', 혹은 '하夏', '제하諸夏'라고도 했다. '화하'가 실제로 표현하는 것은 한족이 중심이 된 고대 중원 사람들의, 자신들의 공통적인 생활, 언어, 문화적 특징에 대한 일종의 인정과 전승이다. 화하를 주체로 하는 통일된 다민족 국가인 진나라가 수립된 후로 화하는 비로소 비교적 안정된 집단이 되었다. 한나라 이후부터 화하는 또 '한漢'이라는 명칭과 함께 쓰였고 나중에는 중국 또는 한족을 가리키는 말로 뜻이 파생되었다.

예)

'하'의 함의는 '크다'이다. 화하족은 예의가 풍부하고 위대해서 '하'라고 불렸고 옷이 아름다워 '화'라고 불렸다. '화'와 '하'는 같은 의미이다.

夏, 大也. 中國有禮義之大, 故稱夏; 有服章之美, 謂之華. 華夏一也. (『좌전 · 정공定公 10년』 공영달 정의)

화해和諧

서로 협조하고 알맞게 융화되다. '화'는 협조, 화목이다. '해'는 융화되다, 알맞게 적합하다는 뜻이다. '화해'는 우선 서로 다른 목소리 사이의 어울림이 적절해 음악의 전체적인 조화를 구성함을 의미한다. 후대에는 바람직한 사회적 관계와 치리 현황을 가리키게 되었다. 차이와 다양성을 존중하는 기초 위에 결합하고 공생하는 관계가 이루어지고, 이로부터 사회의 유기적인 총체가 형성된다. 이 총체에서 사람들은 각자 원하는 바를 얻고 자신의 자리를 지키며 화목하다. 서로 도우며 장점을 돋보이게 하고, 질서 정연하고, 생활은 안정적이고 평안하다. 이 술어는 유가에서 인간관계를 처리하는 중요한 윤리원칙이자 사회정치적 이상으로, 아직도 핵심적 가치 중 하나로 여겨지고 있다. 사람과 사람, 단체와 단체, 국가와 국가 간의 관계가 화목하고 평화로우며 잘 어우러지는 상태를 총칭하는 말로, 폭력적 충돌에 반대하며 평화적 질서를 추구하는 '문文'의 정신을 보여주는 용어이다.

> 예)
> 종경과 같은 악기에 사용하면 연주하는 음악이 조화롭고 아름다워진다.
> 施之金石, 則音韻和諧. (『진서晉書 · 지우전摯虞傳』)
>
> 서로 간의 조화는 평화의 전제이고, 서로 간의 충돌은 혼란의 근원이다.
> 和諧則太平之所興也, 違戾則荒亂之所起也. (중장통仲長統 『법계편法戒篇』, 범엽范曄 『후한서後漢書 · 중장통전仲長統傳』에 수록)
>
> 군신 간에 뜻이 맞고 정령政令이 적절한 것, 치국의 기본 원칙은 이러할 따름이다.
> 君臣相得, 政令和諧, 治國之道, 不過如此. (풍몽룡馮夢龍 『동주열국지東周列國志』 제86회)

화和

상이한 사물이 조화롭게 함께 거하는 것. 옛사람들은 상이한 사물이 함께 공존하는 것과 사물 간에 질서를 안정시키는 모습은 사물 간의 차이를 없애 실현할 수 있는 것이 아니며 각 존재의 차이를 존중하고 보전한다는 기초 위에 사물 간의 조화로운 공존을 구하는 것으로 이를 화和라 부른다고 생각했다. 화和의 상태에서 상이한 사물은 각자의 특질을 드러낼 수 있으며 서로 보완하고 도우며 각자 그리고 다 함께 활력을 불어넣을 수 있다.

예)

상이한 사물이 서로 조화를 이루면 새로운 사물이 생겨나지만 동일한 사물이 함께
있으면 연속성이 존재하기 어렵다.

夫和實生物, 同則不繼. (『국어國語 · 정어鄭語』)

군자는 사람들과 조화를 이루며 살고 맹목적으로 남의 언행을 따라하는 행동은 하지
않지만 소인은 맹목적으로 남의 언행을 따라하며 진정으로 사람들과 조화를 이루며 살
아가지 못한다.

君子和而不同, 小人同而不和. (『논어論語 · 자로子路』)

환재토붕患在土崩, 부재와해不在瓦解

근심은 흙이 무너지는 것에 있고, 기왓장이 흩어지는 것에 있지 않
다. 즉 나라의 우환은 정권 기반의 붕괴에 있고, 상부 통치자 계층의 분
열에 있지 않다. 국가 정권의 존재 기반은 민심을 얻는 것과 사회 하부
계층에 대한 통치에 달려있다. '토붕土崩'은 정권이 민심을 잃어 전체 사
회에 낭떠러지 식의 붕괴가 나타나 백성이 궁지에 몰려 잇달아 들고 일
어나 반항함을 비유한다. '와해瓦解'는 상부 통치자 계층에 분열이 생겨
권력과 이익을 다투고 법을 어기며 기강을 어지럽히고 심지어는 반란
을 도모함을 비유한다. 앞의 상황은 국가 정권의 사회와 경제의 기초를
흔들어 정권의 정당성을 부인하는 무서운 것이다. 뒤의 상황은 종종 기
존의 제도 틀 안에서 해결할 수 있으므로 두렵지 않다. 이 정치적 지혜
는 민심에 따르고 사회 하부 계층을 다스리는 것에 대한 높은 관심을
포함하고 있으며, '민본'사상과 상통하는 부분이 있다.

예)

국가의 우환은 기반 계층이 흙처럼 무너지는 것에 있지 상층이 기와처럼 깨져 흩어지는 것에 있지 않다. 이것은 예나 지금이나 불변하는 진리이다. ...... 만약 천하에 정말 흙이 무너지는 것과 같은 형세가 나타나면 곧 일반 백성이나 빈곤한 사람들일지라도 앞장서서 군사를 일으켜 전국이 위태롭게 된다. 진승陳勝이 바로 이렇다. ...... 비록 천하가 잘 다스러지지 않아도, 확실하게 흙처럼 무너지는 형세만 나타나지 않는다면, 반란을 일으킨 사람의 세력이 아무리 강대하고 군사력이 강력해도 곧 실패하고 붙잡히게 되는데 오吳, 초楚, 제齊, 조趙의 여러 제후 왕들이 바로 이런 경우이다.

天下之患, 在於土崩, 不在於瓦解, 古今一也. ......天下誠有土崩之勢, 雖布衣窮處之士, 或首惡而亂海內, 陳涉是也. ......天下雖未有大治也, 誠能無土崩之勢, 雖有強國勁兵, 不得旋踵而身爲禽矣, 吳, 楚, 齊, 趙是也. (『사기·평진후주부언열전平津侯主父列傳』)

환중유진幻中有眞

문예 작품의 줄거리와 배경이 상상과 허구로 쓰였더라도 진실을 내포하고 있으며 사회의 현실을 투영함을 말한다. 불교와 도가사상에 따르면 현실사회는 끊임없이 변화하므로, 사람들은 이런 환상에 집착하는 대신 환상을 초월하여 사물의 본질을 알아야 한다. 문예비평가들의 주장에 따르면, 독자는 문예작품과 삶의 현실을 이해할 때 환상을 넘어 작품의 진실을 깨닫고 미적 체험을 경험해야 한다. '환중유진'은 문학비평 용어로써, 문예의 심미적 특징과 의미를 드러낸다. 그뿐 아니라 예술형상의 창조는 반드시 현실의 삶을 바탕으로 하되 현실 생활에 매몰되어서는 안 되며, 생활의 사실성과 예술의 진실성을 높은 수준으로 결합해야 한다는 문예 창작의 기본 규칙을 보여주고 있다.

예)

그러므로 부득이 허구의 묘사를 통해 인생의 만남과 헤어짐, 권선징악의 이야기를 그려 독자가 보고 경계하도록 한다.

故不得已描寫人生幻境之離合悲歡, 以及善善惡惡, 令閱者觸目知警. (연하산인煙霞散人『환

중진幻中眞』서)

　『서유기』를 예로 들어 말하자면…… 사제 4명이 각자 성격이 있고 각자의 말과 행동거지가 다르다. 시험 삼아 어떤 말 한마디나 행동을 들어 책을 보지 않고 추측하도록 하더라도 누구인지 알 수 있다. 바로 허구 속에 현실이 있기에 진짜 눈으로 본 듯 실제에 가까운 느낌을 받는 것이다.

　　即如『西遊』一記……師弟四人, 各一性情, 各一動止, 試摘取其一言一事, 遂使暗中摹索, 亦知其出自何人, 則正以幻中有眞, 乃爲傳神阿堵. (수향거사睡響居士『이각박안경기二刻拍案驚奇』서)

┃ 활법活法

　　시문을 창작함에 있어 규칙과 법도를 준수해야 하지만 융통성 없게 규칙만을 지켜서는 안 되고 동시에 변화와 창의성이 있어야 한다는 뜻이다. 융통성 없이 옛사람들의 방식에 얽매이는 '사법死法'과 대립되는 개념이다. 작품이 활법을 갖추게 하려면 우선 기본적으로 선인의 작품들을 익히고 널리 섭렵하여 통달한 후에, 그에 교착되거나 구애받지 않고 자신의 감정과 작품의 미감美感에서 출발해 작품의 문법과 언어가 참신한 뜻을 표현할 수 있도록 해야 한다. 송나라 때의 문학이론가들은 유연하면서도 융통성을 가진 선禪 사상의 영향을 받아 시문 영역에서 활법을 제창하여 이를 시문 창작의 중요한 원칙으로서 수립하였다.

　　예)
　　시 짓는 법을 익히려면 활법을 이해해야 한다. 활법이란 시를 짓는 각종 규칙과 법도를 전부 구비하고 있으면서도 또한 규칙과 법도의 한계를 뛰어넘어, 시문이 예측할 수 없는 각종 변화를 표현할 수 있도록 하면서도 규칙을 위배하지 않게 하는 것이다. 이 도리인즉 일정한 규칙이 있으면서도 없고, 없으면서도 있는 것이다. 이 도리를 이해하는 이가 있다면 그와 함께 활법을 논할 수 있다.

　　學詩當識活法. 所謂活法者, 規矩備具, 而能出於規矩之外, 變化不測, 而亦不背於規矩也. 是道也, 蓋有定法而無定法, 無定法而有定法. 知是者則可以與語活法矣. (유극장『후촌집後村集』

권이십사에서 여본중呂本中의『「하균부집夏均父集」서』를 인용한 부분)

　글을 쓰는 기예라면 반드시 자기의 활법을 가지고 있어야 한다. 그저 고인의 옛 방법에 얽매이기만 하고 그들의 옛 글에서 새로운 것을 창조해낼 수 없다면 이는 바로 사법이다. 사법은 그대로 답습하고 모방할 줄만 알지 나의 글이 언어를 벗어나 새로운 생명을 얻게 하지는 못한다. 화법은 범속을 초탈하여 나의 글이 언어에 얽매여 죽지 않게 한다. 글이 언어에 얽매여 죽는 것이 [바로 사법이요], 글이 언어를 벗어나 새 생명을 얻게 하는 것이 바로 활법이다.

　文章一技, 要自有活法. 若膠古人之陳迹, 而不能点化其句語, 此乃謂之死法. 死法專祖踏襲, 則不能生於吾言之外; 活法奪胎換骨, 則不能斃於吾言之內. 斃吾言者, [故爲死法;] 生吾言者, 故爲活法. (유성俞成『형설총설螢雪叢說 · 문장활법文章活法』)

| 황제皇帝

　중국 제제帝制 시대 최고통치자의 칭호이다. 상고시대 전설 중의 '삼황오제三皇五帝'에서 기원했다. '삼황'은 여러 가지 설이 있는데 복희씨, 신농씨, 수인씨라고도 하고, 또는 복희씨, 신농씨, 여와라고도 한다. '오제'는 보통 황제黃帝, 전욱顓頊, 제곡帝嚳, 당요唐堯, 우순虞舜을 이른다. 사실 그들은 그저 먼 고대 부락 또는 부락연맹의 수령이다. 다만 그들 모두 평범하지 않은 업적이 있기에(예시로 복희씨는 어획과 사냥을 가르치고 팔괘를 창제했다) '황' 또는 '제'로 높임을 받았을 뿐이다(글자의 기원을 보면 '황'은 아름답고 크다는 뜻이 있고, '제'는 상세하게 밝히 살핀다는 뜻이 있다). 진왕 영정(B.C. 259~B.C. 210)은 중국을 통일한 이후 자신의 공덕이 삼황과 오제를 뛰어넘었다고 하며 '황제'의 칭호를 만들어 '시황제'를 자칭했다. 이로부터 '황제'라는 단어는 중국의 최고통치자를 가리키는 전통적인 호칭이 되었다.

　예)
　진왕 영정이 막 천하를 통일하고서, 스스로 덕은 삼황에 견주고 공은 오제를 넘는다

여기며 칭호를 바꾸어 '황제'라 불렀다.

王初幷天下, 自以爲德兼三皇, 功過五帝, 乃更號曰'皇帝'. (『자치통감資治通鑑 · 진기秦紀 2 · 시황제 26년』)

황하黃河

중국에서 두 번째로 큰 강으로 청장고원에서 발원하며 서쪽에서 동쪽으로 청해, 사천, 감숙, 녕하, 내몽고, 섬서, 산서, 하남, 산동의 9개 성(자치구)을 지나 발해로 흘러 들어간다. 총 길이는 약 5464Km로 세계적으로 유명한 큰 강이다. 진흙이 많아 색이 노란 연유로 황하란 이름을 얻었으며, 중화민족의 요람이자 중국 고대문화의 주요 발원지로 중국인의 '어머니 강'(母親河)이라고 불린다. 황하는 자연적인 하천이상으로, 중국인의 중요한 문화적 이미지이자 상징물로 중화민족의 자강불식, 굽히지 않고 용감하게 전진하는 정신적 품격을 상징한다.

예)
태양은 서쪽의 높은 산을 기대어 기울고, 황하는 동쪽의 큰 강을 향해 흘러가네. 천리 밖을 보고 싶다면, 한 층 더 올라가야 하네.

白日依山盡, 黃河入海流. 欲窮千里目, 更上一層樓. (왕지환王之渙, 『등관작루登鸛雀樓』)

황한荒寒

고대의 시, 사, 회화 작품에서 묘사한 황량하고 외진 풍경 및 표현한 적막하고 처량한 심경. 당송시기 변경지역의 관문을 지키거나 귀향간 시인들이 벼슬 길에 뜻을 잃거나 동시대 사람들에게 이해 받지 못하여 환경의 처량함과 마음의 외로움을 더 크게 느껴 시가작품 중에 자주 황량하고 쓸쓸한 분위기와 의경을 그려내었고, 이로써 강인한 불굴의 의지 와 자기 자신의 수양에만 힘쓰려는 뜻을 전달하여 독특한 미학적 취

향과 현실을 초월하는 심미적 방식을 형성했다. 황한의 정서를 추구하는
회화는 더욱 자연과 소통하는 정신 및 자연과 일치된 정취로 가득하다.
이런 종류의 시화는 중국문화중의 한가지 독특한 품격과 스타일이다.

예)

(납란성덕納蘭性德의 사는) 특히 변경 밖의 황한의 풍경 묘사에 뛰어났다. 아마도 황
제를 따라 순시할 때 직접 경험했기 때문에 그의 묘사가 그렇게 생동감 있는 듯하다. 그
러나 그의 비교적 긴 사 작품은 지루한 편으로 그의 소령에 한참 못 미친다. 그의 작사
재능에 한계가 있기 때문인가?

尤工寫塞外荒寒之景, 殆屬從時所身歷, 故言這親切如此. 其慢詞則凡近 拖沓, 遠不如其小令,
豈詞才所限歟? (채숭운蔡嵩雲, 『가정사론柯亭詞論』)

설경을 그린 작품은 왕유王維 다음으로 거론할 수 있는 사람은 이성李成, 범관范寬,
이당李唐, 허도녕許道寧이다. 정취에 그들의 그림은 충분히 소박하고 힘차지만, 황한의
있어서는 왕유의 작품에 미치지 못한다.

雪圖自摩詰以後, 惟稱營丘, 華原, 河陽, 道寧. 然古勁有餘, 而荒寒不逮. (운수평惲壽平, 『남
전화발南田畫跋』)

황홀恍惚

있는 듯 없는 듯하여 헤아리기 어렵다. '홀황'이라고 하기도 한다. 『노
자』에서 '황홀'은 '도'를 묘사하는 데 쓰였다. 노자는 '도'에는 형태가 없
어 어떤 유형적 사물의 속성으로 묘사할 수 없다고 생각했다. 동시에
'도'는 또한 완전히 존재하지 않는 것은 아니며, 만물에 대해 실재하는
영향력을 발휘하고 있다. 이처럼 있는 듯 없는 듯한 '도'의 상태가 곧
'황홀'이다.

예)

큰 덕의 모습은 오로지 도를 따르는 것이다. 도라는 것은 그저 황홀하다. 흐릿하고

모호한 그 가운데 상이 있다. 어슴푸레한 그 가운데 사물이 있다. 고요하고 어둑한 그 가운데 정기가 있다. 그 정기는 매우 진실하고, 그 가운데 믿음이 있다. 예부터 지금까지 도의 이름은 사라지지 않았으며 도에 의지하여 만물의 시작을 본다. 내가 어떻게 만물의 시작되는 상태를 알겠는가? 도를 의지함이다.

孔德之容, 惟道是从. 道之為物, 惟恍惟惚. 惚兮恍兮, 其中有象. 恍兮惚兮, 其中有物. 窈兮冥兮, 其中有精. 其精甚真, 其中有信. 自古及今, 其名不去, 以閲众甫. 吾何以知众甫之状哉? 以此. (『노자 21장』)

| 회사후소繪事後素

그림을 그릴 때 먼저 흰 비단으로 바탕을 삼는 것에서 유래하여, 아름다움은 자연스럽고 소박함에서 나온다는 뜻이 되었다. 공자는 이 용어를 통해 인의를 본질로 삼고 예교를 그 다음으로 여기는 이념을 구체화했으며, 예의 교육은 사람의 자연적인 본성에 기원한다는 점을 강조했다. 후에 이 용어는 문예창작과 비평에 사용되어, 수식은 본질에 기원하며 문체와 내용이 서로 부합하여 자연스러운 아름다움을 보여주어야 한다는 뜻으로 쓰였다.

예)
자하가 물었다. "보조개가 핀 웃음 어여쁘구나, 반짝이는 눈동자 아름답구나, 흰 비단 위 채색한 그림 같구나. 이 구절은 무슨 뜻입니까?" 공자께서 말씀하셨다. "'먼저 흰 비단이 있어야 그림을 그릴 수 있다'는 뜻이다."

子夏問曰: "'巧笑倩兮, 美目盼兮, 素以爲絢兮.' 何謂也?" 子曰: "繪事後素." (『논어 · 팔일八佾』)

예는 반드시 충忠과 신信을 근본으로 하여야 한다. 마치 그림을 그릴 때 반드시 먼저 흰 비단이 있어야 하는 것과 같다.

禮必以忠信爲質, 猶繪事必以粉素爲先. (주희朱熹『논어집주論語集註』)

│ 회심會心

　말로 하지 않아도 서로 마음으로 깨닫고 이해한다는 뜻. 일반적으로 성향과 성정이 맞는 친구끼리 마음이 통해 서로 이해하며 마음에 들어 하는 것을 뜻한다. 특히 자연미의 감상이나 문예작품의 심미관에 있어 주체와 객체가 조화되는 경지를 가리킨다. 작가가 아름다운 의경을 창작하면 감상자가 그것을 마음으로 깨달아, 마음과 사물이 깊이 조화되고 서로 통하여 즐거움과 위안을 느끼게 된다.

　　예)
　양의 간문제가 화림원에 유람하러 와서 좌우의 종자들을 돌아보며 말하였다. "마음이 통하는 장소가 꼭 멀리 있는 것이 아니구나. 이곳에는 나무가 가득하고 그 사이에 한 줄기 물이 흐르니 자연히 장자의 호수濠水 다리 위에서 노닐고 복수濮水에서 고기를 낚는다는 이상이 떠오르는구나. 새와 짐승과 물고기마저 스스로 사람에게 친근하게 다가오는 것 같도다."
　簡文入華林園, 顧謂左右曰: "會心處不必在遠, 翳然林水, 便自有濠濮間想也, 覺鳥獸禽魚自來親人." (유의경劉義慶『세설신어世說新語·언어言語』)

　『시경』에서 공덕을 칭송하는 것과 풍자하는 것, 간언하는 것은 모두 분명한 흔적이 없기 때문에 감상할 때는 응당 마음으로 깨닫고 이해해야 한다.
　『三百篇』美刺箴怨皆無迹, 當以心會心. (강기姜夔『백석도인시설白石道人詩說』)

│ 회원이덕懷遠以德

　은혜와 인덕으로 먼 지역의 부족, 백성 등을 위로하고 회유하는 것을 가리킨다. 역대 화하족 정권이 다른 민족과, 직접적인 통치 범위 안에 있지 않은 부족 및 외국과의 관계를 처리한 정치 이념이다. 중국은 다민족 국가였으며 화하족을 주체로 하는 정권은 스스로 대국인 동시에 문화가 발달했다고 생각해 중국 문화에 속하지 않는 먼 곳의 부족과 백

성 등에 대하여 보통 무력을 쓰기보다는 유가의 '인덕仁德'에 부합하는
유화적 수단으로 귀순시키려 했다.

예)

관중이 제 환공桓公에게 말하길, "신이 듣건대 아직 귀순하지 않은 제후는 예로 복종
시키고 먼 지역의 부족과 백성은 덕으로 위로하라고 했습니다. 덕과 예를 어기지 않으
면 귀순하지 않는 자가 없을 겁니다."라고 했다.

管仲言於齊侯曰: 臣聞之, 招携以禮, 懷遠以德, 德禮不易, 無人不懷. (『좌전 · 희공僖公 7년
』)

회화육법繪畫六法

고대 중국의 회화 창작에 대한 여섯 가지 기법과 미학적 원칙. 남조南
朝 제량齊梁의 화가 사혁謝赫은 역대 명가의 작품을 품평하여 기운생동
氣韻生動, 골법용필骨法用筆, 응물상형應物象形, 수류부채隨類賦彩, 경영위
치經營位置, 전이모사傳移模寫 등 여섯 가지 기본적인 방법과 원칙을 확립
하고, 전통 회화 이론의 기초적인 체계를 마련했다. '기운생동'은 회화
작품은 관람자가 보았을 때 생동감과 운치가 깊이 느껴져야 한다는 뜻
으로 심미 효과에 입각한 일반원칙이다. 이하의 다섯 가지는 회화의 구
체적인 기교법에 대한 요구이다. '골법용필'은 붓놀림이 등장인물의 각
종 윤곽 변화를 자연스럽게 나타낼 수 있어야 한다는 것이다. '응물상
형'은 형태가 대상의 외형적 특징에 따라야 함을 가리킨다. '수류부채'
는 인물 대상의 특징에 근거하여 색을 입혀야 한다는 뜻이고, '경영위
치'는 그림의 구도가 이치에 맞게 배치되어 전체적인 효과를 내는 것을
말한다. '전이모사'는 명작을 베낌으로써 회화의 기법을 익히는 것이
다. 후세 사람들은 이 원칙에 근거하여 작품을 품평했고, 다섯 가지의
기교법에 근거해 의견을 제시하고 경험을 정의하면서 회화론의 체계

를 발전시켰다. '회화육법'은 중국 고대 회화의 기본적인 기법과 미학적 원칙을 보여주며, 회화비평의 기준인 동시에 육조六朝 이후의 중국 회화 비평 및 창작활동에 영향을 미쳤다.

예)

육법이란 무엇인가? 첫째는 기운생동이요, 둘째는 골법용필이요, 셋째는 응물상형이요, 넷째는 수류부채요, 다섯째는 경영위치요, 여섯째가 전이모사이다.

六法者何? 一曰氣韻生動是也, 二曰骨法用筆是也, 三曰應物象形是也, 四曰隨類賦彩是也, 五曰經營位置是也, 六曰傳移模寫是也. (사혁謝赫『고화품록古畫品錄』)

육법의 정묘한 이론은 만고에 변하지 않는다. 그러나 '골법용필' 이하의 다섯 가지는 습득할 수 있지만, '기운생동'은 반드시 타고나야 한다. 그래서 정교함과 세심함으로 얻을 수 없고, 오랜 시간의 경험을 통해 이룰 수도 없다. 말없이 마음으로 깨달아 알게 되고, 느끼지 못하는 사이에 그렇게 된다.

六法精論, 萬古不移, 然而骨法用筆以下, 五者可學, 如其氣韻, 必在生知, 固不可以巧密得, 復不可以歲月到, 默契神會, 不知然而然也. (곽약허郭若虛『화도견문지畫圖見聞志』)

효孝

자녀가 부모에게 순종하고 경애敬愛함. 언행으로 말하자면 '효'는 다음 3가지 조건을 포함한다. 첫째, 부모에게 받은 신체를 소중히 보호하여 다치고 병들지 않아 부모를 걱정시키지 않는다. 둘째, 부모의 가르침과 요구에 어긋나지 않는다. 설령 동의하지 않더라도 순종하고 따라야 한다. 셋째, 고상한 품행으로 자기의 명예와 공훈을 이루어 부모의 가르침을 드러낸다. '효'는 자녀의 마음에 뿌리박은 부모에 대한 사랑과 존경이다. 유가는 '효'가 개인의 품행을 기르는 기본이라고 여겼고 이로써 부자관계, 나아가 군신관계를 유지하고 강화하는 근본으로 삼았다.

예)

자유가 효가 무엇인지 물었다. 공자가 대답했다. "오늘날의 효는 부모를 봉양하는 것이다. 개나 말도 사육한다. 만약 부모를 존경하지 않는다면 부모를 봉양하는 것과 개와 말을 기르는 것이 다를 바가 무엇이겠는가?"

子游問孝. 子曰: "今之孝者, 是謂能養. 至於犬馬, 皆能有養. 不敬, 何以別乎?" (『논어論語·위정爲政』)

효는 부모를 섬기는 데서 시작하여, 군주를 섬기는 것으로 발전하고, 처세와 사람 됨됨이로 끝을 맺는 도이다.

夫孝, 始於事親, 中於事君, 終於立身. (『효경孝經·개종명의開宗明義』)

후덕재물厚德載物

넓고 두터운 덕성으로써 천하 만물을 싣는다는 뜻. 너그럽고 후한 덕으로 만물 혹은 타인을 포용함을 뜻한다. 옛사람들은 대지의 형세와 특징이 넓고 두터우며 온순해 만물을 실어 각자 생장하게 한다고 여겼다. 군자는 '지地'에서 법을 취해 대지와 같이 넓고 두터운 덕으로써 만물과 타인을 포용해야 한다. 이는 자신에 대한 도덕적 수양 및 인간과 자연, 사회의 일체적 조화에의 추구라는 내용을 포함하고 있다. 이 술어는 중국인이 대지와 산천의 모습과 특징을 참고해 수립한 국정 운영과 처신에 대한 이념 및 이상을 드러내고 있다. '후덕재물'은 '자강불식自强不息'과 함께 중화민족 정신의 기본적인 품격을 구성하였다.

예)

대지의 기세가 후덕하고 온순하니 군자는 너그럽고 두터운 미덕으로써 천하 만물을 포용해야 한다.

地勢坤, 君子以厚德載物. (『주역·단상象上』)

대지의 형세가 온순한 것은 대지가 너그럽고 두터운 덕성을 갖추었기 때문이다. 너그럽고 두텁기 때문에 만물을 실을 수 있다. 군자가 대지의 너그럽고 두터운 덕성을 본받으면 백성과 만물을 모두 포용할 수 있다.

地勢之順, 以地德之厚也. 厚, 故萬物皆載焉. 君子以之法地德之厚, 而民物皆在所載矣. (진몽뢰陳夢雷『주역천술周易淺述』권일)

후적박발厚積薄發

두텁게 쌓고 조금씩 내보내다. 학술 연구나 문예 창작 등에서 먼저 광범위하게 선인의 지식과 성과를 흡수하여 심후하게 축적하고 견실한 기초를 쌓은 후, 다시 조금씩 독자적인 견해를 제시하거나 선인의 기초 위에서 창작하는 것을 이른다. 한 국가나 기업이 어떤 영역 혹은 방면에서 장기적인 준비 이후에 실력과 혁신성을 드러내며 새로운 국면을 개척할 때에도 쓰인다. 무슨 일이든 급하게 성공하길 바라선 안 되고, 누적된 경험과 충분한 준비가 있어야만 좋은 결과를 거둘 수 있다는 의미이다.

예)
널리 읽고 그 정수를 간추려 취하고, 두텁게 쌓고 조금씩 내보내시오. 내가 말해줄 수 있는 것은 이것뿐이오.

博觀而約取, 厚積而薄發, 吾告子止於此矣. (소식『가설稼說─송장호送張琥』)

흥관군원興觀群怨

공자가 제시한『시경』의 4가지 주요 기능으로 문학의 기본 기능과 가치에 대한 고도의 개괄이기도 하다. '흥'은 작품 감상 과정에서 연상을 일으킴으로써 사회와 인생에 대한 감상자의 사고와 흥취를 자극해 끌어올리는 것을 뜻한다. 그리고 '관'은 작품을 통해 자연과 사회, 인생의 각종 상황들을 인식하고 정치의 득실을 꿰뚫어보게 하는 것이다. 이어서 '군'은 작품을 놓고서 다른 사람과 논의하여 사상, 감정을 교류하게 하는 것이며, '원'은 사회 상황에 대한 불만을 표현하여 마음속 감정을 털어놓게 하는 것이다. 이 4가지 기능은 내적으로 연결돼 있으며 문학의 미학적 기능, 인식적 기능, 교육적 기능과 관련이 있다. 후대의 학자들은 이에 대해 끊임없이 새로운 해석을 내놓았다.

예)

『시경』은 연상을 일으켜 생각하게 하고, 세상을 인식하게 하고, 생각과 감정을 교류하게 하고, 불만을 표현하게 할 수 있다. 집안에서는 그것으로 부모를 모실 수 있고 밖에 나가서는 그것으로 임금을 모실 수 있으며 그 안에서 초목과 조수 등의 지식을 배울 수도 있다.

『詩』可以興, 可以觀, 可以群, 可以怨; 邇之事父, 遠之事君; 多識於鳥, 獸, 草, 木之名. (『논어 · 양화陽貨』)

작가가 감흥한 뒤의 작품이 인식적 가치까지 있다면 그 감흥은 틀림없이 깊다. 인식을 통해 감정까지 일으킬 수 있다면 그 인식은 틀림없이 진실하고 명확하다. 그리고 작품 때문에 모여 어떤 원한이 생기면 그 원한은 더욱 잊기 힘들고, 원한 때문에 무리가 만들어지면 그 무리는 틀림없이 더 관계가 긴밀할 것이다.

於所興而可觀, 其興也深; 於所觀而可興, 其觀也審; 以其群者而怨, 怨愈不忘; 以其怨者而群, 群乃益摯. (왕부지, 『강재시화』상권)

흥기興寄

비흥比興과 기탁寄託 등의 예술 기법을 운용해 시가 깊이 있게 감정을 내포하고 함축하며 감개를 기탁할 수 있도록 하는 것을 말한다. 초당初唐 때 진자앙陳子昻이 처음으로 제시하였다. '흥'은 외부 사물이 촉발하여 감정을 일으키는 것을 말하고 '기'는 어떠한 우의를 기탁하는 것을 말한다. '흥기'는 처음에는 시인의 감정에 우의를 담아 사물을 통해 감정을 표현한다는 목적에 도달하는 것을 말했으며 나중에는 의미가 파생되어 시가 찬미 혹은 풍자하는 우의를 가져야 함을 뜻하게 되었다. '흥기'라는 술어는 사물을 느껴 흥이 일어난다는 선진 시대의 시 전통을 계승하여 시의 감흥 속에 깊은 기탁이 있어야 함을 강조하였다. 이는 비흥 이론의 중요한 발전으로 성당 시가 제량齊梁 시대 시의 화려함을 추구하며 기탁을 버린 창작 태도에서 벗어나 건전하게 발전하도록 촉진하는 데 큰 역할을 하였다.

예)

나는 한가할 때 제량 시대의 시를 읽어 보았는데 이 시들은 수식을 쌓아올려 앞 다투어 화려함만을 경쟁하였을 뿐 흥기의 맛은 전혀 없었다. 나는 자주 이 점을 탄식하였다. 짐작컨대 옛사람들도 분명히 시풍이 점차 화려하고 퇴폐적으로 변하여『시경』의 풍아風雅의 전통이 다시 일어나지 않을 것을 걱정하며 근심스러워했을 것이다.

僕嘗暇時觀齊梁間詩, 彩麗競繁而興寄都絕. 每以永嘆, 思古人常恐逶邐頹靡, 風雅不作, 以耿耿也. (진자앙『여동방좌사규수죽편서與東方左史虯修竹編序』)

나는 일찍이 흥기의 특징을 가진 작품들이 묻혀 버리고, 글이 겉치레와 지엽적인 것만을 추구하며 방임하는 것이 풍조로 굳어질 것을 걱정하였다. 이러한 때에 더욱 감개와 의미를 담은 작품을 써야 한다.

僕嘗病興寄之作堙鬱於世, 辭有枝葉, 蕩而成風, 益用慨然. (유종원柳宗元『답공사침기서答貢士沈起書』)

흥리제해興利除害

백성에게 이로운 일을 벌여 백성에게 해로운 일을 없앤다. 위정자라면 백성의 이익을 최우선으로 생각해 천하 백성에게 이로운 일을 많이 하고 백성을 해치는 일을 제거한다. 고대 중국에서는 유가, 묵가, 법가를 막론하고 모두가 이것이 위정자의 기본적인 책무이자 위정자가 백성의 지지를 얻게 되는 근본적인 전제라고 여겼다. 따라서 이것은 권력 정당성의 바탕이기도 하다. 오늘날 이른바 '집정위민執政爲民' 또한 이와 무관하지 않다.

예)

옛날의 현명한 임금은 백성을 위해 해로운 일은 제거하고[제해除害] 이로운 일을 벌이는 것[흥리興利]에 능했기 때문에 천하의 백성이 그를 따랐다. 흥리란 농사에 이롭다는 뜻이고 제해란 농사에 해로운 일을 금지한다는 뜻이다.

先王者善爲民除害興利, 故天下之民歸之. 所謂興利者, 利農事也, 所謂除害者, 禁害農事也. (『관자管子 · 치국治國』)

어진 사람의 사업은 천하 사람들 모두에게 이로운 일을 일으켜 천하 사람들의 공통된 화를 없애는 데 힘써야 한다.

仁人之事者, 必務求興天下之利, 除天下之害. (『묵자墨子 · 겸애하兼愛下』)

상왕 탕商王湯과 주 무왕周武王은 모두 이 원칙을 따르고 이 도리를 받들어 시행해 천하 사람들 모두에게 이로운 일을 일으켜 천하 사람들의 공통된 화를 제거하였기 때문에 사람들이 모두 그들을 따랐다.

湯武者, 修其道, 行其義, 興天下同利, 除天下同害, 天下歸之. (『순자荀子 · 왕패王霸』)

흥상興象

문학 작품 안에서 심원한 의미와 심미적 정경을 낳을 수 있는 물상物象으로, 창작 주체의 주관적 감정이 객관적 형상과 융합돼 만들어진 일종의 예술 경계이다. '흥'은 작가에게 우연히 생긴 창작의 충동을 가리키고 '상'은 작가가 작품에서 이용하는 외적인 구체적 물상을 가리킨다. '흥상'은 당나라의 시론가 은번殷璠이 『하악영령집서河岳英靈集序』에서 성당 시인들의 작품을 평할 때 사용한 용어로서 나중에 시 평론의 '흥상관興象觀'으로 발전해 작품 경계의 고하를 가늠하는 데 사용되었다.

예)

시인의 작품에는 많은 흥상이 존재하며 풍골風骨도 갖추고 있다.

旣多興象, 復備風骨. (은번, 『하악영령집서』)

시 짓기에는 대체로 두 가지 면이 존재한다. 체제와 성률聲律, 흥상과 기운氣韻이다.

作詩大要不過二端: 體格聲調, 興象風神而已. (호응린胡應鱗, 『시수詩藪』)

┃ 흥취興趣

'흥' 속에 내포되어 있는 '취', 혹은 '흥'이 일어날 때 마음과 사물이 만나 생겨나는 '취'(정취情趣, 의취意趣 등)를 말한다. '흥취'는 시 속에 내포되어 있어 독자가 감상을 통해 획득하게 되는 특정한 심미적 취미이다. 남송 때의 시론가 엄우는 『창랑시화』에서 시의 감화력을 제창하면서 도리를 직접 설명하는 것을 반대하고 독자가 작품을 음미하고 읽으며 깨닫는 과정을 통해 즐거움과 만족을 얻게 해야 한다고 주장하였다. 이 술어는 나중에 시를 평가하는 중요한 기준이 되었으며 명, 청나라 시학도 이 사상에 크게 영향을 받았다.

예)
시란 본성과 진심을 읊는 것이다. 성당 시인들의 시는 특히 흥취를 중요시하여 마치 영양이 밤에 뿔을 나뭇가지에 걸어 두고 잠을 자듯이 아무런 흔적도 남기지 않는다.

詩者, 吟詠情性也. 盛唐詩人惟在興趣, 羚羊挂角, 無迹可求. (엄우『창랑시화 · 시변』)

옛 시는 주로 심미적인 정취를 전달하는 것을 중시해 함축적인 언어를 구사하고 미묘한 우의를 담고 있어 독자를 감화시킬 수 있었다. 그러나 송나라 시인은 대체로 시의 형식을 빌려 세상사를 논하고 도리를 설명하였다. 시로 세상사와 도리를 논하려면 어째서 차라리 문장을 짓지 않고 굳이 시를 쓰는가?

古詩多在興趣, 微辭隱義, 有足感人. 而宋人多好以詩議論. 夫以詩議論, 即奚不爲文而爲詩哉? (도륭屠隆『문론文論』)

| 흥興

　　외부 사물이 마음속의 감정을 촉발해 생겨난 심미적 감상과 심리 상태를 가리킨다. 미학 범주로서 '흥'은 '흥관군원興觀群怨'의 '흥(xīng)'과 '부비흥賦比興'의 '흥(xìng)'에서 이중으로 영향을 받았으며 두 가지 함의를 모두 가진다. 감상의 관점에서 볼 때 공자가 제시한 '흥관군원'의 흥은 시를 읽을 때 일어나는 심리적 감성과 교육의 효능을 중시하며, 순수한 문학 이론은 아니다. 창작의 관점에서 볼 때 '흥'은 『시경詩經』의 육의六義(풍風, 아雅, 송頌, 부賦, 비比, 흥興) 중 하나이다. 일반적으로 말하면, 앞의 세 가지는 『시경』의 내용과 체재에 대한 분류이고 뒤의 세 가지는 『시경』의 창작 기법이다. '흥'의 기본적인 특징은 다음과 같다. 비슷한 사물을 가져와 상상과 연상을 통해 비유를 완성하고 전달하려는 의미를 이미지[형상形象] 속에 내포시켜 시가의 운치를 더욱 함축적이고 심오하게 만든다. '흥'은 시가의 발단과 연상이 완정하게 하나로 융합되게 하며 독자가 시를 감상할 때 오랫동안 음미할 수 있게끔 만든다. '흥'은 처음에 '비比'와 긴밀하게 결합해 있었는데 위진남북조 시기에 와서 그 함의와 심미적 특징이 점차 독립적으로 발전해 갔다. 그리하여 '비흥比興'과 분리된 시학 범주가 되었고 '흥'은 외물의 내면 감정에 대한 촉발을 더욱 중시했다.

　　예)
　　시로 의지를 불러일으키고, 예로 행동을 규제하며, 음악으로 인격을 완성한다.
　　興於詩, 立於禮, 成於樂. (『논어論語 · 태백泰伯』)

　　흥은 마음이 동하는 것[起]이다. 비슷한 사물을 빌어 비유하여 자신의 감정과 의지를 불러일으킨다. 『시경』의 원문에서 초목과 새와 짐승을 열거해 작가의 감정과 의지를 표현한 부분은 모두 '흥'의 부류에 속하는 구절이다.
　　興者, 起也. 取譬引類, 起發己心. 『詩』文諸舉草木鳥獸以見意者, 皆興辭也. (공영달孔穎達, 『모시정의毛詩正義』 권1에 인용된 정중鄭衆의 말)

　　『시경』에는 육의가 있으며 그 네 번째가 흥이다. 흥은 사물에 의해 마음이 움직이는 것이다. 사물을 빌어 자신의 뜻을 기탁하고 때때로 읊어서 시가 된다.
　　『詩』有六義, 其四爲興. 興者, 因事發耑(duān), 托物喩意, 隨時成詠. (왕개운王闓運, 『시법일수시황생詩法一首示黃生』)

| 희문戱文

남희南戱를 지칭한다. 남희는 북송 말년에서 명말 청초에 유행한 절 강浙江성 온주溫州와 복건福建성 해안 일대에서 유행하며, 전통 민간 가무의 기초에서 발전한 일종의 지방 희곡으로 북방의 송원 시기 잡극과 병행하여 유행했고, 명청 시기에 전기傳奇로 변화 발전되었으며 중국 희곡 사상 가장 먼저 발전되고 가장 성숙했으며 중국 희극의 특성을 가장 잘 구현한 희곡 형태이다. '희문戱文'이란 단어는 중국 전통 희곡의 극본을 널리 지칭하는 데 쓰인다.

예)
남송 시기, 온주 악청현의 승려 조걸이 지방에서 제멋대로 횡포를 부리니 방관자들이 모두 불평했으나 그가 법망을 벗어날 것이 무서웠다. 그래서 그의 일을 희문으로 만들어 더 많은 사람이 그의 악행을 알도록 했다.

南宋溫州樂淸縣僧祖傑橫行霸道, 旁觀不平, 惟恐其漏網也, 乃撰爲戱文, 以廣其事. (주밀周密, 『계신잡식별집癸辛雜識別集・조걸祖傑』)

송대 희극에서야 비로소 창곡, 독백, 익살이 생겼다.

宋之戱文, 乃有唱唸, 有諢. (하정지夏庭芝, 『청루집지靑樓集志』)

편찬위원회 구성

중국 사상문화술어 보급 프로젝트 전문가 그룹

고문
리쉐친李學勤, 린우쑨戊戊蓀, 예자잉葉嘉瑩, 장치즈張豈之

전문가 위원회
주임: 한전韓震
위원
자오푸린晁福林, 천더장陳德彰, 천밍밍陳明明, 펑즈웨이馮志偉, 한징타이韓經太, 황여우이黃友義, 진위안푸金元浦, 리젠중李建中, 리자오궈李照國, 러우위례樓宇烈, 마젠페이馬箭飛, 네창순聶長順, 판궁카이潘公凱, 왕보王博, 왕닝王寧, 예랑葉朗, 위안지시袁濟喜, 위안싱페이袁行霈, 장리원張立文, 장시핑張西平, 정수푸鄭述譜

해외 전문가
가이 살바토레 앨리토(Guy Salvatore Alitto), 로저 T. 에임스(Roger T. Ames), 마틴 조셉 파워스(Martin Joseph Powers), 볼프강 쿠빈(Wolfgang Kubin), 해리 앤더스 한손(Harry Anders Hansson), 폴 크룩(Paul Crook), 마이클 크룩(Michael Crook), 돈 스타(Don Starr), 찰스 윌먼(Charles Willemen)

학술위원회
바이전쿠이白振奎, 차이리젠蔡力堅, 천하이옌陳海燕, 천사오밍陳少明, 푸즈빈付志斌, 궈샤오둥郭曉東, 런더任德, 허스젠何世劍, 후하이胡海, 후즈펑胡智鋒, 황춘옌黃春艷, 자더중賈德忠, 장하이룽姜海龍, 장하오수蔣好書, 리춘산李存山, 리징린李景林, 리쉐타오李雪濤, 린만추林滿秋, 류칭劉青, 류정柳拯, 뤼위화呂玉華, 만싱위안滿興遠, 멍칭난孟慶楠, 토르스텐 패트베르크(Thorsten Pattberg), 조슈아 메이슨(Joshua Mason), 차오융喬永, 런다위안任大援, 선웨이싱沈衛星, 스샤오칭施曉菁, 쑨이펑孫藝風, 타오리칭陶黎慶, 퉁샤오화童孝華, 왕강이王剛毅, 왕휘민王惠民, 왕커핑王柯平, 왕리리王麗麗, 왕웨이둥王維東, 웨이위산魏玉山, 원하이밍溫海明, 우건여우吳根友, 우즈제吳志杰, 샤지쉬안夏吉宣, 쉬밍창徐明强, 쉬야난徐亞南, 쉬잉徐英, 옌원빈嚴文斌, 옌쉐쥔嚴學軍, 양쉐둥楊雪冬, 양이루이楊義瑞, 위원타오于文濤, 위라이밍余來明, 장젠민張建敏, 장징張靜, 장쓰잉章思英, 자오퉁趙桐, 정카이鄭開, 저우윈판周雲帆, 주량즈朱良志, 주위안朱淵, 쥐리左勵

역자소개

김택규 : 인천 태생. 출판번역가, 한국외국어대학교 중국현대문학 박사, 숭실대학교 중문과 겸임교수. 저서로 『번역가 되는 법』, 『번역가 K가 사는 법』이 있고 역서로 『이혼지침서』, 『아큐정전』, 『이중톈 중국사』, 『암호해독자』 등 80여 권이 있다.

박희선 : 번역문학가, 베이징대 중어중문학과 박사. 동국대 중어중문학과에서 강의했다. 역서로 신이우의 『약속의 날』, 쑹쉐타오의 『형사 톈우의 수기』, 리쉬의 『인간 공자, 난세를 살다』, 이린의 『시간에 갇힌 엄마』, 권순자 시집 『천개의 눈물』 등이 있다.

이새봄 : 서울태생. 숙명여자대학교 중어중문학과, 남경대학 중문과 졸업.

조성윤 : 고려대 중어중문학과를 졸업하고 동 대학원에서 「『사기』의 감생신화 수용과 의의」로 석사학위를 받았다. 고전문학에서 이야기가 다시 쓰이는 양상에 관심이 있으며, 논문으로 「『사기』「고조본기」의 감생고사 연구」가 있다.

허수현 : 대학에서 중문학을 전공하고 중국에서 중국고전문학을 공부했다. 졸업 후 번역일을 하고 있다.

중국사상문화술어사전 下 ㅇ~ㅎ

초판 1쇄 인쇄일	2024년 1월 20일
초판 1쇄 발행일	2024년 1월 30일
편저	중국사상문화술어 편집위원회
역자	김택규 박희선 이새봄 조성윤 허수현
펴낸곳	국학자료원 새미 (주)

등록일 2005 03 15 제25100-2005-000008호
경기도 고양시 덕양구 권율대로 656 더클래시아퍼스트 1519, 1520호
Tel 02-442-4623 Fax 02-6499--3082
www.kookhak.co.kr
kookhak2010@hanmail.net

ISBN	979-11-6797-125-8(94140)
	979-11-6797-122-7(세트)
가격	50,000원
	100,000원(세트)

* 저자와의 협의하에 인지는 생략합니다.
잘못된 책은 구입하신 곳에서 교환하여 드립니다.
국학자료원 · 새미 · 북치는마을 · LIE는 국학자료원 새미(주)의 브랜드입니다.